LES MOMENTS VRAIS

« Je dédie ce livre, avec amour et gratitude, à mon mari chéri, Jeffrey James, pour tous les jours et les nuits de bonheur, remplis de moments vrais, qu'il m'a offerts, m'aidant ainsi à découvrir le Paradis ici sur Terre, et à mon cher animal de compagnie, Bijou, pour être l'incarnation de l'amour et de la loyauté, et m'apprendre patiemment à marcher lentement, à jouer souvent, et à toujours être présente, ici même et tout de suite... »

BARBARA DE ANGELIS

LES MOMENTS VRAIS

Traduit de l'anglais
par Nathalie Pacout

Titre original : *Real Moments.*

Introduction

J'ai écrit ce livre car j'avais besoin pour moi-même de ses leçons et de ses remises en mémoire. Je l'ai écrit parce que ma vie, comme tant d'autres vies, avait besoin d'un plus grand nombre de moments vrais. Je l'ai écrit parce que de par ma fonction d'auteur, je sais que la meilleure façon pour moi de partir à la découverte de moi-même a toujours été de me plonger dans le silence, d'écouter le silence, d'écrire ce que j'entendais et de savoir que les mots surgissant à ce moment-là de ma plume étaient d'un précieux enseignement, pour moi, d'abord, et ensuite pour les autres, s'ils le souhaitent.

A certains moments de notre vie, nous sommes mûrs pour la réflexion et la transformation, et c'est le cas aujourd'hui pour moi. Ces quelques dernières années, j'ai atteint le seuil de réussite que j'ai toujours espéré. Je vis la relation amoureuse dont j'ai toujours rêvé. Je me suis construit une vie riche et merveilleuse. Et pourtant, quand il m'arrivait de me demander : « Barbara, es-tu heureuse ? », je n'étais pas sûre de pouvoir répondre à ma question. Quand des amis me téléphonaient pour me féliciter de mes réussites ou de mon couple et me disaient : « Tu dois vraiment être heureuse maintenant », leurs propos me hantaient ensuite pendant des jours et des jours. Je savais que j'aurais dû être heureuse avec toutes les bénédictions dont ma vie était comblée, et pourtant, j'avais la sensation de ne pas l'être.

C'est alors que j'ai commencé à comprendre ce qui manquait à ma vie. Elle avait besoin de plus de « moments vrais », des moments pendant lesquels je n'avais pas besoin d'arriver quelque part ou d'être quelque chose, des moments simplement réservés au plaisir d'être là, maintenant. J'étais devenue experte en matière de « faire », mais ne réussissais pas très bien à simplement « être », y compris « être » heureuse.

En confiant mes préoccupations secrètes à des amis ou des relations, j'ai réalisé que j'étais loin d'être la seule dans ce cas. Quand je leur disais que j'étais en train d'écrire un livre intitulé « Les Moments Vrais », *tous me répondaient invariablement : « Eh bien, voilà un livre qu'il va m'être utile de lire ! » Je n'étais donc pas la seule à me sentir à la croisée des chemins, sur le plan affectif et spirituel, un grand nombre d'entre nous en étaient au même point, considérant la vie que nous avions vécue jusque-là, nous interrogeant sur sa réelle signification, remettant en question les choix que nous avions faits, cherchant les réponses qui nous apporteraient la paix.*

Je crois aussi qu'en tant que nation, l'Amérique elle-même traverse en ce moment une crise spirituelle, essayant désespérément de découvrir et de définir de nouvelles valeurs, à mesure que cette crise devient apparente dans cette époque violente et effrayante. Je crois que nos valeurs traditionnelles nous ont menés bien loin de l'harmonie et de la joie que nos ancêtres étaient venus chercher ici. A l'approche du XXIe siècle, nous sommes tous à la recherche, collectivement et individuellement, de plus de moments vrais.

Dans ce livre, je vous invite à vous poser les mêmes questions que je me suis posées quand je me suis sentie à la croisée des chemins :

— *« Suis-je heureux(se) ? »*
— *« Suis-je en train de vivre ce pour quoi j'étais destiné(e) ? »*
— *« Ai-je assez de moments vrais dans ma vie ? »*

Inutile de se leurrer, ce ne sont pas des questions auxquelles il est facile d'être confronté. Il faut du courage pour se les poser, et il en faut souvent encore pour accepter d'entendre les réponses qui émergent de notre cœur. Mais nous sommes largement récompensés de nos efforts par les nouveaux degrés d'amour, de paix et de révélation que nous vivons ensuite, jour après jour.

Dans la démarche que j'ai suivie pour répondre à ces questions, j'ai découvert sur moi-même de nouvelles vérités libératrices et j'ai pu opérer de grands changements dans ma vie, certains discrets et invisibles, et d'autres très évidents. Mais le plus important de tous est qu'à présent, je vis beaucoup plus de moments vrais. Chaque jour qui passe m'apporte un peu plus de cette paix que j'ai toujours recherchée, je commence à comprendre et à vivre ce qu'est le réel bonheur.

Aussi, même si ce livre m'a été utile à moi en premier, c'est maintenant à vous que je l'offre, avec amour. Mon espoir le plus cher est qu'en partageant mon cheminement avec vous, compagnons de voyage, je puisse enrichir votre propre parcours à la découverte de vos moments vrais à vous.

Barbara DE ANGELIS
1er février 1994
Los Angeles, Californie.

PREMIÈRE PARTIE

À LA RECHERCHE DES MOMENTS VRAIS

1

Votre quête du bonheur

« J'ai commencé par avoir hâte de venir à bout du lycée pour entrer à l'université.
Puis j'ai eu hâte de quitter l'université pour commencer à travailler.
Ensuite, j'ai eu hâte de me marier et d'avoir des enfants.
Puis j'ai eu hâte que mes enfants soient en âge d'aller à l'école pour reprendre mon métier.
Puis j'ai eu hâte d'être à la retraite.
Maintenant je suis au seuil de la mort, et je réalise soudain que j'ai oublié de vivre. »

ANONYME

Dans ce livre, il est question des moments vrais, ceux qui donnent de l'importance à la vie, et de la façon de les multiplier. Il y est question de votre épanouissement et du sens à donner à votre vie aujourd'hui, sans attendre d'avoir plus d'argent, de trouver le bon partenaire, ou d'atteindre le poids idéal. Ce livre vous indique comment retrouver ces moments vrais avec votre partenaire et vos enfants, dans votre travail et vos loisirs, dans votre sexualité et votre intimité et, par-dessus tout, avec vous-même.

Dans tous mes précédents livres, il était question des relations que les hommes et les femmes ont les uns avec les autres. « Les Moments Vrais » concerne la relation que nous avons avec le processus même de la vie, et la paix qu'un grand nombre d'entre nous recherchons, de manière consciente ou non.

•

Allez droit au fond de votre cœur. Etes-vous heureux ? Pensez-vous que quelque chose doit encore arriver avant que vous puissiez être heureux ? Etes-vous sûr que si ce quelque chose arrivait, vous seriez alors vraiment heureux ? Est-ce que ce serait suffisant ?

•

Considérez attentivement les valeurs de votre esprit. Si vous deviez soudain mourir demain, et fassiez un tour d'horizon de votre vie, quels sont les moments qui auraient le plus d'importance pour vous ? Qu'est-ce qui vous manquerait le plus dans votre passage sur terre ?

•

En écrivant ce livre, je vous offre l'opportunité de trouver pour vous-même les réponses à ces questions, comme je l'ai fait pour moi-même. Je crois profondément qu'il est important de nous poser ces questions à nous-mêmes. Cela nous force à arrêter de vivre notre vie d'une façon mécanique et inconsciente, et cela exige de nous un surcroît d'**attention**.

Un épisode célèbre de la philosophie zen raconte l'histoire d'un étudiant qui va consulter le Maître pour qu'il lui livre quelques-unes de ses réflexions de sagesse par rapport à la vie. Le Maître regarde alors attentivement l'élève impatient de connaître sa réponse, puis il n'écrit qu'un mot du bout de son pinceau : « **Attention** ». Dans la plus grande confusion, le disciple demande au Maître de développer sa pensée, mais de nouveau, celui-ci écrit au pinceau : « **Attention** ». L'élève se sent alors totalement frustré. Il n'arrive pas à voir ce que le Maître cherche à lui faire comprendre. Mais patiemment, le vieil homme écrit encore :

Attention... Attention... Attention...

Etre attentif aux moments de la vie tels qu'ils se présentent est ce qu'il faut entendre par **moments vrais**. Ce sont les moments où vous êtes totalement présent, totalement réceptif, totalement vivant.

Il s'agira parfois de moments de grand bonheur. Et parfois de profonde tristesse. Mais dans tous les cas, si vous êtes attentif à l'endroit où vous vous trouvez et à ce qui se passe, dans l'instant présent, vous vivrez un moment qui a un sens, un moment qui compte, et c'est ce que j'appelle un **moment vrai**.

« Je trouve la question "POURQUOI SOMMES-NOUS ICI ?" typiquement humaine. Mais il me semble que la question "SOMMES-NOUS ICI ?" serait plus logique... »

Leonard NIMOY
Mr Spock dans « Star Treck »

Etes-vous totalement présent, ici et maintenant, tout de suite, en lisant cette phrase ? Ou lisez-vous en pensant au travail que vous devriez être en train de faire ou à ce que vous allez préparer pour le dîner ? Tout en lisant, pensez-vous à l'altercation que vous avez eue hier soir avec votre compagnon ou vous demandez-vous si l'homme que vous venez de rencontrer va vous rappeler ? En règle générale, nous avons beaucoup de mal à accorder toute notre attention aux activités que nous pratiquons, quelles qu'elles soient, à nous consacrer totalement à l'expérience du moment. Et comme nous passons donc la plupart de notre temps à ne pas être dans le présent, nous avons du mal à vivre des moments vrais.

Autrement dit, il nous faut arriver au stade de la « pleine conscience ». Ce concept fait partie intégrante de nombreuses traditions spirituelles orientales, notamment le bouddhisme. Il implique d'être complètement attentif à ce que nous sommes en train de faire, quoi que ce soit, d'obliger notre esprit à être « pleinement conscient » de l'expérience en train d'être vécue.

La pleine conscience vous permet d'être totalement dans le moment présent. Elle vous permet de transformer une expérience ordinaire, telle que marcher dans la rue, mettre votre enfant au lit, tenir votre partenaire dans vos bras ou même conduire la voiture, en un moment vrai. Quand vous êtes totalement attentif, vous vivez en pleine conscience l'expérience présente, l'endroit où vous êtes et ce que vous faites, au lieu de laisser passer l'instant, comme les autres, un instant voué à l'oubli, précédant celui que vous allez vivre et suivant celui que vous venez de vivre. Je vous donnerai plus loin des outils qui vous permettront d'être plus pleinement conscient de ce que vous vivez.

Le contraire de l'attention est l'insouciance, l'indifférence, faire les choses sans y penser, sans les ressentir automatiquement et inconsciemment. Je crois qu'une grande partie de notre souffrance, et de celle de notre entourage, vient précisément de cette insouciance :

— L'insouciance est ce qui vous maintient dans une relation qui ne vous enrichit pas, peut même vous faire du mal, et qui vous empêche d'être lucide sur votre état.

— L'insouciance est ce qui vous fait ignorer les messages qu'essaye de vous transmettre votre corps lorsqu'il souffre de quelque part, jusqu'à ce qu'un jour, des années plus tard, le médecin détecte une maladie grave.

— L'insouciance est ce qui vous laisser fumer, boire ou prendre des drogues, et vous empêche de voir, en dépit de votre toux chronique, de votre fragilité émotionnelle ou de vos humeurs en dents de scie, que vous êtes en train de vous tuer lentement et de faire du mal à ceux que vous aimez.

— L'insouciance et l'indifférence vous laissent voir les injustices flagrantes et la cruauté qui existent dans notre monde actuel, mais vous empêchent de dire ou faire quoi que ce soit pour tenter d'y mettre un terme.

L'insouciance est une habitude mentale malsaine dont beaucoup d'entre nous souffrent une trop grande partie du temps. En vivant notre vie dans l'insouciance, nous nous privons de tous les moments vrais. Ellen Langer, professeur de psychologie, auteur d'un ouvrage sur l'insouciance et l'indifférence, dit que toute personne vivant ainsi dans l'insouciance court le risque « d'être piégée dans une vie non vécue ». Nous traversons les jours, les mois et les années en fixant notre esprit sur l'endroit où nous allons plutôt que sur l'endroit où nous sommes, et nous nous demandons pourquoi nous n'avons jamais l'impression d'aboutir à quelque chose qui nous procure un épanouissement durable.

Comment remettons-nous le bonheur à plus tard ?

Il est très facile d'être insouciant aux Etats-Unis, car rêver à des lendemains meilleurs et vivre dans cet objectif fait partie de la mentalité américaine. L'Amérique a toujours été un pays où les gens vivaient à la poursuite de leurs rêves. Des rêveurs venus des quatre coins de la Terre s'y sont installés en ne rêvant que de jours meilleurs ou même de choses extraordinaires. Le problème, dans cette deuxième moitié du XXe siècle, c'est que nous avons tellement pris l'habitude de vivre dans l'espoir du lendemain que nous avons beaucoup de mal à vivre le présent. Nous faisons des projets d'avenir ou nous nous inquiétons de ce qu'il nous réserve, et avant même que nous le sachions, notre vie est finie et nous réalisons que nous avons été trop préoccupés toute notre vie de ce qui était arrivé et ce qui allait se passer, pour avoir pris le temps de jouir de chaque instant présent. **Nous savons parfaitement nous préparer à vivre, mais nous avons du mal à profiter du déroulement de la vie proprement dit, au présent.** Nous savons préparer nos carrières, nous savons préparer nos vacances, nos week-ends, nos retraites, et finalement, nous ne savons que préparer notre mort.

Le problème, c'est qu'en sachant si bien préparer l'avenir, nous prenons l'habitude de ne pas jouir du moment présent. Ainsi, lorsqu'arrivent ces merveilleux événements que nous avions soigneusement planifiés, les vacances, une promotion, une fête, nous ne savons pas réellement en profiter. Nous nous dépêchons de vivre ces expériences tant attendues, comme si nous avions hâte qu'elles se terminent, nous les vivons comme s'il s'agissait d'une de nos tâches à accomplir, et nous nous demandons ensuite pourquoi, une fois qu'elles sont passées, nous nous trouvons dans un tel état d'insatisfaction, sans qu'elles nous aient procuré le moindre épanouissement.

Récemment, une bonne amie à moi s'est mariée. Elle a passé un an à préparer son mariage, qui a d'ailleurs été une cérémonie très belle et très réussie. Le lendemain matin, elle m'a téléphoné de l'aéroport, à son départ pour sa lune de miel. Quand je lui ai demandé si elle était heureuse de la façon dont les choses s'étaient passées, elle m'a avoué qu'elle se sentait étrangement vide. « C'est à peine si je me souviens de la cérémonie », m'a-t-elle dit d'une voix déçue. « J'ai eu l'impression de marcher dans un épais brouillard. »

L'expérience de mon amie n'a rien de rare :

En passant notre vie à préparer l'avenir plutôt qu'à jouir du présent, nous vivons en remettant le bonheur à plus tard. Nous perdons la capacité de connaître et d'apprécier la joie, et donc, nous manquons les moments vrais qui se présentent à nous.

Les valeurs de l'Amérique d'aujourd'hui prônent le « faire » plutôt que « l'être ». Il n'est donc pas surprenant que nous ne sachions susciter les moments vrais, ou en profiter. Nous avons toujours été plus concernés par la quantité que par la qualité, en étant constamment stimulés par l'activité plutôt que par la substance. Nous jugeons souvent les autres et nous-mêmes sur ce que nous avons accompli plutôt que sur ce que nous sommes. Nous ne tenons pas en place, nous agitons tout, « une société d'accros de la vitesse » comme nous appelle Nina Tassi dans son livre « Urgency Addiction »[1].

---

1. « La manie de l'urgence ».

Depuis la fin de la Seconde Guerre mondiale, nous vivons dans un engrenage de consommation frénétique. Il nous faut avoir le plus de choses possible en un minimum de temps. On nous a brandi la consommation et la réussite comme les deux clés du bonheur. Alors nous nous sommes dit qu'en ayant la voiture, la maison, la télé en couleur et un bon emploi, nous allions être heureux. Et si nous avions en plus une voiture plus récente que celle du voisin et un poste plus prestigieux, alors c'était la réussite. Nous avons pris pour héros les gens qui possédaient le plus. Nos valeurs se sont catalysées sur le matériel. Notre but a été d'avoir et d'accomplir, au lieu simplement de vivre.

Cette soif consciente de consommation nous a peu à peu rendus maîtres dans l'art de différer le bonheur. Remettre le bonheur à plus tard, c'est croire que pour être heureux, certaines conditions doivent être remplies. Vous ne cessez de vous répéter : « Je serai heureux quand... »

- Je serai heureux quand j'aurai rencontré le bon partenaire.
- Je serai heureux quand j'aurai perdu 10 kilos.
- Je serai heureux quand mes enfants seront mariés et qu'ils auront une bonne situation.
- Je serai heureux quand j'aurai monté mon entreprise.
- Je serai heureux quand mon patron me donnera enfin une promotion.
- Je serai heureux quand j'aurai une nouvelle voiture.

Je serai heureux quand... Remplissez vous-même les pointillés.

Nous pensons qu'après avoir acquis une certaine expérience, certains bien matériels et un certain statut social, nous serons enfin heureux, mais pas avant. Aussi, nous travaillons d'arrache-pied ou laissons le temps passer, et finalement, ce qui devait en principe nous rendre heureux arrive. Nous obtenons nos diplômes, nous perdons du poids, nous montons notre entreprise ou nous achetons une maison. Nous nous attendions à être au comble du bonheur et nous sommes déçus. Nous ressentons une certaine satisfaction, mais ne nous sentons pas vraiment heureux.

Et le processus se remet en marche : « C'est vrai, j'avais dit que je serai heureux en obtenant la place de directeur de mon entreprise, mais maintenant, je réalise que ce qui me rendrait vraiment heureux, ce serait d'être mon propre patron ». Et de nouveau, nous différons notre bonheur jusqu'à ce que nous puissions atteindre le but suivant.

Tout comme les toxicomanes accrochés à leur drogue (quelle qu'elle soit), nous augmentons toujours les doses pour être satisfaits, et finalement nous ne le sommes jamais, il nous faut toujours plus. Nous sommes nombreux à avoir suivi la même voie. Nous avons acheté une voiture, puis une maison, nous avons grimpé les échelons de la réussite. Nous avons essayé d'offrir à nos enfants le luxe que nous n'avions pas connu étant jeunes. Nous avons acquis beaucoup des choses que nous voulions ou espérions. Mais peu à peu, nous nous sommes rendus compte que quelque chose n'allait pas, que nos rêves nous avaient conduits dans une impasse émotionnelle et spirituelle : nous avions substitué l'amas de biens matériels et les buts à atteindre aux moments vrais, et c'est pourquoi beaucoup d'entre nous n'ont pas réussi à être heureux.

Le plus effrayant dans tout cela, c'est que le temps de la vie semble passer à une vitesse folle. Quand arrive le vendredi soir, vous n'avez pas vu passer la semaine. Au réveillon du Jour de l'An, nous disons tous à quel point l'année a passé vite. Nous nous réveillons un matin et nous réalisons que nous avons 30 ans, 40 ans, ou plus, et nous

nous demandons où est passé le temps. Nous regardons nos enfants terminer leurs études ou fonder une famille, alors que le temps où nous les bercions pour qu'ils s'endorment ou leur apprenions à lacer leurs chaussures nous semble si proche.

Nous n'avons aucun moyen pratique pour ralentir le temps. Depuis le jour de notre naissance, nous changeons, évoluons, prenons de l'âge, et finalement disparaissons. Mais si nous vivons plus intensément chacun des moments qui nous sont offerts, complètement et consciemment, nous pouvons envisager ainsi la notion de temps d'une autre façon. Le temps se met à avoir un sens.

Les quarante secondes les plus longues de ma vie

Vous avez certainement déjà vécu dans votre vie des moments qui duraient des heures, des semaines qui semblaient des mois et des années qui semblaient des vies entières. Ce sont presque toujours des périodes ou vous avez profondément ressenti et vécu ce qui vous arrivait : le travail de l'accouchement, l'attente d'examens médicaux importants, le premier baiser lors d'une nouvelle rencontre, une nuit passée à attendre un coup de fil, ou les cours ennuyeux à l'école. Dans ces situations, le temps semble s'être considérablement ralenti, et même si vous savez parfaitement qu'une heure, un jour ou une nuit ne peut durer plus qu'une autre, vous pourriez jurer, pendant ces moments-là, que le temps passe deux fois moins vite que d'habitude. C'est parce que vous y êtes intensément présent et réceptif.

Le 17 janvier 1994, à 4 h 31 du matin, comme des millions d'autres habitants de la Californie du Sud, j'ai vécu un des tremblements de terre les plus importants de toute l'histoire des Etats-Unis. Je n'oublierai jamais la sensation de terreur que j'ai ressentie en m'agrippant à mon lit secoué et bousculé par le séisme, ainsi que toute la maison, le tout dans la nuit noire. Nous avons eu l'impression que la fin du monde était arrivée et que nous allions tous mourir. Grâce au ciel, ce n'est pas arrivé. Mais dans les heures qui ont suivi, alors que nous essayions de nous remettre du choc, nous avons été stupéfaits d'entendre à la radio que le tremblement de terre n'avait duré que quarante secondes. « C'est impossible », avons-nous dit d'un commun accord mon mari et moi. « Ça a duré au moins trois minutes. » Nous pensions que la radio divulguait une information inexacte. Mais en fait, c'était bien cela. Les jours suivants, j'en ai parlé à des dizaines d'amis et de voisins, j'ai écouté les commentaires à la radio et à la télévision, mais personne n'avait eu l'impression de vivre un tremblement de terre de quarante secondes. Tout comme mon mari et moi, les gens avaient eu l'impression que les secousses avaient duré encore plusieurs minutes après la violente secousse initiale. Mais bien sûr, nous étions tous dans l'erreur. Nous avions simplement vécu les quarante secondes les plus longues de notre existence.

Ce tremblement de terre a été sans aucun doute l'expérience la plus effrayante qu'il m'ait été donné de vivre. On peut sans hésiter l'appeler un « moment vrai », mais pas du type que j'aimerais vivre trop souvent ! Cependant, comme tous les moments vrais, il a porté des fruits bénéfiques : les couples sont devenus plus intimes, remettant à sa juste place ce qui est vraiment important dans la vie, les familles se sont ressoudées, les amis se sont rapprochés, des étrangers sont venus offrir leur aide, un climat de vraie communauté s'est instauré. Vivre ces moments de cette manière aussi intense nous a ouvert le cœur et réveillé l'esprit. Pendant la journée et les quelques jours qui ont suivi, nous avons dû ralentir notre rythme et vivre pleinement chaque instant ; résultat, nous avons mieux senti la présence de l'amour.

Ma propre quête du bonheur

D'aussi loin que je me souvienne, j'ai toujours été à la recherche de quelque chose. Les gens qui me connaissaient ne m'auraient jamais décrite comme une petite fille insouciante au cœur léger. Le mariage de mes parents était un échec et, déjà dans mon enfance, je cherchais les raisons de la tristesse que je lisais dans les yeux de ma mère, de la confusion que je percevais dans le cœur de mon père, et de la souffrance que je ressentais dans le mien. Au grand étonnement de mes institutrices, mes tout premiers poèmes étaient un questionnement sur le malheur du monde. J'avais le besoin farouche de comprendre le sens de la vie et je me sentais perdue de ne pas avoir les réponses qui me manquaient.

Dès que j'ai quitté le domicile familial, à 18 ans, je me suis sérieusement mise en quête de la vérité. J'ai trouvé un guide spirituel et j'ai commencé à pratiquer la méditation, passant des mois d'affilée en retraite, cherchant la paix et la sagesse auxquelles j'aspirais. Après plusieurs années entièrement consacrées à mon monde intérieur, j'ai su qu'il était temps pour moi de retourner dans le monde et de découvrir que mon objectif était bien là. C'est alors que j'ai repris mes études pour faire ce qui m'intéressait le plus : étudier l'amour, les relations humaines et le processus même de la vie.

Après mes études, j'ai constitué mon premier atelier dans mon propre salon, avec dix-huit de mes amis les plus proches. Je n'avais aucunement l'intention de devenir célèbre ou de faire des émissions de radio ou de télévision, ou même d'écrire un livre. Je voulais simplement partager mes connaissances avec les personnes que j'aimais. J'ai donc été surprise de constater qu'à l'atelier suivant, trente-cinq personnes se sont présentées à ma porte, et encore plus la fois suivante. J'ai très vite réalisé qu'une voie s'ouvrait devant moi et que je devais la suivre. C'est donc ce que j'ai fait. Je considérais comme une chance le don que j'avais de pouvoir communiquer avec les gens et de leur rappeler sans cesse, tout en me le rappelant à moi-même, l'importance de l'amour.

Après avoir décidé de me consacrer à cet enseignement, je me suis entièrement engagée à faire tout ce qu'il m'était possible de faire pour avoir un effet positif sur le plus de gens possible. Mais ma réussite n'a pas été instantanée, et d'ailleurs, je ne m'y attendais pas. Rien ne m'est jamais arrivé facilement dans la vie. Tout ce que j'ai pu obtenir, je l'ai obtenu grâce à beaucoup de travail, et ma carrière n'a pas fait exception.

Si, quoi que j'entreprenne, je me suis toujours donnée à fond, c'est, je pense, pour deux raisons. La première, c'est qu'étant jeune, j'avais beaucoup moins que la plupart de mes amis. De tous les gens de mon entourage, c'est nous qui avions la maison la plus petite. Mes vêtements venaient tous d'un magasin « discount », et les étiquettes étaient enlevées. Je n'étais privée de rien de ce qui m'était réellement nécessaire, mais le superflu m'était inconnu. Et quand parfois j'arrivais à me l'offrir, c'était au prix de gros efforts de ma part.

La deuxième raison, c'est probablement que je me sentais très peu attirante. Imaginez une petite fille sérieuse, maigrelette, avec des tresses, un teint brouillé, d'affreuses petites lunettes, et vous saurez à quoi je ressemblais étant enfant. Je savais que je ne pourrais impressionner personne de par mon apparence, je me suis donc dit que je devais m'appliquer, à la place, à développer mon intelligence. Des années après, malgré mes verres de contact, le fait que j'ai appris à me coiffer et rencontré des hommes qui me trouvaient séduisante, j'ai mis très longtemps à me sentir bien physiquement.

Aussi, lorsque ma carrière a commencé à vraiment prendre de l'essor, j'étais trop impliquée dans mon travail acharné et sans relâche pour m'apercevoir du vif succès que j'avais. Et puis, quelques années pour tard, j'ai vécu une expérience qui a été le point de départ de changements radicaux dans ma vie. Cela m'est arrivé en voiture alors que je me rendais au studio de télévision qui diffusait mon émission, quotidienne à l'époque. J'avais amené une de mes amies avec moi car elle devait se rendre en ville. En arrivant au studio, il y avait là un petit groupe de fans venus m'attendre pour me demander un autographe. Stupéfaite, mon amie s'est tournée vers moi avec un large sourire plein de tendresse et d'admiration et m'a dit : « Tu as vraiment réussi à réaliser tes rêves, Barbara. Comme tu dois être heureuse ! »

Ses mots ont eu l'effet sur moi d'un rideau qui se lève. Soudain, en un instant, j'ai réalisé qu'effectivement, la plupart des rêves que j'avais toujours poursuivis étaient maintenant devenus réalité : ma maison était plus belle que toutes celles où mes amis avaient vécu quand j'étais enfant ;

je pouvais m'offrir toutes ces choses que je ne pouvais avoir étant enfant; je pouvais offrir à ma mère les petits voyages qu'elle ne pouvait se permettre lorsqu'elle s'occupait de moi; et j'avais enfin rencontré un homme qui m'aimait aussi fort que je l'avais toujours espéré (même lorsqu'il m'a vue avec mes lunettes et ma queue de cheval maigrelette!). Et j'étais là en train de conduire une limousine et de m'arrêter devant le studio de télévision où je devais enregistrer ma propre émission, et où m'attendaient des fans pour avoir un autographe de moi... Mais au fond de mon cœur, j'ai pris conscience de la terrible vérité: **je n'étais pas heureuse**. J'étais **satisfaite**... J'étais **comblée**... Mais je n'étais pas **heureuse**.

Pendant toute la journée et les jours suivants, je n'ai pensé qu'à cela. Je me suis demandée comment c'était possible. Je croyais profondément en mon travail et je savais que j'apportais beaucoup aux autres. J'étais fière de la carrière que j'avais réussi à mener. J'avais une merveilleuse relation amoureuse. Pourquoi donc tout cela ne me rendait-il pas heureuse? Pourquoi n'était-ce pas encore assez? Qu'est-ce qui me manquait donc?

Peu à peu, alors que les jours passaient, j'ai commencé à percevoir la vérité: **je n'étais pas heureuse car je ne m'étais pas autorisée à vivre suffisamment de moments vrais**, de moments où je n'étais pas en train d'accomplir quelque chose, de moments où je n'étais pas en train de travailler dans le but d'atteindre un objectif, de moments où je puisse être simplement présente, là où j'étais. J'étais experte pour «faire», mais pas pour «être». J'avais cru pendant de longues années que je serais heureuse le jour où j'aurais tout ce que je voudrais. Et maintenant que j'avais ce que je pensais vouloir, je savais qu'avoir plus ne me rendrait jamais heureuse. **Si ce n'était pas assez maintenant, ça ne le serait jamais.**

Je ne voulais pas oublier cette idée, aussi l'ai-je inscrite sur un morceau de papier que j'ai collé sur ma glace afin de le voir chaque matin. Voici ce que j'avais inscrit :

Quand saurai-je que c'est assez, et que ferai-je alors ?

Il est très important de se poser ces deux questions. Si vous avez le sentiment de ne pas avoir encore assez, quand est-ce que ce sera le cas ? Combien d'argent, de succès ou d'expériences va-t-il vous falloir pour que vous ayez l'impression d'avoir assez ? Et là, que ferez-vous ? A quoi ressemblera votre vie ? Des gens m'ont dit que le simple fait de s'être posés ces questions les avait entraînés dans un processus de découverte de soi qui avait duré pendant des semaines.

La différence entre le Bonheur et la Satisfaction

Pour avoir moi-même répondu à ces deux questions, je sais maintenant que je pourrais écrire des douzaines d'autres livres à succès, participer à des centaines d'émissions télévisées, je sais que si j'avais des enfants et étais mère au foyer, je leur offrirais une éducation parfaite, ou que si j'étais dans les affaires, je pourrais racheter autant d'entreprises que je voudrais, mais rien de tout cela ne me rendrait heureuse. Cela me satisferait et me donnerait un sentiment d'accomplissement, en tout cas c'est à espérer, mais cela ne m'apporterait pas le bonheur.

Quelle est la différence entre le bonheur et la satisfaction ? La satisfaction est une sorte de contentement mental. C'est une sensation qui accompagne l'aboutissement de quelque chose que vous aviez entrepris avec un objectif en tête : un projet, un travail, un repas. Par exemple, je me sens satisfaite quand j'arrive au bout d'un chapitre, quand j'écris un livre. Je me sens satisfaite quand je fais un exposé oral et qu'il passe bien. Je me sens satisfaite quand j'ai fini de ranger ma penderie. Quelque chose est achevé.

Le bonheur est plus qu'une sensation de contentement. Je me sens heureuse lorsque je me félicite de ce que j'ai écrit dans ce chapitre du livre. Je me sens heureuse de sentir l'émotion de quelqu'un qui vient s'ouvrir à moi après un exposé. Je me sens heureuse quand je regarde un vêtement dans ma penderie et me laisse le temps de me souvenir à quel point je me suis amusée le soir où je l'ai porté.

Je me souviens du jour où mon troisième livre est arrivé en tête de la liste des best-sellers publiée par le « New York Times ». Mon agent m'a appelé tôt le matin pour m'annoncer la nouvelle, et bien sûr j'étais tout excitée. J'avais énormément travaillé pour ce livre et je me sentais très satisfaite qu'il marche si bien. Lorsque nous nous sommes retrouvés dans notre chambre, le soir, pour aller dormir, Jeffrey et moi sommes restés un long moment tendrement enlacés sur le lit. Il me caressait les cheveux en me disant qu'il était fier de moi, fier que j'aie mis tant de moi-même dans le livre, fier de la campagne de lancement que j'avais menée, et fier de mon intelligence. Ces paroles d'amour ont rempli mes yeux de larmes. A ce moment, pas avant, j'étais heureuse. Ce moment d'amour était un moment vrai.

Dans la vie, nous faisons tous des choses qui nous procurent de la satisfaction. Mais quel qu'en soit leur nombre ou quelque satisfaction qu'elles nous donnent, il nous faut apprendre à créer des moments vrais pour être réellement heureux.

Le Bonheur ne peut découler que
d'un nombre suffisant de moments vrais
dans votre vie.

A l'époque de ces changements dans ma vie, j'ai donné une conférence en dehors de la ville. J'ai partagé avec l'auditoire mes nouvelles découvertes, aussi fraîches et informes qu'elles étaient encore à ce moment-là, car j'avais appris depuis longtemps qu'il est plus facile de faire une bonne présentation en étant totalement honnête. A la fin, une femme s'est approchée de moi et m'a serrée dans ses bras. Je lui ai demandé la raison de son geste.

« C'est un geste de remerciement », m'a-t-elle répondu. « Ce soir, vous m'avez délivrée d'un sentiment de culpabilité qui pesait sur mon cœur depuis des mois. »

Elle a poursuivi en me disant qu'elle avait 39 ans, était mariée et mère de trois enfants. Son mari et elle avaient une vie très confortable, et bien qu'ils ne soient pas riches, elle se sentait privilégiée. « Mais quelque chose m'est arrivé juste après que j'ai eu mes 39 ans », a-t-elle expliqué. « Je me suis réveillée un matin en réalisant que je n'étais pas heureuse. Je me sentais dans la plus grande confusion car j'aimais mon mari et mes enfant, et avais tout ce que j'avais voulu avoir. J'avais toujours cru que cela suffirait à me rendre heureuse. J'ai alors commencé à me demander si ce sentiment de vide et cette agitation en moi ne venait pas de ce que je n'étais pas aussi amoureuse que je voulais bien me le dire. J'avais même peur d'en parler à mon mari, mais je sentais son inquiétude car il voyait bien que quelque chose n'allait pas. Jusqu'à ce que je vous entende ce soir, je ne savais pas de quoi il s'agissait. Mais maintenant, je sais. »

Comme moi, et comme tant d'autres, ma nouvelle amie s'était constituée une vie agréable et bien pleine, mais elle était trop occupée à « faire » pour prendre le temps de profiter de tous les instants de bonheur qui l'entouraient. Elle avait oublié la manière d'entrer en connexion avec son mari. Elle avait oublié la manière de prendre le temps de savourer tous les bienfaits qu'elle recevait. La raison pour laquelle elle se sentait si vide est qu'elle ne se remplissait pas de tout l'amour et de tous les bonheurs qu'elle avait déjà dans sa vie. Son cœur avait besoin de plus de moments vrais.

•

Voici ce que j'ai découvert à propos du bonheur : **le bonheur n'est pas une acquisition, c'est une capacité.**

Nous ne faisons pas l'expérience du bonheur grâce à ce que nous achetons, mais grâce à la manière dont nous vivons chaque moment. C'est une capacité, un talent que nous devons maîtriser, comme on apprend à devenir un bon peintre ou un excellent athlète. Le fait d'avoir une toile, un pinceau, une palette et des tubes de peinture ne fait pas de moi un peintre. Par contre, savoir peindre, oui. Le fait d'avoir une raquette de tennis et des balles ne fait pas de moi une joueuse de tennis. Mais savoir jouer, oui. Le fait d'avoir certaines expériences ne me rend pas heureuse pour autant. Mais savoir les vivre en toute conscience, et être intensément présente à chaque instant, est ce qui va me rendre heureuse.

Ainsi, le bonheur n'est possible et disponible que dans le moment présent, et par phases successives. Il ne vient pas à nous quand nous sommes à sa recherche, car alors nous ne sommes pas dans l'instant présent, mais seulement quand nous sommes pleinement attentifs à l'endroit où nous sommes et vivons totalement ce que nous sommes en train de faire.

Le mot « bonheur » prend ses racines au début du XIIe siècle, il est constitué des mots « bon » et « heur », signifiant la chance ou la fortune (bonne ou mauvaise) qui arrive à une personne. Littéralement, donc, le mot « bonheur » s'applique à l'expérience d'être avec ce qui arrive, quoi que ce soit. C'est pourquoi, quand nous disons « Je veux être heureux », nous nous projetons généralement dans l'avenir, or, par définition, le bonheur ne peut se trouver qu'ici et maintenant, dans l'instant présent.

Un grand maître zen vietnamien, Thich Nhat Hanh, a écrit un livre lumineux intitulé « La Paix est à chaque pas ». Dans ce livre, il écrit :

> « La vie ne peut se trouver que dans le moment présent. Le passé est révolu, l'avenir n'est pas encore là, et si nous ne nous ramenons pas constamment dans l'instant présent, nous ne pouvons être en contact réel avec la vie. »

Si vous ne pouvez être heureux maintenant, avec ce que vous avez et tel que vous êtes, vous ne serez pas plus heureux quand vous aurez obtenu ce que vous pensez vouloir. Si vous ne savez pas jouir pleinement de 500 F, vous ne saurez pas mieux le faire avec 5 000 F ou 500 000 F. Si vous ne savez pas jouir pleinement d'une promenade près de chez vous avec votre compagnon, vous ne saurez pas mieux apprécier un voyage à l'étranger. Je ne suis pas en train de dire qu'avoir plus d'argent ou de distractions ne vous rendra pas la vie plus facile, mais simplement que cela ne vous rendra pas **heureux, car cela n'est pas de leur ressort**. Vous ne pouvez y arriver qu'en apprenant à vivre davantage de vrais moments.

Imaginez que vous vouliez devenir violoniste. Pour vous faire la main, quelqu'un vous offre un violon, mais c'est un vieil instrument de qualité médiocre. Naturellement, vous rêveriez d'avoir un Stradivarius, le meilleur violon du monde, mais ce n'est pas le cas. Aussi, jour et nuit, vous appliquez-vous à étudier sur cet instrument médiocre et mettez toute votre âme pour en tirer le meilleur son possible. Un jour, un bienfaiteur apparaît et vous tend le Stradivarius dont vous avez toujours rêvé. Vous ne pouvez vous empêcher de trembler un peu en le prenant dans vos mains, puis vous commencez à jouer et le faites divinement. Mais ce résultat magnifique ne vient pas de ce que vous jouez sur un instrument qui coûte une petite fortune, il vient de ce que vous avez patiemment et consciencieusement appris à jouer du violon.

Si vous n'avez pas appris à jouer correctement de votre vieil instrument, vous auriez été incapable de jouer du Stradivarius.

Si vous ne cherchez pas à développer
votre aptitude à jouir de ce que vous avez,
vous ne serez pas plus heureux
en possédant davantage.

« Et un enfant indiquera le chemin... »

Avant que vous vous disiez que tout cela est trop ésotérique et trop abstrait à mettre en pratique, laissez-moi vous rappeler votre aptitude au bonheur lorsque vous étiez enfant. Les enfants maîtrisent parfaitement l'art de créer des moments vrais. Ils n'ont pas encore appris à différer leur joie, aussi la mettent-ils en pratique le plus souvent possible. En cela se résume la magie des enfants. Ils sont totalement présents, totalement vivants à chaque instant. Leur vie est remplie de rires et de célébrations. Cela ne vient pas uniquement du fait qu'ils n'ont pas de métier, de factures à payer et de responsabilités, mais d'une différence dans les priorités : ils mettent dans le jeu autant de force et d'intensité que nous mettons, nous, dans le travail. Leur consentement vient de leur aptitude à découvrir et à jouir de la pure merveille que représente chaque goût, chaque fleur, chaque nuage, chaque expérience.

Dans la vie, il y a certaines personnes que l'on n'oublie jamais, même en ne les rencontrant qu'une seule fois. Il y a quelques années, je suis allée à Disneyland avec un groupe d'amis. En fin d'après-midi, nous nous sommes retrouvés dans la rue principale pour assister à la parade quotidienne. En attendant que les personnages et les animaux arrivent, j'ai remarqué une femme poussant une petite fille dans un fauteuil roulant jusqu'au bord du trottoir pour qu'elle voie mieux le défilé. Elle devait avoir 7 ou 8 ans, était entièrement paralysée depuis le cou jusqu'aux pieds, et son fauteuil roulant ressemblait à un hôpital ambulant, avec toutes sortes de boîtes et de dispositifs aidant son corps à fonctionner.

Puis la parade a commencé. Mickey et Minnie, Blanche-

Neige et les Sept Nains, et tous les autres personnages colorés de Walt Disney ont déambulé dans la rue en dansant sur une musique entraînante, suivis de près par le clou du spectacle : un énorme éléphant gris. Mais je n'ai pas vu grand-chose de la parade car je ne pouvais détacher mon regard de la petite fille. Elle avait les yeux comme des soucoupes et le sourire le plus radieux que j'aie vu de ma vie. Elle était en prise directe avec le spectacle qui défilait devant elle.

Mes yeux se sont remplis de larmes en regardant cette enfant, non par pitié de son handicap, mais par tristesse vis-à-vis de moi-même. J'ai réalisé, en me tant là, debout, dans une telle atmosphère, que je ne savais pas me réjouir de la magie de la vie, comme savait le faire cette petite fille. Je ne savais pas comment jouir de la parade avec autant de plaisir qu'elle. Je pouvais danser, courir, marcher, me mêler à la foule et faire toutes sortes de choses dont elle était incapable, mais elle possédait une richesse bien plus grande : elle possédait le don de la joie.

Je n'ai jamais oublié cette petite fille ni ce qu'elle m'a enseigné, car cette expérience a été un moment vrai pour moi. Je me suis sentie profondément connectée à l'esprit de quelqu'un d'autre, sans que nous nous soyons parlées pour autant, et cela a doté ce moment d'une signification profonde.

Barry Neil Kaufman, co-fondateur de l'Institut Option, a dit quelque chose de merveilleux : **« Nous ne sommes pas nés heureux, nous avons appris à l'être. »** Cela signifie que nous avons toujours en nous le talent de vivre le moment présent, que nous pouvons perdre nos habitudes d'indifférence et commencer à apprécier en pleine conscience chaque expérience liée au fait d'être vivant. Je crois que les enfants nous sont envoyés pour être nos maîtres. Quand nous les regardons expérimenter et ressentir les choses aussi totalement, nous devrions considérer cela comme la démonstration de techniques spirituelles qu'il serait extrêmement bénéfique d'appliquer sur nous-mêmes ! Ils nous montrent le chemin à suivre pour retrouver notre propre joie et nos propres moments vrais. Il faut avoir une âme d'enfant pour pénétrer dans le Royaume des Cieux.

Comment j'ai appris à ne plus « escalader le lac »

Commencer à introduire davantage de moments vrais dans ma vie ne me semblait pas chose facile. Mes vieux réflexes de toujours, comme essayer de « faire » les choses plutôt que de les vivre, ne cessaient de me barrer la route, et le font même encore parfois aujourd'hui. Il y a quelques années, à l'époque où je commençais à prendre conscience de mes difficultés à vivre des moments vrais, Jeffrey et moi avons fait un petit voyage à New York pour régler quelques affaires et passer de bons moments. Nous sommes arrivés à l'aube, le vendredi matin, et aussitôt nos bagages posés dans la chambre de l'hôtel, je me suis surprise en train de téléphoner dans des restaurants et réserver pour le week-end, et de noter sur un papier les activités qui pourraient nous plaire. Jeffrey semblait un peu agacé à mon égard, mais j'ai attribué cela à la fatigue du voyage. Nous sommes sortis faire une petite promenade et sommes revenus nous préparer pour le déjeuner. Quand j'ai sorti ma liste de choses possibles à faire pour en discuter avec lui, j'ai été surprise de voir qu'il s'en désintéressait totalement.

— « Qu'est-ce qui ne va pas, chéri ? », lui ai-je demandé.
— « Tu m'énerves un peu, c'est tout ».
— « Mais pourquoi donc ? », ai-je demandé sur la défensive.
— « Je ne sais pas, tu es tellement frénétique à faire tes listes et tes plans. Pourquoi ne pas simplement te détendre et arrêter de tout contrôler ? »
— « Je n'essaye pas de contrôler les choses, j'essaye juste de nous assurer du bon temps ! », ai-je répondu du tac au tac.
— « Alors arrête d'essayer si fort, Barbara, et peut-être auras-tu du bon temps. »

Soudain j'ai senti un sanglot monter du plus profond de moi-même. Il avait raison : je passais mon temps à essayer… essayer d'avoir du bon temps… essayer de faire en sorte que tout soit parfait… essayer de le rendre heureux… J'avais passé ma vie entière à essayer de contrôler le déroulement des événements autour de moi, travaillant dur pour atteindre mes objectifs, profondément convaincue que plus j'essayerais avec ténacité, et plus je serais heureuse. J'ai dû alors affronter la vérité : c'était le fait même « d'essayer » qui m'empêchait de connaître la joie que je recherchais si désespérément. Puis je me suis mise à pleurer car à cet instant, j'ai réalisé que je ne savais pas comment ne pas « essayer ».

Jeffrey est venu vers moi, m'a prise dans ses bras, et à travers mes larmes, j'ai murmuré : « Ce dont j'ai peur, c'est de passer à côté de quelque chose si je n'essaye pas. »

Je n'oublierai jamais ce qu'il m'a répondu :
— « Si tu continues à essayer, tu vas passer à côté de tout… »

La puissance de cette vérité énoncée par Jeffrey m'est allée droit au cœur. Pendant qu'il me tenait serrée et embrassait mes larmes pour les faire disparaître, j'ai compris qu'il fallait que je réapprenne entièrement à vivre. Pour arriver au point où j'en étais dans ma vie, je n'avais eu recours qu'à une forme d'énergie : l'énergie de l'action. Pousser, lutter, créer. Ce n'est pas une mauvaise énergie, elle m'avait permis d'aboutir à tout ce que j'avais alors. Mais pour franchir une nouvelle étape vers la satisfaction, il me fallait à présent une forme d'énergie totalement nouvelle pour moi, une énergie sur laquelle je ne savais pas grand-chose et pour laquelle je n'avais guère d'aptitudes : l'énergie d'être.

Ce que mon compagnon avait vu ce jour-là à New York, dans sa grande sagesse et sa sensibilité, c'est que les moyens mêmes qui m'avaient permis d'obtenir autant de bienfaits dans ma vie, obturaient à présent ma route, et que plus j'allais essayer de faire quelque chose pour être heureuse, moins j'allais réussir à l'être, et certainement lui non plus, de ce fait !

J'ai écrit le soir même l'histoire suivante, inspirée par l'enseignement de Jeffrey :

La femme qui essayait d'escalader le lac

Il y avait une fois une femme qui avait passé sa vie à escalader des montagnes très très hautes. Elle avait commencé à grimper étant toute petite, et n'avait en tête aucune expérience autre que la montagne. Au fil des années, elle avait escaladé des parois de plus en plus à pic, et les gestes qu'il fallait faire pour grimper lui étaient devenus presque naturels. Elle était experte en la matière. Elle avait une musculature très forte dans les jambes et dans le dos, et elle grimpait tout aussi naturellement qu'elle respirait. Son corps le faisait automatiquement.

Quand elle arrivait au sommet d'une montagne, elle était folle de joie de sa réussite et elle avait hâte d'entreprendre l'étape suivante de ses voyages pour conquérir de nouveaux sommets. Mais un jour, en regardant devant elle, elle vit un magnifique lac bleu, immense, qui s'étendait aussi loin que pouvait porter son regard. Elle avait passé sa vie à escalader des montagnes, et voir un lac était quelque chose de nouveau pour elle. En fait, elle ne savait même pas ce que c'était. Elle a observé l'étrange nappe bleue qui s'étendait à ses pieds et conclut qu'il devait s'agir d'une nouvelle forme de montagne bleue. Comme pour continuer son voyage elle n'avait pas d'autre issue que de traverser cette bien curieuse montagne, elle entreprit de le faire.

Aussi la montagnarde se dirigea-t-elle vers l'étendue d'eau et essaya-t-elle d'y grimper, comme elle avait l'habitude de le faire sur les pentes des montagnes. Au début, elle ne comprenait pas pourquoi elle n'avançait pas. En fait, elle s'épuisait. Elle rassembla donc toute l'énergie dont elle était capable pour « escalader » avec encore plus de vigueur, avançant une jambe, puis l'autre, en essayant de « s'agripper » à ces étranges rochers bleus. Mais en vain. Elle ne cessait de retomber sur place et n'avançait nulle part.

Alors qu'elle était sur le point de renoncer, elle aperçut quelqu'un en train de flotter à l'autre bout du lac, faisant doucement glisser son corps à travers les flots grâce aux plus légers mouvements des bras et des jambes qui soient.

— « Qu'êtes-vous en train de faire, mon amie ? », lui demanda la personne.

— « Qu'ai-je donc l'air de faire ? », répondit-elle d'une voix embarrassée. « J'escalade le lac. »

— « Mais ma pauvre amie », répondit l'homme du lac, « ignorez-vous donc que vous ne pouvez traverser un lac en

l'escaladant ? Il n'y a qu'une manière de le faire, c'est en nageant. »
— « Mais je sais grimper à merveille ! », insista la montagnarde. « J'ai passé toute ma vie à escalader des montagnes. Je peux m'attaquer à n'importe laquelle, même la plus haute. Je peux atteindre le plus difficile des sommets. Il doit sûrement y avoir un moyen d'escalader le lac. »
— « Je suis sûr que vous êtes experte pour escalader les montagnes », répondit l'homme poliment. « Mais cette capacité que vous avez ne vous aidera en rien pour traverser ce lac. Il vous a fallu une forme de sagesse pour arriver au sommet de la montagne, vous savez dû déployer une énergie extraordinaire. Mais maintenant, il vous faut apprendre une autre forme de sagesse pour pouvoir traverser le lac. Il faut vous soumettre au pouvoir de l'eau et reconnaître sa suprématie sur vous. Vous devez arrêter d'essayer avec tant de vigueur d'être plus forte que le lac. En fait, moins vous essayerez, et mieux ça ira ! »

Et c'est ainsi que l'homme du lac apprit à nager à la femme des montagnes. Au début, elle ne pouvait s'empêcher de battre l'eau des pieds et des bras, et s'éclaboussait partout, car elle était habituée à déployer une très forte énergie pour escalader les montagnes. Mais son instructeur était très patient, et peu à peu, elle a appris à flotter à la surface de l'eau, à laisser les vaguelettes asperger son corps et à se laisser dériver par le vent, jusqu'à ce que finalement, elle arrive à ne plus rien faire du tout.

Et c'est ainsi que la femme des montagnes a compris que la force du relâchement était tout aussi puissante que la force de l'acharnement à avancer.

●

En apprenant à vivre davantage de moments vrais, il nous faut acquérir des capacités différentes de celles auxquelles nous étions habitués dans notre vie de dresseurs de listes et de viseurs d'objectifs. Escalader les lacs, ça ne marche pas. Dans tout le reste du livre, je vais vous donner des outils pour arriver à créer davantage de moments vrais dans tous les domaines de votre vie.

Que sont les moments vrais ?

Qu'est-ce qu'un moment vrai ? Qu'est-ce qui peut vous faire dire que vous êtes en train d'en vivre un ? La présence d'au moins trois éléments d'expérience est nécessaire à tout moment vrai :

• **La conscience**
Un moment ne peut être « vrai » si vous n'êtes pas totalement conscient de l'endroit où vous êtes, de ce que vous êtes en train de faire, et de ce que vous ressentez ; si vous n'en faites pas complètement l'expérience. Vous devez être extrêmement attentif et ainsi remarquer des détails qui vous auraient échappés habituellement, en ne faisant pas attention. L'expérience que vous êtes en train de vivre est la seule chose qui doit occuper votre conscience.

Il n'y a que lorsque votre conscience est entièrement captée par le moment présent, que vous êtes apte à recevoir le cadeau, la leçon ou le plaisir que vous offre ce moment.

• **La connexion**
Les moments vrais sont toujours des moments où vous vous êtes mis vous-même en connexion avec quelque chose ou quelqu'un d'autre. Ce peut être une connexion entre vous et quelqu'un que vous aimez, entre vous et une personne étrangère, entre vous et l'arbre sur lequel vous vous appuyez, entre vous et Dieu. A certains moments, les frontières qui semblent habituellement nous séparer les uns des autres peuvent se dépasser, et la connexion qui s'instaure semble tenir de la magie.

Nous appelons généralement « AMOUR »
cette expérience qui consiste à faire tomber
les barrières mutuelles. Vous et quelque chose
ou quelqu'un d'autre se fondent l'un
dans l'autre.

• **La soumission**
Vous n'arriverez à vivre de moments vrais que si vous vous soumettez totalement à l'expérience que vous êtes en train de vivre, si vous relâchez le contrôle que vous essayez d'exercer. L'absolue totalité de votre être doit s'engager dans ce que vous faites, qu'il s'agisse d'une promenade, de faire l'amour, de pétrir du pain ou de regarder vos enfants jouer. Vous êtes totalement impliqué dans l'expérience du moment et ne tentez pas d'y résister.

Il vous est impossible de vivre un moment
vrai si vous essayez de contrôler une situation
ou une émotion, ou tentez de lui résister.

Si je devais réduire en une seule formule le secret des moments vrais, voici à quoi elle ressemblerait :

Prenez pleinement conscience de tout ce que vous percevez ou ressentez en ce moment même…

Une fois que vous en êtes conscient, laissez tomber les barrières illusoires qui vous séparent de ce qui est extérieur à vous, et entrez en connexion avec la personne, la chose ou l'émotion avec laquelle vous êtes en contact…

Puis donnez-vous totalement, soumettez-vous complètement à cette connexion.

A présent, vous devez savoir ce qu'est un moment vrai.

•

Il existe des moments vrais dans tout ce que vous faites déjà chaque jour…

Mon frère est un as du surf, et il connaît de nombreux moments vrais lorsqu'il est debout sur sa planche, sillonnant les vagues. Toute sa conscience est entièrement focalisée sur ce qu'il est en train de faire. Il se sent en totale connexion avec la voile qu'il tient entre les mains, la fibre de verre sous ses pieds et l'eau tout autour de lui. Il se soumet complètement à chaque mouvement du vent, à chaque aspersion d'eau sur son visage. Il se sent pleinement vivant, pleinement content… Il ne fait qu'un avec l'océan.

Ma mère, c'est dans son jardin qu'elle vit un grand nombre de moments vrais. Elle concentre toute son attention sur chaque nouvelle fleur qu'elle plante, sur chaque coin de terre qu'elle a semé, sur chaque feuille morte qu'elle enlève. Elle est en totale connexion avec les minuscules feuilles vertes qui sortent de terre et dépendent d'elle pour se développer. Et elle se soumet totalement à la sensation de la terre entre ses doigts, aux odeurs fines ou musquées qui remplissent l'air, à la délicieuse idée selon laquelle Mère Nature passe par son intermédiaire à elle pour faire fleurir ces semences, pour donner la vie…

Quant à moi, je vis aussi beaucoup de moments vrais lorsque je promène mon chien, et néanmoins meilleur ami, Bijou. En suivant cette petite boule de fourrure, je deviens pleinement consciente de chaque petite anfractuosité dans le trottoir, de chaque buisson, de ses bords et de sa forme, de chaque arbre attendant d'être visité. Je suis en connexion parfaite avec le pas détendu de Bijou, et comme je sens son rythme, ses besoins deviennent les miens. Je suis entièrement dans notre promenade, je m'y soumets totalement, sachant qu'il n'y a pas d'autre lieu où aller ni rien d'autre à faire, car en ce moment précis, Bijou m'aide à me souvenir que le but de la vie n'est peut-être rien d'autre que de respirer chaque fleur magique que nous croisons sur notre chemin, et de jouir de notre passage sur Terre.

●

Récemment, j'ai reçu une carte de vœux dont je vous livre le message :

Hier est de l'histoire, demain est un mystère,
et aujourd'hui est un cadeau : c'est pourquoi
nous l'appelons « le présent »…

2

La crise spirituelle en Amérique

« Il doit y avoir plus dans la vie que de simplement tout avoir… »

Maurice Sendak

Comment avons-nous perdu notre capacité de vivre des moments vrais ? D'où vient ce sentiment d'inquiétude que nous ressentons parfois au fond de notre cœur ? Pourquoi nous est-il souvent si difficile de découvrir cette plénitude à laquelle nous aspirons tant ? Pour répondre à ces différentes questions et prendre la bonne direction, il nous faut d'abord nous pencher sur notre passé.

Imaginez donc un instant que vous soyez né au XIIIe siècle, en Amérique, et que vous disposiez d'une machine à explorer le temps. Vous programmez votre machine, appuyez sur le bouton et vous vous retrouvez soudain au XXe siècle, comme par magie, au début des années 90.

En descendant de votre machine, vous êtes donc accueilli par l'Amérique d'aujourd'hui. Le premier changement qui vous saute aux yeux est l'extraordinaire progrès dans la technologie : vous voyez des voitures, des avions, des télévisions, des fax, des lave-vaisselle, des ordinateurs… Tout cela vous semble miraculeux. Vous êtes émerveillé et vous dites : « Comme la vie est plus facile aujourd'hui qu'elle ne l'était à l'époque d'où je viens ! »

Mais en découvrant mieux vos congénères du XXe siècle, vous commencez à remarquer quelque chose qui vous trouble. Tout d'abord, les gens que vous voyez ne vous semblent pas aussi joyeux, amicaux et heureux que l'étaient ceux de votre époque. Ils ne se disent pas bonjour lorsqu'ils se croisent, et ils marchent vite, avec le regard anxieux, comme s'ils allaient régler un problème urgent. « Il s'est produit quelque chose de terrible ? » demandez-vous à un passant. Mais il détourne vivement la tête et vous laisse là, perplexe, vous demandant pourquoi les gens ont l'air si agités et déconnectés.

Rapidement, vous remarquez que les rues et les jardins publics sont pleins de réfugiés de toutes sortes, des adultes ayant l'air effrayés et affamés, et même des enfants, semblant ne pas avoir d'endroit où dormir. Vous vous dites que tous ces gens ont dû être faits prisonniers lors d'une guerre récente avec un pays voisin, mais vous entendez soudain qu'ils parlent anglais. Vous vous demandez pourquoi il y a tant d'Américains vivant dans les rues, sans domicile, et pourquoi tout le monde les ignore.

Mais c'est en lisant la presse et en regardant leur boîte magique qu'ils appellent « télévision » que vous commencez à être vraiment alarmé. En effet, voici ce qui vous saute aux yeux :

— « Les nouvelles statistiques font état de 2,7 millions de cas d'enfants violés ou violentés, l'année dernière. »

— « Une importante enquête vient de révéler que 43 % des habitants sont alcooliques, ont été élevés dans une famille d'alcooliques, ou vivent avec un(e) alcoolique. »

— « La police estime aujourd'hui qu'une femme est violée

toutes les six minutes, et que trois femmes sur quatre subissent au moins une fois dans leur vie un sévice grave. »
— « La majorité des homicides sont commis au sein même de la famille et non par des étrangers. »
— « Les nouvelles statistiques révèlent qu'environ un mariage sur deux se solde par un divorce, et que l'infidélité, surtout celle des femmes, est en progression constante. »
— « Le gouvernement rapporte que nous sommes en train de perdre la guerre contre le crime, et qu'il nous faut construire des centaines de prisons nouvelles pour endiguer la délinquance sans cesse croissante. »
— « Aujourd'hui, il y a encore eu une tuerie dans une petite ville tranquille du Midwest. Trois personnes ont été tuées et quatre autres blessées. Selon les témoins, les suspects ne connaissaient pas les victimes et leurs seules motivations étaient "qu'ils avaient envie de tirer dans de la chair fraîche". »

Vous découvrez ces nouvelles avec horreur. Violence gratuite... Enfants battus par leurs parents... Enfants assassinant d'autres enfants... Millions d'hommes et de femmes détruisant leur vie par les drogues et l'alcool... Familles déchirées... Individus vivant dans la rue... Et la peur, la peur partout... Vous n'en croyez pas vos yeux ni vos oreilles, et vous dites avec tristesse : « Mais qu'est-il arrivé à l'Amérique ? Comment la société a-t-elle pu devenir à ce point auto-destructrice ? Que sont devenus les espoirs que nous avions, à mon époque, d'un meilleur avenir ? Que sont devenus nos rêves d'une nation de prospérité et de paix ? »

Et vous retournez en courant dans votre machine à explorer le temps, programmez votre retour vers votre époque, en priant qu'il ne soit pas déjà trop tard pour le faire, et vous pleurez sur votre descendance à venir qui naîtra un jour dans cette civilisation d'âmes perdues.

•

Au seuil du XXIe siècle, notre nation présente tous les symptômes d'un profond état de crise émotionnelle et spirituelle. Qu'est-il arrivé à l'Amérique ? Notre société se trouve dans un dangereux déséquilibre :
— Nous avons plus de confort matériel qu'aucune des civilisations précédentes, et nous montrons pourtant une plus grande évidence de manque de bonheur individuel. Notre taux de criminalité, d'abus sexuels, de divorce et de toxicomanie, pour ne citer que quelques-uns des problèmes actuels, n'a jamais été aussi haut qu'à n'importe quelle autre époque, et ne cesse de croître chaque année.
— Notre maîtrise technologique sur notre monde continue à se développer à une vitesse vertigineuse, et parallèlement, nous semblons avoir perdu la capacité de jouir de la vie, dans notre monde actuel. Les valeurs selon lesquelles nous avons été élevés, et sur lesquelles nous pensions pouvoir compter, sont devenues des rêves lointains dont nous nous souvenons avec nostalgie : les mariages qui durent toute une vie, un voisinage amical et sécurisant, la certitude confiante que nos enfants pourront avoir une meilleure vie que la nôtre, et par-dessus tout, beaucoup de temps, du temps pour marcher, du temps pour le calme et le silence, du temps pour jouir des fruits de notre travail, du temps pour faire n'importe quoi ou ne rien faire du tout.

Résultat, nous sommes un peuple qui cherche désespérément, parfois dangereusement, mais souvent sans succès, un sens à sa vie. Tous ceux d'entre nous qui en sont au milieu de leur vie sont déçus et pessimistes quant à la détérioration du monde sécurisant qu'ils connaissaient étant jeunes. Les plus âgés pensent avec nostalgie à leur passé, se souvenant d'une époque où les choses étaient peut-être plus simples, mais considérablement plus saines. Et nos enfants, à qui nous laissons cet héritage tumultueux, appartiennent à une génération qui se caractérise déjà par la peur, la colère, le cynisme et la perte de l'innocence.

Le Rêve Américain prônait une société qui irait de mieux en mieux et serait chaque jour plus heureuse, mais c'est l'inverse qui se produit.

Et puis il y a les crises manifestées par la Terre elle-même : les tremblements de terre, les ouragans, les incendies et les inondations, les hivers qui traînent en longueur, la pluie qui ne s'arrête jamais, le « corps » même de notre monde est en déséquilibre. Bien sûr, les scientifiques fournissent des explications logiques à tous ces phénomènes. Mais si vous écoutez bien, vous entendrez le cri pathétique de notre Mère Nature pour nous appeler à l'aide.

●

Certains d'entre vous savent déjà tout cela. Tout comme notre ami le voyageur dans le temps, vous avez lu les statistiques dans les journaux, vous avez vu des reportages à la télévision ; l'ombre de la violence, des abus sexuels, de la toxicomanie, du divorce ou du chômage a déjà obscurci votre vie, par expérience personnelle ou par celle de quelqu'un que vous aimez. Vous savez que notre monde n'est pas l'endroit de paix, de sécurité et d'espoir qu'il a un jour été. Mais, comme je le fais moi-même et comme nous le faisons tous, vous vous détournez de votre peur et de votre tristesse et vous enveloppez d'une couche protectrice qui vous engourdit l'esprit et vous permet de vivre vos journées sans succomber au désespoir. **Et c'est cette même torpeur qui nous empêche de vivre ces moments vrais dont nous avons besoin aujourd'hui plus que jamais.**

Je crois sincèrement que ne pas se laisser engourdir l'esprit et ne pas se détourner des choses sont les deux points dont dépend notre survie émotionnelle et spirituelle. Mais je n'ai pour l'instant donné que la face sombre de l'histoire. Il est vrai aussi qu'il y a beaucoup de bonnes choses au sein de notre nation, des voix puissantes et efficaces brandissent des mises en garde, une importante force de changement se met en place. Mais ce n'est pas assez. Notre pays vit une période de trouble. Notre bonheur, celui de nos enfants et des enfants de nos enfants, est en jeu. Nous ne pouvons pas, chacun individuellement, guérir tous les maux de notre société actuelle, mais nous pouvons contribuer à une plus grande gentillesse, à plus d'attention les uns envers les autres, et à une plus grande conscience de ce qui se passe à l'intérieur et à l'extérieur de nous-mêmes. Rien que cela, déjà, et nous verrions la différence.

Plus que jamais, il nous faut connaître davantage de moments vrais. Des moments de compassion envers nos congénères, les autres êtres humains... Des moments de connexion avec ceux que nous aimons et ceux qui ont besoin d'amour... Des moments de réflexion sur nous-mêmes. Et l'ironie du sort veut justement que ce soit maintenant, alors que nous en avons le plus besoin, que nous avons le plus de difficulté à vivre des moments vrais.

Comment notre nation a-t-elle pu passer de ses débuts gonflés d'espoir à notre époque démoralisante ? En cherchant dans l'histoire de notre pays les racines de la crise spirituelle qu'il traverse aujourd'hui, nous comprenons la crise spirituelle elle-même.

Des pionniers frustrés aux « accros » de la nouveauté

L'Amérique est une nation bercée par l'esprit pionnier. Beaucoup de nos ancêtres ont quitté leur terre natale, quelque part dans le monde, et ont fait des milliers de kilomètres pour venir s'installer ici, au prix souvent d'énormes difficultés affectives, financières ou physiques. Les Américains venus d'Afrique, quant à eux, ne sont pas venus de leur plein gré jusqu'à nos rivages, ils y sont venus enchaînés, et ils sont devenus des pionniers d'une autre sorte. Ils sont dû lutter et souffrir pour passer du statut d'esclave à celui d'homme libre, et ils sont partis des plantations à la recherche d'un lieu, aux Etats-Unis, où ils pourraient retrouver la dignité et l'égalité qui leur avaient été volées par leurs persécuteurs. Même les peuples indigènes, nés sur notre terre, les Indiens, ont sillonné le pays à la recherche d'un climat plus favorable et de bons terrains de chasse. Dès son origine, notre histoire est peuplée de gens qui bougent, fascinés à l'idée de ce qui se trouve derrière la colline où ils sont, cherchant toujours plus : plus de terre, plus d'eau, plus d'abondance, plus de liberté.

Vers le début du siècle, nous avons réalisé que nous avions atteint les limites de nos frontières. Nous n'avions plus de terres à découvrir, plus de villes à créer, plus de nouveaux espaces où nous disséminer. Aucune nouvelle frontière à l'horizon. Nous étions devenus des **pionniers frustrés**. Mais nous ne pouvions nous arrêter pour autant car entre-temps, nous étions devenus « accros » à la nouveauté. Cette toxicomanie a touché toutes les familles, à commencer par nos grands-parents ou nos arrière-grands-parents qui, après être arrivés en leur « Terre promise », nous ont transmis leur virus. Maintenant, il coule dans nos veines. **Nous sommes « accros » à l'idée d'avoir toujours plus.**

Puis, nous avons refocalisé notre soif d'avoir plus : des nouveaux espaces, nous sommes passés aux nouvelles choses, et c'est ainsi qu'a commencé notre fascination pour la technologie et la consommation. Nous avons trouvé le moyen de faire avancer les choses plus vite et plus efficacement. Nous avons construit des choses plus grosses et plus solides. Nous créons de nouvelles lois sur la manière dont il faut vivre, sur ce qu'il faut acheter, ce qu'il faut porter, ce qui est dans le coup, et dès que nous en avons assez, nous nous rebellons contre les traditions que nous avons nous-mêmes instaurées, et nous créons de nouvelles lois. Nos goûts, changeant constamment, ont été le carburant de l'économie américaine. Même si notre voiture marchait très bien, nous avions hâte d'avoir le nouveau modèle. Même si nos chaussures n'étaient pas usées, nous en voulions de nouvelles avec un talon plus haut ou d'une autre couleur. Même si notre vieux téléviseur marchait bien, il nous fallait le dernier appareil sorti, à la pointe de la technologie. Tout ce qui était vieux, nous le rejetions, et tout ce qui était nouveau, nous l'adorions.

Vouloir s'améliorer est inhérent à la conscience humaine. Un peuple à la recherche d'une meilleure façon de vivre et des moyens pour y arriver, n'a rien d'exceptionnel. En effet, toutes les civilisations, depuis la nuit des temps, l'ont toujours fait. En revanche, ce qui nous est particulier, à nous les Américains, c'est notre recherche constante, à un rythme accéléré, de la nouveauté et du progrès. Dans notre culture moderne, plus d'éléments changent en un an qu'autrefois en dix ans dans les cultures européennes ou asiatiques. Mais maintenant, quand les autres pays apprennent ce qui est en vogue aux Etats-Unis, ils mettent de côté leurs vieilles traditions et ils adoptent à bras ouverts nos nouvelles marottes.

C'est ainsi que l'Amérique, et son adoration pour la nouveauté, ont radicalement transformé la face du monde. Les blue-jeans, les T-shirts, les baskets, les vedettes de cinéma, le rock-and-roll, les hamburgers, telles sont nos exportations culturelles. Vous n'entendrez pas un adolescent américain chanter une chanson populaire en italien ou en allemand. Les Américains ne se précipitent pas au cinéma pour voir le dernier acteur à la mode outre-Atlantique. La télévision ne diffuse pas d'émissions brésiliennes sous-titrées en anglais. En revanche, l'inverse existe quotidiennement, sur chaque continent.

Lors d'un voyage récent à Bali, mon mari et moi avons assisté à une parade rituelle de crémation, une cérémonie sacrée et joyeuse chez les Balinais. En regardant les trente jeunes hommes portant la plate-forme sur laquelle reposait le défunt, nous avons été stupéfaits de voir que presque tous portaient des T-shirts imprimés du nom ou du logo de groupes de rock américain. La culture balinaise est entièrement vouée aux traditions ancestrales qui font partie intégrante de leur vie quotidienne, encore aujourd'hui. Et pourtant, d'une certaine façon, l'image de groupes tels que « Pearl Jam » ou « Aerosmith » avait réussi à envahir cette cérémonie de la crémation d'un fermier balinais.

Les années d'auto-indulgence

La génération « baby-boom » s'est temporairement éloignée du matérialisme après les années 60, se rebellant contre les règles établies et essayant de vivre selon une philosophie plus naturelle, moins volontariste et moins arriviste. Mais dès que nous avons découvert à quel point il était amusant de gagner de l'argent et de le dépenser, les garçons ont vite rangé leurs tenues vestimentaires au placard et se sont coupé les cheveux, quant aux filles, elles se sont joyeusement rasées les jambes et précipitées sur les soutiens-gorge. Et tandis que nous vendions nos vieilles Volkswagens pour acheter des Toyotas ou des Hondas toutes neuves, rutilantes, nous avons ainsi suivi le même chemin que nos parents et avons plongé avec passion dans le courant dominant américain.

De la fin des années 60 aux années 80 comprises, nous avons connu une frénésie de consommation. « Vous pouvez avoir TOUT ! » était notre devise, et nous y croyions. De tout temps nous avons été une nation attirée par le concept de liberté, et c'est d'ailleurs ce concept qui a attiré tant de gens ici. Mais la liberté politique et religieuse n'a pas été suffisante. Nous avons voulu la liberté financière, la liberté sexuelle et la liberté émotionnelle. **Nous voulions le plus de choses possible, le plus de plaisir possible et en découvrir le plus possible sur nous-mêmes.**

Nous ne pouvions jamais acheter assez, investir assez ou emprunter assez pour étancher notre soif de consommation. Heureusement pour nous, l'avancée de la technologie a continué sa progression, et des industries entièrement nouvelles se sont créées : les ordinateurs, les fax, les disques laser, les téléphones sans fil, etc. Mais comment allions-nous pouvoir nous offrir toutes ces nouvelles choses ? Eh bien, il nous a suffi de remplir nos portefeuilles de cartes de crédit, de prendre une nouvelle hypothèque sur nos maisons, et le gouvernement a fait réimprimer des billets. Ainsi nous avons pu continuer à dépenser.

Dans notre vie personnelle, notre esprit pionnier s'est exprimé par notre volonté de briser les vieilles barrières, et d'avoir de plus en plus de libertés individuelles. Plus que jamais. Etre nos propres patrons et faire nos propres affaires, voilà quels étaient nos mots clés. Nous avons favorisé les mariages libres, les rencontres d'un soir et l'échangisme. Nous nous sommes détournés des vieilles traditions avec autant de ferveur qu'ont eu nos ancêtres en quittant leur terre natale, et en venant s'installer ici.

Certains observateurs ont appelé cette période de notre récente histoire « les années d'auto-indulgence ». Nous voulions avoir plus, faire plus et être plus. L'expression « amélioration de soi » était née. Et toute l'industrie pour nous y aider s'est mise en place. Nous pouvions alors nous inscrire à des clubs de remise en forme pour avoir un corps parfait, nous pouvions participer à des séminaires ou écouter des cassettes pour nous comprendre nous-mêmes et nous motiver, et nous pouvions, bien sûr, lire des livres pour être certains de faire les choses correctement. Les meilleurs ventes, dans l'édition, étaient les livres qui nous apprenaient à mieux faire l'amour, à être de meilleurs parents, de meilleurs joueurs de tennis, de meilleurs chefs, à être meilleurs en tout.

Et plus nous en faisions, plus nous nous rendions compte qu'il faut beaucoup de temps pour devenir excellent. Nous avons donc acheté des programmes informatiques pour nous organiser, nous avons lu des livres pour apprendre à mieux gérer notre temps, nous avons inscrit nos emplois du temps. Même nos enfants, pris entre leurs leçons de gymnastique, leur entraînement au hockey et leur club d'informatique, ont eu besoin d'un agenda pour organiser leurs activités.

Peut-être étions-nous trop occupés à jouer avec nos nouveaux jouets ou à atteindre nos nouveaux objectifs pour remarquer les symptômes de dégradation qui commençaient à faire surface. Ils étaient à peine perceptibles, au début : nous avons soudain réalisé que la famille ne s'était pas réunie autour d'un repas depuis des semaines ; nous avons constaté, en regardant nos agendas, que nous n'avions aucune journée ou aucun week-end libre pour ne rien faire du tout, mais Dieu nous en garde ! ; et nous n'avons vu s'empiler les factures. Qu'importe ! Nous nous amusions tellement ! L'idée de ralentir le rythme était impensable.

Cependant, il semble aujourd'hui évident que la plupart d'entre nous ne s'amusent plus. Pourquoi ? Parce que nous n'avons pas été assez attentifs et que nous payons maintenant le prix de notre auto-indulgence. Toutes les fêtes ont une fin et la nôtre n'a pas fait exception à la règle. Toutes les magnificences des années 70 et 80 sont aujourd'hui terminées et nous devons maintenant payer notre tribu social, spirituel et affectif.

La crise que nous traversons actuellement aux Etats-Unis est le reflet de plusieurs changements politiques, technologiques, économiques et sociaux qui nous ont touchés tous ensemble, en même temps, et ont imprimé leurs marques sur les mentalités américaines.

La mort du Rêve Américain

D'un point de vue économique, la réalité a commencé à reprendre ses droits à la fin des années 80. Nous avons passé une période merveilleuse où nous avons dépensé sans compter, mais le jour où il a fallu payer les factures est finalement arrivé. Inutile d'être un expert de la finance pour deviner ce qui s'est passé, et qu'importent les mots pour le décrire : la récession, la dépression, la dette nationale. Le fait est que nous sommes entrés dans une période de crise qui nous concerne tous.

Une des retombées directes de la crise a été le chômage. Le phénomène était déjà connu, mais cette fois, nous l'avons vu se propager jusqu'à nos proches, et c'est cela qui nous a tellement effrayés. Des gens auxquels on n'aurait jamais pensé se trouvent sans emploi. Des cadres de haut niveau, des personnes hautement qualifiées, des directeurs d'entreprise. Le magazine « Time » a réalisé un sondage selon lequel 58 % des Américains avaient eux-mêmes perdu un emploi, ou connaissaient quelqu'un de proche à qui c'était arrivé, depuis 1991.

Il n'est pas rare de voir des hommes et des femmes, en fin de quarantaine ou de cinquantaine, se présenter à des entretiens d'embauche ou à des agences de travail temporaire pour trouver un emploi. Naviguer de petit boulot en petit boulot, quand on a 20 ans et que l'on n'a pas de responsabilités, est une chose. Mais avoir trois adolescents à élever, une hypothèque sur la maison et une pile d'autres dettes, et perdre brusquement l'emploi que l'on occupe depuis dix ou quinze ans, en est une autre. Avant la crise, la plupart des hommes arrivaient à la cinquantaine en ayant atteint leur objectif d'indépendance financière, et pouvaient prendre une retraite anticipée afin de profiter des fruits de leur travail. Aujourd'hui, ce qu'ils espèrent, c'est déjà avoir un emploi qu'un jour ils puissent quitter pour prendre leur retraite.

Pour beaucoup des Américains les plus âgés, le rêve magnifique qu'était la retraite, autrefois, s'est peu à peu terni à cause de la baisse des taux d'intérêt : ils avaient espéré arrondir leur retraite grâce à leurs investissements, mais leur valeur avait peu à peu décliné. Des millions de gens de plus de 60 ans, ayant soigneusement préparé toute leur vie une « retraite dorée », travaillant au moins dix heures par jour pour connaître plus tard la « belle vie », se trouvent aujourd'hui obligés de retarder indéfiniment le moment de leur retraite, simplement pour pouvoir survivre. D'autres vivent dans la peur continuelle de ne pas pouvoir payer les factures médicales, ou dans la tristesse et la déception de devoir renoncer au voyage qu'ils ont toute leur vie pensé faire à leur retraite, ou se sentent écrasés par l'échec de ne pouvoir laisser d'héritage à leurs enfants et petits-enfants, car leurs économies leur servent à vivre.

Notre économie malade produit aussi un effet effrayant sur les jeunes générations. Auparavant, les jeunes commençaient leur vie d'adultes en allant à l'université, sachant qu'ils pourraient ensuite trouver de bien meilleurs emplois avec leurs diplômes que sans. Aujourd'hui, ils s'estiment déjà heureux de trouver un emploi, n'importe lequel. Les nouvelles générations de serveurs, de garçons d'étages et de chauffeurs de taxi sont très cultivées, la plupart de ces jeunes sont bacheliers, et certains ont même une licence ou une maîtrise. Dans les années 70, les jeunes générations étaient pleines d'espoir en voyant les grandes entreprises, aux quatre coins du pays, s'arracher les jeunes diplômés fraîchement sortis des universités ou des grandes écoles. Mais l'espoir a fait place au pessimisme le plus sombre à propos de l'avenir. Les jeunes ne croient plus, contrairement aux nombreuses générations les précédant, au fait qu'ils vont réussir mieux que leurs parents. L'incertitude les rend inquiets.

Nous autres, parents d'aujourd'hui, devons prendre conscience, tristement, du fait que nos fils et nos filles n'auront pas plus que nous, qu'ils pourront même s'estimer heureux d'en avoir autant. Nous les regardons lutter pour trouver un emploi, nous leur ouvrons nos portes et ils reviennent habiter chez nous par mesure d'économie, et nous souffrons de voir leurs inquiétudes quant à l'avenir, nous souvenant du temps où nous avions leur âge, certains, alors, que rien ne pourrait nous empêcher de tout avoir.

Nous essayons alors de nous consoler en nous disant qu'il y a eu des périodes pires que celle-ci, et que les moments difficiles vont et viennent. Mais quand nous passons en voiture ou marchons à pied dans les rues, et que nous voyons tous ces gens qui y vivent, des hommes, des femmes et des enfants, sans domicile, affamés, sans espoir, recroquevillés par le froid, nous avons la preuve vivante que nous vivons une époque différente de toutes les autres. C'est vrai, parmi ceux qui vivent dans la rue ou dans les voitures, il y a d'anciens repris de justice ou des alcooliques. Mais il y a aussi des mères célibataires, des ouvriers mécaniciens au chômage, des enfants dont le père a perdu son emploi 15 ans auparavant et n'avait aucun argent de côté. Leur visage reflète le tribut humain que perçoit la crise économique. Il ne s'agit pas uniquement de la perte d'emplois, de maisons ou d'opportunités, il s'agit de la perte du Rêve Américain.

Le « Syndrome de la famille frénétique »

Même pour ceux d'entre nous qui avons un travail et pouvons payer les factures, la vie n'est pas ce qu'elle était pour nos parents ou ce que nous avons toujours pensé qu'elle serait. Pour pouvoir survivre, la plupart des familles ont besoin de deux sources de revenus, et jamais autant de femmes qu'aujourd'hui n'ont travaillé à l'extérieur, à plein temps ou à temps partiel. Consacrer du temps à ses enfants ou à son partenaire, entretenir la maison, s'occuper du linge ou même pratiquer un hobby ou toute autre distraction, ne se fait pas aussi facilement qu'avant, car nous nous préoccupons trop des problèmes de survie. Cet affolant tourbillon d'activités finit par toucher également les enfants. Ils sentent intuitivement que ceux qui en font le plus en obtiennent le plus, et donc, eux aussi programment leurs propres activités des semaines à l'avance. Le psychologue John Rosemond a appelé cela le « Syndrome de la famille frénétique ». Papa, maman et les enfants faisant en permanence la course contre la montre, fonçant d'une activité à une autre, d'un rendez-vous à l'autre, courant à l'école ou au travail, s'arrêtant éventuellement pour manger un morceau, mais rarement ensemble. La maison, qui était avant un refuge de paix et de calme relatif au milieu de notre vie active, est devenue maintenant, pour un grand nombre d'entre nous, une sorte d'arrêt domestique nous permettant de dormir, nous laver, changer de vêtements et grappiller quelque chose à manger avant de courir vers notre « obligation » suivante.

Faut-il donc s'étonner d'avoir perdu notre capacité de vivre des moments vrais en faisant tout pour nous accrocher à ce que nous avions encore ? Nous avons eu peur de nous arrêter, par crainte d'en avoir encore moins...

L'assaut psychique de la technologie

Si notre économie déplorable a fini par ternir le Rêve Américain, le moral des Américains a lui aussi été blessé par l'explosion de la technologie. L'ironie du sort veut que ce soit l'industrie elle-même, qui nous a apporté tant de confort et de distractions et a rendu nos vies plus faciles dans une foule de domaines, qui soit responsable, pour une large part, du malaise psychologique faisant maintenant partie du profil américain. De ce point de vue, les télécommunications par satellite se sont révélées être une arme causant de bien plus grands ravages que les missiles à tête nucléaire que nous redoutions tant.

La technologie moderne nous a fait passer de l'âge industriel à l'âge de l'information. Nous sommes tellement habitués à notre mode de vie hautement technologique que nous réfléchissons rarement à l'impact qu'il a sur nous. L'autre jour, j'ai entendu à la radio un sociologue parler d'un fait troublant : « Par le biais des satellites, de la télévision et de l'informatique, vous et moi recevons plus d'informations en une seule journée que nos ancêtres d'il y a plusieurs générations en mille ! Ce qui implique que notre cerveau doit classer en 24 heures plus d'informations qu'il n'avait autrefois à le faire en 24 000 heures ! »

Il y a cinquante ans, au moment de la Seconde Guerre mondiale, nos parents et nos grands-parents étaient informés par les journaux, la radio et de petits reportages filmés qu'ils voyaient au cinéma. La plupart des informations arrivaient sans image, ou sans son, et dataient souvent de plusieurs jours. La mort et la destruction qui accompagne toute guerre ne parvenaient pas avec une telle réalité terrifiante qu'aujourd'hui car elles avaient moins d'immédiateté. A présent, c'est bien différent. Nous ne sommes pas informés sur une guerre, la mort ou une catastrophe naturelle par le seul biais de la lecture, nous en sommes les témoins, comme si nous y étions.

Ces quelques dernières années, comme beaucoup de mes concitoyens, j'ai été au premier rang pour assister à la crise dans le Golfe Persique, à la guerre en Bosnie, aux ouragans en Floride, aux inondations dans le Midwest, à des tremblements de terre en Californie et au Mexique et à plusieurs altercations entre le gouvernement américain et différents criminels. En une seule journée, il y a plusieurs mois, j'ai assisté à un gigantesque incendie à Los Angeles, j'ai vu un avion s'écraser à Hong-Kong, un bombardement en Palestine, et des enfants mourir de faim en Somalie. De mon fauteuil, en actionnant simplement la télécommande de mon téléviseur, j'ai été le témoin visuel de tragédies auxquelles je n'aurais jamais eu l'occasion d'assister dans mon monde personnel. C'est trop de souffrance à emmagasiner par une personne en une vie entière. Alors pensez en une journée !

Que serait-il arrivé si nos ancêtres avaient pu voir à la télévision l'explosion atomique d'Hiroshima, les exécutions pendant la Révolution française, l'épidémie de peste bubonique au XIVe siècle ou la crucifixion ? Pouvons-nous seulement présumer de l'influence que cela aurait eu sur les décisions qu'ils ont prises et qui ont déterminé l'avenir..., notre présent ?

La fusion mentale de l'Amérique

N'assister qu'à un seul de ces événements horribles pourrait plonger tout être humain dans une immense détresse émotionnelle. Mais nous qui en sommes bombardés à longueur de journées, comment cela nous affecte-t-il ? Je crois que cela nous mène à une **surcharge psychologique majeure**. Le psychisme humain n'est capable d'emmagasiner qu'une certaine quantité de stress au-delà de laquelle il peut se mettre à mal fonctionner, à disjoncter, exactement comme un fil électrique, qui reçoit une trop grande puissance, peut se mettre à fondre ou même à prendre feu.

Imaginez un groupe d'hommes rassemblés dans une pièce dont ils ne peuvent s'enfuir. Des dizaines de baffles sur les murs crachent une musique violente. Des dizaines d'écrans de télévision renvoient différentes petites séquences filmées. Les lumières ne cessent de s'allumer et de s'éteindre, et même la pièce vibre. En très peu de temps, la plupart de ces hommes vont se mettre à changer d'humeur et de comportement. Ils vont vite devenir de plus en plus fatigués, déprimés et anxieux. Puis ils vont tenter de réagir en montrant des signes d'hostilité et d'agression. Et enfin, ils vont devenir violents. Des individus très gentils vont se mettre à hurler les uns sur les autres, et les membres les plus sensibles du groupe vont même se battre.

Que se passe-t-il à ce moment-là ? **Ils témoignent des effets d'une stimulation excessive.** Les études scientifiques, portant sur les effets d'une stimulation excessive sur les animaux et sur les humains, révèlent que notre taux d'anxiété monte en flèche dès que nous sommes soumis, d'un coup, à une décharge mentale, émotionnelle ou sensitive trop forte. Ce taux d'anxiété trop important doit s'exprimer d'une manière ou d'une autre, et il le fait généralement par la biais de l'hostilité et de la violence. Comme si notre cerveau se mettait à hurler : « Stop ! Je ne peux en supporter davantage ou sinon je vais exploser ! »

Nous avons tous fait l'expérience de cela, même à des degrés moindres. N'avez-vous pas envie de crier quand, en même temps, le téléphone sonne, la bouilloire siffle et votre fils vous pose une question importante ? Vos circuits mentaux sont en surcharge et votre réaction indique que vous avez disjoncté.

Nous autres, en Amérique, souffrons de **fusion mentale et de disjonction émotionnelle**. Nous avons été assaillis par la télévision par satellite, par les fax et les téléphones sans fil, et il y a de moins en moins d'endroits pour se cacher. Nous ne pouvons plus ignorer ce qui se passe à l'autre bout du pays ou aux quatre coins du monde en nous enfermant dans notre univers personnel. Dans notre environnement immédiat, nous sommes constamment, et sans relâche, stimulés de manière excessive, et cela nous condamne à vivre dans un état constant d'anxiété, subtil mais bien réel.

L'anxiété n'est pas seulement un état mental, elle se manifeste par de grands changements psychologiques. Notre corps aussi réagit sous l'effet de la peur ou de la nervosité. Notre tension augmente, notre rythme cardiaque s'accélère, ainsi que notre respiration. Comme si le corps relâchait l'excès de stimulation. Peut-être ne devenons-nous pas tous violents ni ne présentons des signes flagrants d'hostilité. Mais l'un des effets secondaires d'une constante stimulation est que nous nous accrochons à cette sensation « d'excitation » et en avons besoin de plus en plus pour nous sentir vivants.

Pensez à ce que nous regardons le plus souvent à la télévision. Ce sont les films ou les reportages issus de la réalité. La police, les sauvetages, les urgences, les catastrophes naturelles, les guerres, la souffrance, les tragédies dans le monde et tous les événements dramatiques. Nous avons besoin de ces « shoots » d'adrénaline.

Nous adorons aussi ce que nous appelons les « reality shows », c'est-à-dire les émissions où se trouvent rassemblés en direct sur le plateau, des Américaines et Américains moyens. Nous les regardons cracher leur hostilité envers leur partenaire qui les trahit, leurs parents qui les oppressent, ou leurs voisins dont les chiens viennent faire leurs besoins sur leur pelouse. Nous voyons des « skinheads » et des Noirs américains séparatistes se lancer des insultes racistes violentes à la figure. Nous voyons des couples révéler les détails les plus intimes et les plus embarrassants sur leur vie sexuelle malheureuse. Il y a une dizaine d'années, il n'existait que deux ou trois émissions de ce type dans la journée, mais aujourd'hui, ça n'arrête pas. Apparemment, nous préférons nous obséder de la vie des autres, plutôt que de vivre pleinement notre vie à nous.

Hier matin, j'ai allumé la télévision et j'ai regardé pendant quelques minutes une de ces émissions populaires. Il y avait un couple en train de se disputer en direct. Ils hurlaient tellement fort qu'il était impossible de comprendre le sujet de la dispute. L'animateur se tenait discrètement sur le côté, comme s'il avait perdu le contrôle de la situation. Mais au fond de lui-même, il était bien content car il savait que ce genre de situations faisait monter l'audimat.

J'en parle par expérience, et avec compassion pour le dur travail des animateurs et des producteurs de ces émissions, car il m'est arrivé, moi-même, d'en animer une sur une chaîne importante. Jour après jour, je me battais pour proposer une émission « de qualité » pour éclairer les spectateurs sur les relations humaines. Mais on me répondait toujours la même chose : « Les émissions de qualité ne font pas un bon audimat. » Si je voulais rivaliser avec les programmes les plus populaires, il me fallait inviter des transsexuels, des religieuses ou des prostituées reconverties, des pères travestis et des femmes qui ne peuvent faire l'amour qu'avec des strip-teaseurs.

Aux Etats-Unis, notre manière la plus récente d'étancher notre soif de sensationnalisme est de regarder la chaîne « Court TV »[1]. C'est une chaîne entièrement consacrée à la diffusion des grands procès publics actuels, civils et criminels. Des milliers d'Américains allument leur poste de télévision chaque jour pour regarder les témoins mis sur le gril par la défense, les accusés effondrés sous le poids de l'accusation et les victimes racontant, des sanglots dans la voix, leur terrible expérience. Nous aimons spéculer sur la culpabilité ou l'innocence des gens, et nous attendons impatiemment chaque nouveau développement de l'affaire, comme les badauds attendaient autrefois le coup de badine sur la croupe du cheval où se tenait le condamné à la pendaison.

Comment l'Amérique s'est-elle engourdi l'esprit ?

Quel a été l'effet de la technologie sur nos valeurs, sur nos mentalités ?

En offrant aux regards trop de drame humain, la technologie nous a désensibilisés, tant sur notre propre souffrance que sur celle des autres.

1. TV Tribunal.

Comme l'écrit le Vice-Président Al Gore dans son livre *Earth in the Balance*[1] : « De la même façon que les membres d'une famille dysfonctionnelle s'anesthésient eux-mêmes, sur le plan affectif, pour ne pas ressentir la souffrance qu'ils éprouveraient s'ils ne le faisaient pas, notre civilisation dysfonctionnelle a développé une sorte d'engourdissement général qui nous épargne la sensation de souffrance liée à notre aliénation au monde. » Autrement dit, nous nous sommes « bétonnés ». Les émotions normales de tous les jours ne suffisent plus pour que nous nous sentions passionnés et vivants.

C'est ainsi que nous sommes devenus une nation de voyeurs. Ce qui branche notre esprit, c'est la souffrance et le scandale. Voir de la violence physique et émotionnelle assouvit notre soif d'excitation, et voir la détresse psychologique d'étrangers nous distrait. Nous pouvons moraliser à perte de vue sur les valeurs de la famille, mais au fond, ce qui nous excite, en cette fin du XXe siècle, c'est le sensationnel, ce qui nous choque.

Là où cette caractéristique s'avère plus évidente encore que dans tout autre domaine, c'est dans l'obsession de notre nation pour le sexe. Rien ne peut autant capter notre attention que le sexe car il est partout : sur les couvertures des magazines, sur les affiches, dans la publicité, il est le sujet d'émissions de télévision et de livres-conseils. Le journaliste Neal Gabler affirme que la manière de plus en plus explicite dont nous traitons le sexe dans notre culture **est le reflet de notre frustration d'en avoir perdu l'authenticité**. « Nous avons la sensation qu'un manque d'authenticité est en train de gagner du terrain dans tous les domaines, que ce soit en politique, dans les arts, dans les religions, dans le sport et même dans les relations humaines », écrit-il.

1. L'Enjeu de la Terre.

« Nous n'y croyons plus. Parmi tous ces trucages, nous voulons quelque chose de vrai. Et tout comme l'acte sexuel lui-même arrive à traverser des couches d'inauthenticité pour arriver finalement à quelque chose de fondamental, le langage sexuel explicite doit arriver à quelque chose d'essentiel, de primitif et d'authentique. »

Ce qu'a perdu l'Amérique

Au fond, je crois que nous ne sommes pas si engourdis que cela. Je pense que nous sommes en état de choc psychologique, présentant tous les symptômes du stress post-traumatique. Nous avons subi de grosses pertes, toutes en même temps, et nous sommes simplement dépassés par les événements :

• Nous avons perdu confiance dans le Rêve Américain
Nous comptions sur certaines choses, et nous ne pouvons plus y compter. Nous ne pouvons plus être certains qu'après une vie de dur labeur, nous puissions avoir la sécurité financière à laquelle nous aspirons. Nous ne pouvons être certains de ne pas nous faire licencier, même si nous faisons bien notre travail, tant notre économie est en décrépitude. Nous ne sommes plus certains de trouver un bon métier une fois sortis diplômés de l'université. Nous ne pouvons plus être sûrs d'être récompensés si nous appliquons les règles. Le sentiment d'être en droit d'avoir telle ou telle chose nous a été retiré. Et c'était là le fond du Rêve Américain.

• Nous avons perdu notre croyance en un avenir meilleur
Pour la première fois depuis des siècles, la majorité d'entre nous n'a pas le sentiment que l'avenir sera meilleur que le passé. Nous ne croyons pas que nos enfants seront mieux nantis que nous. Nous ne croyons pas à l'amélioration des conditions sociales dans notre pays, nous pensons même qu'elles vont se détériorer. Même les plus idéalistes d'entre nous ont peur, maintenant, et manquent d'espoir.

• Nous avons perdu notre sentiment de sécurité
Même dans les petites villes américaines, nous ne nous sentons plus en sécurité lorsque nous sommes à pied, la nuit, de peur d'entrer dans les statistiques criminologiques. Nous ne nous sentons pas en sécurité au volant de notre voiture de peur d'être envoyé dans le décor par un fou. Nous ne nous sentons plus en sécurité lors de nos nouvelles rencontres sexuelles car nous avons peur du sida. Nous ne nous sentons plus en sécurité de mettre nos enfants à l'école car nous avons peur qu'ils soient « rackettés » ou qu'ils se trouvent pris dans un acte de violence. Nous craignons de les confier aux centres aérés pour les avoir vus revenir amochés et les vêtements en lambeaux. Nous ne sommes pas tranquilles de les savoir aller à vélo chez un copain, de peur qu'ils se fassent kidnapper. Nous ne nous sentons même pas en sécurité dans nos propres maisons.

• Nous avons perdu nos échappatoires
En perdant le sentiment de sécurité, nous avons également perdu nos moyens traditionnels d'échapper à l'anxiété et au stress quotidiens. Sortir le soir, faire une balade en voiture, avoir des expériences sexuelles, autant de moyens que nous avions pour canaliser nos tensions et profiter de la vie pendant une heure ou deux. Aujourd'hui, même ces activités-là peuvent être dangereuses, et nous y regardons à deux fois

avant de les pratiquer. Nous nous sentons piégés, prisonniers dans nos propres maisons.

• Nous avons perdu notre privacité psychique
Les frontières qui existaient auparavant entre notre vie intime et le reste du monde ont été brisées. La technologie par satellite a rendu impossible le retrait dans notre île intérieure, nous ne pouvons plus ignorer les tragédies et les tumultes du monde. Il est difficile de nous « débrancher » de ce qui se passe autour de nous, même si nous le voulons. Les technologies modernes nous suivent où que nous allions.

• Nous avons perdu notre distance protectrice avec « l'ennemi »
Depuis que ce pays existe, les Américains ont toujours su qui était « l'ennemi ». C'était l'Anglais, le Japonais, l'Allemand, le Russe, tous ces gens dans ces pays au loin. Mais depuis la fin de la Guerre froide, la chute du communisme et le processus de désarmement nucléaire, nos ennemis distants ont tout simplement disparu. Soudain, la menace contre nos foyers, nos biens et nos familles n'est plus venue de l'extérieur de nos frontières, mais de l'intérieur. La personne qui vous braque avec son arme n'est plus aux quatre coins du monde, elle est au coin de la rue. **L'ennemi est arrivé, et il est parmi nous.**

•

Chacune de ces pertes est à elle seule énorme. Mais toutes ensemble, elles sont dévastatrices psychologiquement. Ces différentes pertes provoquent en nous des émotions intenses, notamment de colère et d'impuissance.

Nous sommes en colère car nous sommes trop stimulés.

Nous sommes en colère car les choses ont toujours été censées s'améliorer, pas se détériorer.

Nous sommes en colère car nous avons travaillé dur pour faire les choses bien, et c'est comme si quelqu'un, entre-temps, avait modifié les règles sans nous prévenir.

Et nous nous sentons impuissants quant à nous protéger du malheur, nous-mêmes et ceux que nous aimons.

En temps de crise, c'est toujours l'élément le plus fragile d'une société qui cède le premier. Peut-être, alors, l'épidémie de violence que connaît actuellement notre pays est-elle l'expression de cette même impuissance qu'on ressenti ceux qui se sentaient en état d'infériorité au départ. Peut-être les actes de violence accomplis à l'aveuglette reflètent-ils la colère envers tout le monde de ceux qui commettent ces crimes. Nous sommes tous victimes de l'époque que nous vivons, mais ceux d'entre nous qui sont partis défavorisés tombent plus vite que les autres.

« Qui a tué l'enfance ? Nous tous. »

Jerry ADLER
Newsweek Magazine

Si cette période de remise en question provoque en nous, les adultes, de l'anxiété et du désespoir, comment aider nos enfants qui, comme l'a indiqué récemment Newsweek Magazine en accroche de couverture, « grandissent vite et dans la peur ». Quand j'étais à l'école primaire, je me souviens que mes grandes préoccupations étaient de savoir si j'allais être prise ou non dans l'équipe de volley au cours de gymnastique, ou si Emily Bell allait m'inviter pour son goûter d'anniversaire. Aujourd'hui, les enfants ont carrément peur d'être tués. Des enfants de 6 ans voient des gamins de leur âge mourir sous les roues assassines d'un conducteur devenu fou. Les élèves passent au détecteur de métaux avant d'entrer au lycée pour que les enseignants soient sûrs qu'ils ne portent pas d'armes sur eux. L'enfance n'est plus ce qu'elle était, elle a perdu son innocence, et c'est pourquoi elle n'a plus rien à voir avec l'enfance.

Ne croyez pas que vos enfants ou vos petits-enfants ne voient pas ce qui se passe. Ils le savent très bien. Ils arrivent même à exprimer leurs impressions plus honnêtement que les adultes. Une enquête récente, portant sur 758 enfants, de 10 à 17 ans, issus de tous les milieux sociaux, a produit les résultats suivants :
— 56 % craignent un acte de violence contre un membre de leur famille.
— 53 % craignent qu'un adulte de leur entourage perde son emploi.
— 61 % ont peur de ne pas trouver une bonne place plus tard.
— Un tiers seulement espèrent réussir mieux, financièrement, que leurs parents.
— 47 % ont peur de ne pas pouvoir s'offrir un toit.
— 49 % ont peur de ne pas avoir assez d'argent pour vivre.
— 31 % seulement dans les villes, et 47 % dans les zones rurales, se sentent en sécurité le soir.
— Un sur six a vu de ses yeux ou connaît quelqu'un qui s'est fait tirer dessus.

Les sentiments de confiance et de sécurité ont toujours été les deux blasons de l'enfance. Ils protègent les enfants des dures réalités de la vie, en attendant qu'ils soient adultes, pour leur permettre de grandir et d'apprendre en toute confiance. Quand nos fils et nos filles s'éveillent le matin dans un monde sur lequel ils ne peuvent compter, et s'endorment le soir dans un monde qu'ils craignent, faut-il s'étonner qu'un enfant sur sept ait envisagé le suicide ? « Nos enfants doivent de plus en plus se débrouiller seuls dans un monde fait d'étrangers hostiles, d'incitations sexuelles dangereuses et de forces économiques mystérieuses que même les adultes trouvent déstabilisantes», écrit le journaliste Jerry Adler. Au moins nos aînés ont-ils eu le temps de développer des moyens qui nous ont aidés à gérer notre anxiété. Mais comment nos enfants feront-ils avec les leurs ?

Là encore, nous rendons la technologie coupable, pour une bonne part, de la crise émotionnelle qu'affrontent nos enfants actuellement. Nous, les parents d'aujourd'hui, avons le plus souvent été préservés, dans notre enfance, de certaines réalités déplaisantes de la vie, jusqu'à ce que nous soyons assez adulte pour les assimiler. Mais par le flot incontrôlé et souvent non censuré d'informations que reçoivent les jeunes aujourd'hui, venant principalement de la télévision et des films, ils en savent trop, trop vite.

A la fin du primaire, la moyenne des enfants a assisté à huit mille meurtres et à cent mille actes de violence. Ils savent tout sur le sexe, y compris qu'il peut entraîner la mort. Ils sont parfaitement conscients que des enfants de leur âge subissent des outrages physiques ou sexuels, et que des enfants vivent dans la rue parce que leurs parents n'arrivent pas à trouver du travail.

L'année dernière, une de mes amies m'a raconté l'histoire suivante. Son mari et elle avaient fait l'amour le soir, et le lendemain matin, au petit déjeuner, leur petite fille de 5 ans s'est approchée d'elle et lui a dit : «Maman, la nuit dernière, je vous ai entendus papa et toi faire du bruit dans la chambre. Qu'est-ce que vous faisiez ?»

Mon amie, la maman, a réfléchi un moment puis elle lui a répondu : «Tu sais, ma chérie, quand tu manges quelque chose que tu aimes beaucoup, tu es très contente et tu fais un bruit genre "Mmmmmmmmmmm..." Eh bien, hier soir, papa et moi étions très très contents et nous avons fait des bruits de contentement».

Sa fille a eu l'air d'accepter cette explication, et mon amie a poussé intérieurement un soupir de soulagement. Mais le répit n'a été que de courte durée. L'après-midi même, en rentrant de l'école, la petite fille s'est précipitée dans la cuisine en lui disant d'un ton accusateur : « Maman, tu m'as raconté une blague. Vous ne faisiez pas des bruits de contentement comme moi quand je me régale. Vous aviez un orgasme ! »

Cela l'a laissée sans voix. Manifestement, sa fille était allée à l'école, s'était renseignée auprès de ses amies de son âge, et elle avait découvert la vérité. Après que mon amie m'ait relaté cet incident, nous avons échangé nos souvenirs d'enfance à ce sujet et ni l'une ni l'autre n'a su ce qu'était l'orgasme avant 14 ou 15 ans. Nos propos étaient chargés du regret de l'innocence perdue.

Je rencontre souvent des parents de jeunes enfants qui me racontent des histoires du même genre, mais tous réagissent en disant : « N'est-ce pas mignon ? » ou « Dis donc ! Les enfants d'aujourd'hui ! » Mais j'entends derrière leurs rires une panique étouffée. « Comment puis-je protéger mon enfant de la souffrance et du malheur », pensent-ils au fond d'eux-mêmes, « s'il a déjà perdu son innocence ? »

La réponse est nette : **« Vous ne pouvez les protéger. »** Et c'est ce dont nous avons tous tellement peur, que nous ayons des enfants ou pas, pour les générations futures. Le taux de grossesses précoces, de toxicomanie, d'alcoolisme, et de criminalité juvénile chez les jeunes Américains est le plus élevé du monde. En fait, une bonne partie de cette violence qui nous a donné le sentiment d'être prisonniers dans nos propres maisons, vient d'enfants qui ont des armes à feu. Tout comme leurs parents, nos enfants se sentent impuissants et pleins de rage, et beaucoup d'entre eux ne savent pas aussi bien que nous réprimer ces sentiments.

Un des principes de la métaphysique affirme que « nous

sommes ce que nous percevons». Elevés comme ils le sont avec une telle dose quotidienne de violence visuelle, si nos enfants agissent violemment, il ne faut pas s'en étonner. Nous devons comprendre que leur violence, leur attirance envers l'insolence et le léger voile dans leur regard, sont autant de cris appelant à l'aide. Ils sont perdus dans le traumatisme de notre temps, et c'est à nous de les aider, et de nous aider nous-mêmes par la même occasion, à trouver l'issue de secours.

> «Il faut cultiver notre jardin.»
>
> Voltaire

L'Amérique, notre pays bien-aimé, est en crise. Nous ne pouvons plus continuer à ignorer ses appels au secours. Et pourtant, nous ne pouvons faire machine arrière et effacer les dommages qui ont eu lieu. Nous ne pouvons pas non plus nous détourner totalement de la technologie et du matérialisme qui nous ont amenés là où nous en sommes. Quelle est donc la solution? Comment allons-nous pouvoir guérir nos blessures psychiques et celles de nos enfants? Où se trouve notre jardin, maintenant, et comment pouvons-nous lui redonner vie?

> Nous devons redécouvrir ces moments vrais de l'amour et de la connexion, car ce sont eux qui donnent un sens à notre vie, aussi fou que devienne le monde autour de nous. Nous devons retrouver la compassion, l'attention de l'autre et la gratitude qui ont toujours été au cœur des valeurs américaines, et remettre ainsi à l'honneur l'esprit de notre pays.

Aussi perfide et traître que semble être le présent, j'ai beaucoup d'espoir pour l'avenir. Certains signes bien distincts, tout autour de nous, montrent que le processus de guérison se met en place en Amérique, à la fois dans nos valeurs et dans notre façon de définir la réussite.

La philosophie orientale nous a appris que rien, dans l'univers, ne peut pencher exagérément d'un côté sans que finalement une sorte de mouvement de balancier le rééquilibre en le faisant pencher de l'autre. Nous, les Américains, sentons le déséquilibre dans lequel nous sommes tombés et, pour contrebalancer cette chute, nous sommes en train de passer, en toute conscience, de l'auto-indulgence à la découverte de nous-mêmes. Nous sommes très nombreux à revenir aux pratiques spirituelles et religieuses. Alors que l'unité de mesure, en matière de réussite, se définissait en termes de position sociale atteinte, de biens de consommation acquis et de choses accomplies, elle se définit maintenant en termes de bonheur et de paix de l'esprit auxquels nous sommes arrivés.

Au lieu de croire que le mieux est d'avoir plus de chaque chose, nous nous tournons de nouveau vers les valeurs philosophiques de base. Certaines tendances de notre vie quotidienne sont révélatrices de ce mouvement : nous sommes passées des talons aiguilles et des mini-jupes, fort incommodes, aux chaussures de travail et robes sac confortables ; nous avons vendu nos jolis petits cabriolets de marques étrangères pour nous acheter de solides 4 × 4 ou des camping-cars ; nous avons substitué le steak-purée aux recettes élaborées.

D'une façon générale, notre nouvel amour pour tout ce qui nous rappelle moins notre ère technologique nous pousse à préférer les choses simples aux choses sophistiquées : les vêtements confortables, les couleurs en harmonie avec la nature et les bijoux indiens sont à la mode, nous nous repassionnons pour les westerns, comme si nous voulions revenir en arrière et retrouver les racines de nos ancêtres pionniers, ainsi que nos valeurs perdues depuis longtemps.

Nous nous mettons aussi à reconstruire nos nids, essayant ainsi de recréer un peu de l'intimité que nous a volée la technologie. Nous sortons moins et restons davantage à la maison, non seulement parce que nous ne nous sentons pas en sécurité dehors, mais aussi parce que nous voulons être seuls. Une forte tendance à la privacité fait actuellement surface, pendant que nous essayons de restructurer le temps, et de découvrir qui nous sommes et ce que nous voulons vraiment.

•

En nous rapprochant du XXIe siècle, nous autres, les Américains, commençons à ressentir de profonds changements spirituels et émotionnels. Et c'est précisément cette transformation qui va nous sauver.

Lisez ces quelques vers merveilleux attribués à un général chinois ayant vécu il y a plusieurs siècles de cela :

> Si le monde doit être remis en ordre, alors mon pays doit changer. Si mon pays doit changer, alors mon village doit se restructurer. Si mon village doit être réorganisé, alors ma famille doit prendre le bon chemin. Si ma famille a besoin d'être régénérée, alors je dois l'être moi aussi, et en premier…

Aujourd'hui plus que jamais, nous avons besoin de moments vrais pour régénérer nos âmes fatiguées et redonner un vrai sens à notre vie. Comme nos attentes continuent à être grignotées par les réalités économiques et comme notre vie au dehors continue à être limitée par des contraintes de temps, d'espace et de circonstances qui échappent à notre contrôle, nous devons nous tourner vers notre vie intérieure qui, elle, est sans limite. Nous y découvrirons notre vraie liberté dans la capacité de trouver notre épanouissement non pas derrière chaque colline suivante, ou chaque accomplissement, mais ici même, et maintenant.

Et de cette façon, peu à peu, instant après instant, l'Amérique se retrouvera elle-même.

3

Ne pas reconnaître les moments vrais

« En quête de sagesse, un homme vient de passer trois semaines exténuantes à gravir une haute montagne escarpée. En arrivant au sommet, il rencontre enfin le vieux Sage et lui demande : "Homme de sagesse, comment pourrais-je rendre ma vie plus heureuse ?"

Et le Sage de lui répondre : "Pour commencer, la prochaine fois que tu auras envie de venir ici, va de l'autre côté de la montagne et prend le tramway". »

Gary APPLE

Beaucoup d'entre nous rendent le voyage que nous faisons toute notre vie, en quête du bonheur, bien plus difficile qu'il n'a besoin d'être : nous cherchons l'épanouissement dans la mauvaise direction ; nous évitons le genre même d'expériences intimes qui satisferaient notre soif de but et de sens à donner à notre vie. **Nous gravissons la montagne par le chemin le plus long.**

Ce chapitre va vous donner l'occasion de discerner les œillères qui vous empêchent de voir les moments vrais de votre vie, et d'envisager le temps que vous perdez à vous cacher de ces moments. Si vous le lisez vraiment avec le cœur ouvert, je crois que vous comprendrez comment, dans le chemin que vous avez suivi, vous vous êtes vous-même privé des sentiments de paix et d'épanouissement que vous méritez d'avoir. Et c'est le premier pas vers la découverte des moments vrais qui sont déjà autour de vous, n'attendant plus que votre attention.

Pour commencer, posez-vous les questions suivantes et réfléchissez attentivement aux réponses :
— Qu'est-ce qui me rend heureux ?
— Est-ce que j'ai l'impression de vivre souvent des moments de vrai bonheur, ou pas souvent ?
— A quoi est-ce que je reconnais un moment heureux ?

Ne vous étonnez pas si vous avez plus de mal que vous ne pensez pour répondre à ces questions :

Très souvent, au cours de notre vie,
nous ne reconnaissons pas les vrais moments
de bonheur car nous nous attendons à quelque
chose d'autre, quelque chose de plus grand,
de plus éclatant ou de plus extraordinaire.

Pour beaucoup d'entre nous, l'image que doit revêtir le bonheur et ce que nous devons ressentir nous sont imposés par la mentalité dans laquelle nous avons été élevés, selon laquelle « plus on en a, et mieux c'est ». Ainsi nous sommes-nous progressivement forgés une idée du bonheur tout à fait irréaliste. Nous voyons le mot **BONHEUR** écrit en lettres d'or criblées de diamants étincelant dans le ciel. Le Bonheur avec un grand « B », la merveille absolue, le joyau rare, précieux et inaccessible.

C'est donc dans la passivité que nous attendons le bonheur, comme s'il était quelque chose d'irréel dont nous serons peut-être un jour dotés. Vous venez de mettre au monde votre premier enfant et vous êtes toujours dans la salle de travail, étendue, épuisée, et vous pensez : « Maintenant, c'est passé, je devrais me sentir heureuse. » Vous décrochez enfin la promotion tant attendue et, seul au volant de votre voiture, alors que vous êtes en chemin pour annoncer la bonne nouvelle à votre femme, vous vous dites : « Je peux maintenant arrêter de m'en faire pour ma carrière et être vraiment heureux. » Vous déménagez enfin dans la maison dont vous avez rêvé toute votre vie, et en entrant dans chaque pièce, vous pensez : « Enfin, ma propre maison ! Ce soir, je vais m'endormir heureux. »

Et si votre émotion n'était finalement pas aussi forte que vous pensiez ? Et si vous vous sentiez simplement bien, avec un petit « b » et non pas Heureux, avec un grand « H », comme vous le pensiez ? « Il y a quelque chose qui cloche en moi », allez-vous certainement vous dire. « Je devrais me sentir Heureux, mais je suis simplement bien. » Peut-être même n'allez-vous pas vous sentir si bien que cela, être fatigué ou carrément ne rien ressentir du tout.

Comme nous l'avons vu, c'est ainsi que nous nous accrochons à la croyance que, si nous n'éprouvons pas de bonheur maintenant, c'est qu'il nous attend au coin de la rue suivante ou de l'autre côté de la montagne. Nous savons que le bonheur nous arrivera un jour. Ce jour-là, nous nous réveillerons le matin en nous disant : « Je sens quelque chose de différent ce matin… Est-ce que ça pourrait être… Est-ce que ce serait… **ça** ? Oui, je pense que j'y suis… J'ai réussi ! Je suis enfin **heureux** ! »

Attendre l'arrivée de la Joie

Une bonne partie de ma vie d'adulte, j'ai travaillé dur pour essayer d'être heureuse, et j'ai échoué lamentablement. Je ne voyais pas ou était ma faille, ni pourquoi tout ce que je réussissais dans ma vie n'arrivait pas à me satisfaire profondément, de l'intérieur. Un jour, il y a de cela environ quatre ans, il m'est arrivé quelque chose qui m'a fourni une partie de la réponse. Mon mari et moi venions d'arriver dans une petite ville au bord de la mer pour des vacances longuement attendues. Nous étions tous deux épuisés d'une longue année de travail intensif, avec très peu de temps libre, et nous avions compté les jours avant d'être enfin là.

Les deux premiers jours ont passé très vite. Le troisième jour, au soleil couchant, je me suis promenée seule dans la petite rue tranquille qui longe l'océan. L'air était doux et chaud. Les arbres étaient remplis d'oiseaux célébrant le coucher du soleil. Et tout en marchant, j'ai réalisé que je m'étais sentie un peu étrange depuis le début de nos vacances.

« Qu'est-ce qui peut bien me tracasser ? » me suis-je demandé. « Ici, rien ne peut être plus parfait. Je nage, je prends des bains de soleil, je fais l'amour, et tout ce que j'aime le plus faire dans ce monde. Je devrais être **totalement** heureuse ».

Puis une réflexion m'a percutée : j'attendais d'être heureuse, comme si le bonheur était une sorte d'état qui allait pénétrer en moi. Tout comme un enfant attend avec impatience, les yeux fermés, une surprise espérée, je vivais mes journées en attendant que le bonheur me tombe dessus et annonce son arrivée.

Debout face à la mer, dans cette ravissante petite rue, je

me suis rendu compte que j'attendais l'arrivée de la joie et du bonheur et qu'ils me manifestent leur présence. Comme si j'attendais de Dieu qu'il vienne à moi et m'annonce : « Barbara De Angelis, je te félicite, tu es maintenant officiellement heureuse ! Profites-en bien tant que ça dure ! »

Je considérais le bonheur comme étant une entité échappant à mon contrôle, quelque chose qui m'arriverait ou ne m'arriverait pas. Quand je serai en vacances, je serai heureuse. Quand je serai bien détendue, je serai heureuse. Quand je serai bien bronzée, je serai heureuse. Ce qui impliquait naturellement que si je ne partais pas en vacances, je ne serais pas heureuse, ou s'il pleuvait pendant huit jours, je ne serais pas heureuse non plus, car les conditions « préétablies » pour atteindre le bonheur ne seraient pas remplies.

A ce moment, attendant que le bonheur me tombe dessus et signale son arrivée, en cette délicieuse fin d'après-midi, j'ai su que si je continuais à vivre de la même façon, je pourrai attendre toute ma vie.

J'attendais du bonheur qu'il vienne de l'extérieur de moi, au lieu de le créer de l'intérieur.

J'ai dit, au début de ce livre, que le bonheur était une capacité et non une acquisition. **C'est un choix que vous faites à chaque moment sur la manière dont vous voulez vivre ce moment, et non un état spécial que vous parvenez à atteindre un jour.** En attendant que le Bonheur m'arrive, je ne voyais même pas tous les moments de vrai bonheur que la vie m'offrait constamment.

Ceci est notre première façon de ne pas reconnaître les moments vrais. Nous vivons de telle manière qu'ils nous sont cachés.

La Vérité à propos du Bonheur

Je crois que la plupart des gens ont en commun une idée fausse du bonheur. Ils pensent que c'est un état à atteindre, quelque chose qui vous tombe dessus comme d'avoir 40 ans, de se fiancer à quelqu'un ou d'enfin retrouver la forme après être sorti de la toxicomanie. J'ai 40 ans, je suis fiancé, je vais mieux, je suis heureux. La vérité, comme je l'ai compris ce jour-là devant l'océan, est bien différente :

Le bonheur n'est pas un état, c'est une succession de moments vrais.

Ces moments ne nous arrivent pas tout seuls, il nous faut créer les opportunités pour qu'ils se produisent. Nous devons enfin commencer à reconnaître ces moments mêmes qui, de l'intérieur, vont nous faire vivre l'expérience de la joie à laquelle nous aspirons tant.

Si le bonheur n'est pas un état, cela implique que nous ne pouvons pas être toujours heureux. Une nouvelle plutôt désappointante pour ceux qui pensaient pouvoir tout avoir un jour. J'ai vu mes contemporains, et je me suis vue moi-même, en train de lutter contre cette réalité, considérant les moments de souffrance, de confusion ou de déplaisir de toutes sortes comme de la boue sur nos chaussures, après avoir marché dans une flaque, que nous voudrions immédiatement faire disparaître. Nous faisons tout pour éviter les choses désagréables, et quand c'est impossible, nous faisons tout pour les évacuer le plus vite possible et redevenir « normal ».

J'ai entendu un jour un étranger dire à notre sujet : « Le problème avec les Américains, c'est qu'ils s'attendent à vivre dans une perpétuelle euphorie. » Ce point de vue est également le mien. Je ne peux le nier. Nous sommes tellement épris de perfection que nous avons du mal à gérer la dualité entre le bien et le mal, entre la réussite et le recul, la joie et la peine.

Je me sens plus coupable de cette attitude que la plupart des gens. Jusqu'il y a six ans, j'interprétais par erreur la souffrance ou la tristesse comme des signes de mon propre échec spirituel. Je croyais que si je menais une vie réellement satisfaisante, je serais heureuse, et que puisque je n'étais pas heureuse, c'est que je devais sûrement faire quelque chose qu'il ne fallait pas. Cette certitude m'amenait souvent à la dénégation. Par exemple, j'avais la sensation qu'il fallait toujours que je sois heureuse dans ma relation avec quelqu'un, et donc j'évitais d'affronter les problèmes, d'aborder les sujets de désaccord ou même d'admettre, au fond de moi, que je n'étais pas heureuse. Et je manquais ainsi un grand nombre de moments vrais car, bien qu'étant des moments forts et pleins de signification, ils n'étaient pas particulièrement des moments de bonheur, et je me détournais d'eux.

Si vous voulons trouver la paix et vivre dans l'authenticité, nous devons affronter une vérité : la souffrance, la tristesse et le désagrément font partie intégrante de la vie, et ils font inévitablement surface de temps à autre. Nous ne pouvons être **toujours** heureux. Carl Jung l'a exprimé en ces termes :

« Il y a autant de jours que de nuits dans une année, et la durée des uns équivaut à celle des autres. Même très heureuse, une vie ne peut se dérouler sans une mesure de tristesse, et le mot “bonheur” n'aurait plus de sens s'il n'était contrebalancé par le mot “tristesse”. »

Imaginez que votre enfant soit malade et que vous soyez assis à ses côtés, tard dans la nuit, à caresser ses cheveux et apaiser ses pleurs en attendant que la fièvre tombe. En cet instant, votre enfant est pour vous ce qui compte le plus au monde et rien d'autre ne semble exister. Vous l'aimez si fort que cela vous fait mal et le lien qui vous unit vous semble sacré. Etes-vous heureux ? Bien sûr pas, mais vous ressentez quelque chose de très fort et de très émouvant au fond de vous, et vous avez raison : vous vivez **un moment vrai**.

> A la fin de votre vie sur terre, si nous avons vécu pleinement, nous ne pourrons dire : « J'ai été heureux constamment. » Ce qu'il faut espérer pouvoir dire, c'est : « J'ai fait toute ma vie l'expérience de moments vrais, et un grand nombre d'entre eux ont été heureux. »

Ce n'est donc qu'en apprenant à faire l'expérience de moments vrais, les uns après les autres, un par un, que nous pourrons faire l'expérience de moments heureux.

Les symptômes du manque de moments vrais

La plupart des gens que je connais souffrent d'un « manque de moments vrais ». Ils n'ont pas la sensation de vivre assez de moments vrais dans leur vie, et quand on souffre d'une telle déficience, on finit par être également déficient en joie, en satisfaction et en paix. Si votre corps manifeste un manque d'énergie car vous n'avez rien avalé depuis un petit bout de temps, vous croquez une barre chocolatée ou n'importe quelle sucrerie pour vous donner un « coup de fouet » et rétablir votre taux de sucre dans le sang. De la même façon, lorsque nous souffrons d'un manque de moments vrais, nous avons recours à des sollicitations et à des comportements inappropriés pour essayer de remplir le vide émotionnel et spirituel que nous ressentons.

Voici quelques-uns des symptômes qui indiquent que vous n'avez peut-être pas assez de moments vrais dans la vie :

• Vous avez toujours besoin de faire quelque chose.
Si vous ne vivez pas assez de moments vrais, l'agitation et le sentiment d'insatisfaction qui vous ronge ne vont pas vous lâcher. Vous ne vous sentez tranquille qu'en étant occupé à faire quelque chose car vous êtes ainsi concentré sur votre tâche, extérieure à vous-même, et non sur ce que vous ressentez à l'intérieur. Peut-être allez-vous devenir un « accro du boulot », consacrant douze à quatorze heures par jour à votre carrière, ne prenant jamais le temps d'oublier un peu votre travail, ne vous accordant jamais de temps libre. Mais c'est vous qui organisez votre emploi du temps de cette manière. Et ce processus ne concerne pas uniquement la vie professionnelle. Les femmes à la maison, elles aussi, peuvent surcharger leur emploi du temps en offrant leur aide aux voisins, aux amis, à la famille, à la paroisse locale ou à quiconque en exprime le besoin. « Je ne sais pas comment je me débrouille pour être aussi prise ! », dites-vous. Mais la réponse est simple : vous ne savez pas dire non, et c'est tout.

Quand on éprouve le besoin constant de faire quelque chose, on trouve toujours quelqu'un à aider ou un nouveau projet à entreprendre, même si l'on se plaint de ne jamais avoir assez de temps à soi pour profiter de la vie. Le problème est que ce besoin maniaque d'activité ne vous apporte que félicitations et remerciements, des gratifications qui ne font que renforcer votre tendance.

Les gens hyper-actifs se sentent très nerveux lorsqu'ils ne sont pas concentrés sur une chose à faire. Ils ressentent un vide inconfortable qu'ils éprouvent le besoin de remplir au plus vite. Ils ne cessent de faire des listes sur ce qu'ils doivent faire. Des vacances tranquilles ou un emploi du temps déstructuré ne leur convient pas. Ils veulent visiter tous les musées, voir tout ce que les touristes doivent voir ou dévorent des livres les uns à la suite des autres. Si vous appartenez à cette catégorie, lorsque vous êtes chez vous, vous devez sûrement avoir la radio ou la télévision allumée pour remplir le silence.

Trop en faire se transforme inévitablement en cercle vicieux. Voici comment cela fonctionne :

Vous n'avez pas assez de moments vrais, donc vous vous sentez vide — Vous vous sentez obligé de combler ce vide en étant toujours actif — En faisant constamment quelque chose, vous n'avez pas de temps libre pour simplement « être » — Comme vous n'avez pas de temps libre, vous ne vivez pas de moments vrais — Et vous vous sentez obligé de combler ce vide par l'action.

Et le cycle s'enchaîne ainsi éternellement.

Il n'y a qu'une façon de rompre ce cycle, c'est d'arrêter d'être actif en permanence et de laisser à la magie des moments vrais l'opportunité de se manifester. Le soir, après que les enfants sont couchés, éteignez la télévision, asseyez-vous tout près de la personne que vous aimez et offrez-vous un moment de vraie connexion intime. Au lieu de programmer tout votre emploi du temps du samedi matin pour les courses, réservez vingt minutes pour faire une promenade et voir les moments vrais que vous pouvez rencontrer avec la nature. La prochaine fois que vous verrez vos amis, ne programmez rien de spécial et profitez simplement du bon moment vrai que vous procurent vos présences respectives.

Dans votre vie, laissez de la place pour les moments vrais en réservant du temps à ne rien faire.

• Vous souffrez d'une toxicomanie

Toutes les toxicomanies ont une chose en commun : elles vous empêchent de voir ce qui se passe dans l'instant. Elles vous offrent, à la place, une expérience sensorielle intense qui absorbe toute votre attention ou vous donne une image distordue de la réalité. Vous pensez peut-être alors que vous vivez un moment vrai, mais ce n'est pas le cas. En effet, votre activité toxicomaniaque, telle que boire ou prendre des psychotropes, vous déconnecte de vos vraies émotions et, par conséquent, rend la connexion avec les autres difficile pour vous.

Les personnes avides de plus de moments vrais ont souvent recours à une toxicomanie pour s'offrir des bouffées de bonheur temporaires.

Mais comme le sentiment de bonheur que procure une toxicomanie vient de la substance elle-même ou du comportement, il est forcément temporaire et vous ne pouvez pas le ressentir sans la prise du produit toxique. C'est ainsi que l'on s'accroche et qu'il en faut toujours plus.

En général, les toxicomanies sont si bien acceptées dans la société américaine que souvent, les gens ne réalisent même pas qu'ils en ont une. Je ne parle bien sûr pas des toxicomanies aux drogues dures comme l'héroïne ou la cocaïne, sur lesquelles nous portons un jugement. Je parle des toxicomanies plus ou moins tolérées telles que l'alcool, les cigarettes, la marijuana, les tranquillisants, les anti-douleur, le jeu, la pornographie, toutes très insidieuses car nous ne pensons pas à elles comme étant des toxicomanies. Nous les appelons des « habitudes » :

L'Amérique emploie un double langage en ce qui concerne les « habitudes » qu'elle considère comme de graves toxicomanies, et les autres. Le père, son verre de Martini à la main, reproche âprement à son fils de 16 ans d'avoir « fumé un joint ». Le congressiste déplore la nuisance des dealers sur la jeunesse américaine en recrachant la fumée de sa quarantième cigarette de la journée. La mère réprimande sa fille pour avoir essayé des champignons hallucinogènes à un concert de rock, puis elle va dans sa chambre prendre un tranquillisant pour pouvoir dormir.

Qu'il s'agisse d'alcoolisme ou de dix heures par jour devant la télévision, le recours régulier à une toxicomanie vous ôte la capacité de ressentir les choses pleinement. Faites tout ce qui est en votre pouvoir pour arrêter les « habitudes », et essayez de remplacer les jouissances artificielles par la jouissance vraie de la vie.

• Vous êtes cynique, pessimiste et sarcastique

Les gens cyniques me font beaucoup de peine car je sais que sous leur cuirasse de sarcasme et de dédain, ils cachent leur manque de moments vrais dans leur vie.

> Sans moments vrais dans la vie, nous avons du mal à voir le sens et le but de l'existence.

Si elle est dépourvue de sens, la vie n'est rien d'autre qu'une suite d'événements se déroulant les uns après les autres, au hasard de nos activités de chaque jour. Et sans voir de but précis ou de signification aux choses que nous faisons, il est facile de devenir cynique et détaché.

Le cynisme est une façade pour dissimuler la tristesse, l'expression du désespoir et de la colère de voir le monde tel qu'il est. Les cyniques sont souvent des gens frustrés qui se sentent profondément déçus par leurs congénères et la vie elle-même. Pensez à quelqu'un de votre entourage qui affiche ainsi une attitude négative ou pessimiste. Regardez cette personne au fond des yeux et vous y verrez une âme blessée.

Si vous ne voyez plus pourquoi nous sommes sur cette terre et ce que nous sommes supposés y faire, c'est que vous ne vivez pas assez de moments vrais. Ce sont ces moments-là qui vont redonner un sens à votre vie et vous regonfler du sentiment qu'elle vaut la peine d'être vécue.

• Vous vivez votre vie au travers des autres

Une grand-mère est assise toute seule, chez elle, devant son poste de télévision, et à longueur de journée, elle regarde des émissions et des séries de bas niveau. Mais son attention est fixée sur le téléphone, elle se demande à quelle heure sa petite-fille va appeler. Elle est heureuse dès qu'elle entend sa voix. En réalité, elle ne vit que pour les appels et les visites occasionnelles de sa petite-fille. Elle repense aux trois jours qu'elle est venue passer avec elle à Noël dernier, et elle sourit. Elle regarde sa montre et réalise que sa petite-fille a encore quatre heures de travail à son bureau avant de pouvoir rentrer chez elle. « Peut-être l'appellerai-je ce soir », pense-t-elle. « La semaine a été riche en événements. »

Si vos plus grandes joies, ces dernières années, ont été suscitées par la réussite et le bonheur de vos enfants, petits-enfants ou conjoint, c'est que vous ne vivez pas assez de moments vrais. Vous vivez votre propre vie au travers des autres. Je ne remets bien sûr pas en question le fait d'être heureux et fier des bienfaits qui arrivent à ceux que nous aimons, non. Je parle simplement du fait de placer les autres au centre de sa vie au lieu de s'y placer soi-même.

J'ai vu des mères faire cela avec leurs enfants, portant aux nues leurs succès et se démoralisant de leurs échecs, s'impliquant tellement dans leur vie qu'elles en devenaient totalement dépendantes quant à leur propre validation. J'ai vu des grands-parents faire cela avec leurs petits-enfants, les faisant devenir peu à peu leur seule source d'amour, ne limitant plus leurs buts dans la vie qu'au fait de les voir ou d'entendre leur voix au téléphone. J'ai vu des femmes faire cela avec leur mari, perdant complètement leur propre identité, n'arrivant à satisfaire leur égo que par les accomplissements de leur mari ou par son statut dans la société.

Quand nous avons perdu nos propres buts dans la vie, nous nous projetons souvent dans les buts de quelqu'un d'autre. Mais il n'est jamais trop tard pour retrouver les siens propres. En fait, arriver à les retrouver est même ce qui va vous maintenir en vie plus longtemps.

> Quels que soient votre âge, ou les circonstances de votre vie, vous êtes vous-même une personne ayant quelque chose d'unique à offrir. Le sens de votre vie vient de qui vous êtes, vous.

Si vous vous sentez coupable en lisant cela, c'est qu'il est temps de reconsidérer votre vie et de libérer ceux que vous aimez du sentiment, lourd à porter, que vous ne vivez qu'à travers eux. Vous devez retrouver le sens propre de votre vie à vous en vivant plus de moments vrais. Vous avez vos propres cadeaux à offrir.

• Vous vous posez en juge

Par définition, juger une situation ou une relation implique de se maintenir en dehors d'elle et de critiquer ce que l'on voit. Vous observez quelqu'un en train de se tromper dans son travail et vous vous dites « Quel abruti celui-là ! » Vous êtes coincé derrière une voiture, conduite par une personne âgée, roulant à cinquante à l'heure. Vous grommelez : « Comment peut-on donner son permis à quelqu'un de cet âge-là ! »

Vous ne pouvez pas, en même temps, vous poser en juge et vivre un moment vrai.

Pour pouvoir vivre un moment vrai, il vous faut entrer totalement dans la situation, la ressentir profondément de l'intérieur. Il vous faut être en connexion totale avec votre interlocuteur ou l'environnement qui vous entoure. En vous posant en juge, vous vous déconnectez de la personne ou de l'expérience, et il vous est ainsi impossible de vivre un moment vrai à ce moment-là.

En laissant tomber vos jugements, et en créant un moment de vraie connexion avec quelqu'un d'autre, vous faites le premier pas vers la vraie compassion.

Voici deux histoires grâce auxquelles j'ai appris à ne plus me cacher des moments vrais et j'ai tiré une grande leçon de compassion.

Leçon de compassion à un coin de rue

L'année dernière, j'ai décidé d'acheter une voiture et j'ai réservé un moment, une après-midi, pour aller voir un concessionnaire local. En arrivant, j'ai parlé au vendeur, un homme d'environ 55 ans, de la voiture que j'avais envie d'acheter, et il a été d'accord pour me la faire essayer. Cinq minutes se passent, dix minutes… il n'arrivait pas à trouver la clé. Je commençais à être un peu agacée. Les choses ne se sont pas arrangées quand il a été incapable de se souvenir du code d'alarme utilisé pour déverrouiller la voiture, et qu'il est allé le chercher dans un dossier. J'étais alors très énervée et je lui en voulais de perdre tant de temps. Puis nous avons pu enfin entrer dans la voiture, démarrer, et sortir de la zone commerciale. Mais à peine deux kilomètres plus loin, la voiture est tombée en panne au milieu de la rue.

« Que s'est-il passé ? », ai-je demandé. « Ai-je fait une fausse manœuvre ? »

« Non », a répondu l'homme, perplexe. « Peut-être simplement n'a-t-elle pas chauffé assez. »

Puis, en jetant un coup d'œil sur la jauge, j'ai remarqué que le réservoir était complètement vide. D'une voix glaciale, j'ai dit au vendeur : « Monsieur, il n'y a pas d'essence dans cette voiture. »

« Oh mais vous avez raison ! Le mécanicien a dû oublier de faire le plein. »

Je commençais vraiment à fulminer. J'allais être en retard à mon rendez-vous et nous étions là, coincés au milieu d'un carrefour embouteillé par notre faute.

Le vendeur est entré dans le premier magasin venu et il a appelé son patron pour qu'on vienne nous dépanner. Pendant ce temps-là, j'attendais sur le trottoir au comble de la fureur et de la frustration d'être tombée sur un idiot pareil pour me vendre une voiture. « Quel imbécile ! », grognais-je en moi-même. « Il me fait perdre tout mon après-midi pour n'avoir même pas été capable de vérifier s'il y avait de l'essence dans le réservoir. Ce type a un petit pois à la place de la cervelle ! »

Dix minutes plus tard, le vendeur est venu me rejoindre pour attendre nos dépanneurs, l'air visiblement embarrassé. Il faisait une grosse chaleur ce jour-là à Los Angeles. Il était rouge comme une tomate, sa chemise était tout auréolée de sueur et je me demandais s'il n'allait pas, en plus, faire une attaque ! Comme il me faisait finalement pitié, j'ai décidé d'engager une conversation avec lui.

« Je ne voulais pas être désagréable, tout à l'heure », ai-je avancé. « C'est juste que j'étais pressée car j'avais un rendez-vous et que maintenant, mon emploi du temps est tout bouleversé. »

« Mais, Madame, vous n'avez pas à vous justifier », a-t-il répondu d'une petite voix. « C'est entièrement de ma faute. J'ai eu une journée épouvantable, des problèmes personnels, et je n'ai plus ma tête à moi. »

A ce moment, j'ai réalisé que j'avais le choix entre continuer à le juger, ce qui était une épreuve pour chacun de nous, et me connecter à lui par la voix du cœur. Et c'est ce que j'ai choisi de faire.

« Je suis désolée d'apprendre que vous avez des problèmes », lui ai-je dit. « Je sais à quel point je suis distraite quand je suis contrariée pour quelque chose d'important. »

C'est tout ce qu'il avait besoin d'entendre pour se sentir en sécurité. « C'est ma mère », lâcha-t-il tout à coup. « Elle est actuellement à l'hôpital, en chirurgie, pour des examens, et on m'a appelé tout à l'heure pour me dire qu'elle en était au stade terminal du cancer. Elle a des métastases partout.

Après mon travail, je dois lui annoncer la mauvaise nouvelle et je ne suis pas sûr de pouvoir le supporter. »

En ressentant la tristesse de cet homme, les larmes me sont montées aux yeux. Pas étonnant qu'il ait été aussi distrait. Pas étonnant qu'il n'ait pu se concentrer pour me vendre cette voiture. Soudain, la panne d'essence, mon rendez-vous manqué et tout le reste m'ont paru totalement insignifiants. Comme j'avais souhaité partager un moment vrai avec ce vendeur, je comprenais maintenant son comportement, je ressentais sa douleur, et un dicton indien m'est revenu en mémoire : « Nous ne devrions jamais juger quelqu'un d'autre avant d'avoir chaussé ses mocassins pendant au moins un kilomètre. »

L'apparition du fantôme de mon grand-père

Curieusement, la seconde leçon de compassion dont je voudrais vous faire part a aussi un rapport avec l'automobile. Il y a plusieurs mois de cela, j'étais au volant de ma voiture, en route pour une réunion importante, quand je me suis trouvée coincée derrière une voiture qui faisait du trente à l'heure sur une route limitée à soixante-dix. Je ne pouvais pas la doubler et j'étais obligée de me plier à sa vitesse d'escargot. Je me suis mise à klaxonner, pour que la personne se range un peu sur le côté, mais ça n'a servi à rien. Je sentais mon agitation monter de minute en minute.

Finalement, je me suis approchée tout près de la voiture et j'ai vu que c'était un homme âgé qui la conduisait, il devait avoir au moins 80 ans. « J'aurais dû m'en douter », me suis-je dit, énervée. « Encore un vieillard à qui on aurait dû retirer le permis depuis longtemps. » J'allais me remettre à klaxonner furieusement quand soudain, alors que je ne m'y attendais pas du tout, le souvenir de mon grand-père, mort lorsque j'avais 19 ans, m'est venu à l'esprit. Je l'adorais et j'ai eu un chagrin fou lorsqu'il est mort. Je me suis souvenue comme il semblait frêle et fragile les dernières années de sa vie, son corps rongé par un cancer à la prostate, son visage crispé de douleur. Je me suis souvenue comme il avait été difficile pour lui, après une vie passée à donner généreusement aux autres, de voir sa santé faillir et d'avoir à s'appuyer sur des amis, de la famille ou des étrangers pour prendre soin de lui.

Noyée dans mes souvenirs, j'ai senti les larmes me monter aux yeux et j'ai soudain éprouvé un sentiment de compassion pour le vieillard devant moi. J'ai réalisé que ce conducteur aurait tout aussi bien pu être mon grand-père, et qu'il était probablement celui de quelqu'un. Il ne conduisait pas lentement pour m'ennuyer. Il était dans ses dernières années et il faisait une promenade en voiture, savourant une journée de vie.

J'ai regardé la voiture rouler doucement devant moi, et en silence, mais du fond de mon cœur, je me suis excusée auprès du conducteur : « S'il vous plaît, excusez-moi de m'être mise tellement en colère contre vous, cher vieil homme. Je suis heureuse que vous soyez toujours en vie, aujourd'hui, et je sais que conduire seul votre voiture est peut-être une des dernières libertés qui vous restent. Pardonnez-moi de m'être montrée aussi impatiente et d'avoir risqué de vous déstabiliser en essayant de vous obliger à accélérer votre allure. Je sais maintenant que vous allez aussi vite que vous pouvez. »

J'ai lâché le pied de l'accélérateur et je me suis mise à

fredonner en suivant tranquillement mon vieillard, respectant son rythme et même l'en félicitant. Finalement, il a mis son clignotant et il a disparu au coin d'une petite route. Je lui ai alors fait un signe d'adieu de la main en pensant : « Au revoir papie, merci pour le souvenir… Tu me manques. »

•

Ces deux événements font partie des moments vrais et précieux de ma vie. Tous deux étaient inattendus, non planifiés, et n'ont pu se produire que parce qu'à un certain moment, je me suis arrêtée dans mon élan pour faire attention à ce qui était réellement en train de se passer. J'aurais pu me mettre des œillères et passer à côté de ces moments en continuant à critiquer les personnes en cause, ou en accusant les circonstances. Mais j'ai préféré suivre l'impulsion silencieuse de mon cœur et **ressentir le moment plutôt que de le juger**. Et les deux fois, mon cœur s'en est trouvé largement récompensé.

En apprenant à ne plus vous cacher
des moments vrais, vous verrez qu'ils
se produisent partout autour de vous
et peuvent s'offrir à vous quand vous vous
y attendez le moins.

Comment et pourquoi évitons-nous les moment vrais ?

Pour arriver à vivre davantage de moments vrais dans sa vie, la première chose à faire est de reconnaître comment et pourquoi on cherche à les éviter.

• Nous évitons les moments vrais en étant trop occupés ou trop distraits pour leur prêter attention.

La plupart d'entre nous font souvent deux ou trois choses à la fois. N'êtes-vous jamais devant la télévision, en train de payer vos factures, le téléphone coincé contre votre épaule pour répondre à un ami ? Comment pouvez-vous avoir un moment de vraie connexion avec cet ami ? C'est impossible. Et d'ailleurs, ce n'est pas le cas.

Observez-vous attentivement aujourd'hui et toute la journée de demain. Notez la fréquence à laquelle vous pratiquez plusieurs activités en même temps, ne pouvant réellement jouir ou faire l'expérience d'aucune. Peut-être êtes-vous au volant de votre voiture, en route vers votre bureau, la radio allumée, et réfléchissez en même temps à un projet important. Vous n'êtes réellement ni à votre conduite, ni à votre écoute, ni à votre réflexion. Rien de ce que vous faites, vous ne le faites **réellement**. Vous n'arrivez donc pas à conduire bien attentivement, vous n'arrivez pas à jouir pleinement de la musique et n'arrivez pas non plus à réfléchir profondément sur votre projet. En manquant tout cela, vous manquez autant de moments vrais.

•

Sur le chemin allant de mon bureau à chez moi, on passe par une longue et large route qui descend du sommet de la colline pour rejoindre la route qui longe l'océan. Au pied de la colline, il y a un feu de signalisation qui est réputé pour durer très longtemps. Si vous n'avez pas la chance qu'il soit au vert au moment où vous passez, vous restez coincé là pendant six ou sept minutes.

Un jour, peu après avoir décidé d'écrire ce livre, je me dépêchais pour avoir le feu, mais au moment d'arriver à l'intersection, il s'est mis au rouge. J'étais là, assise dans ma voiture, furieuse de me trouver encore une fois bloquée par ce feu, le fixant intensément comme s'il allait ainsi passer plus vite au vert. En même temps, je surveillais la pendule de la voiture pour comptabiliser les minutes perdues en m'inquiétant de tout ce que j'avais à faire dans la journée.

Soudain, j'ai été saisie par l'absurdité de la situation : une longue plage de sable clair s'étendait devant mes yeux, et au-delà, l'océan. Le soleil étincelait dans un ciel parfaitement pur et faisait scintiller de mille feux la surface des flots. Des millions de gens venaient chaque année des quatre coins du monde pour admirer ce point de vue, et moi, je ne le remarquais même pas, tant j'étais distraite et pressée !

J'ai réalisé alors que je vivais ainsi une grande partie de ma vie, faisant tant de choses à la fois que je ne fixais réellement mon attention sur rien. Je me suis rendu compte que je ne vivais vraiment que très peu des expériences de ma vie, qu'il s'agisse d'attendre à un feu de signalisation, d'avoir une conversation avec quelqu'un ou d'écouter de la musique. Je voulais écrire un livre sur les « moments vrais », très bien, mais encore fallait-il que je le lise !

J'ai toujours considéré comme une nuisance l'arrêt à ce carrefour. A partir de cet instant, j'ai décidé qu'il s'agissait d'un message envoyé par Dieu pour me signaler de ralentir le rythme de ma vie et me rappeler de prêter attention au présent : « Arrête-toi… prend une grande bouffée d'air frais… contemple l'océan… il a l'air en mouvement pour l'éternité, tu n'as pas cette impression ? N'est-ce pas merveilleux de vivre sur une planète aussi belle ? La chance que tu as de passer tous les jours devant cette plage fabuleuse ! Comme tu as de la chance d'être en vie !… Tu te sens mieux ?… Parfait… Je vais donc pouvoir faire passer ce feu au vert… Je te souhaite une merveilleuse matinée ! »

Ce jour-là, j'ai eu une révélation à ce carrefour, et le temps que le feu change, j'avais moi-même changé. En prenant conscience du fait que je ne faisais pas attention aux choses, j'ai vécu un moment vrai qui a transformé le cours de mon existence. Depuis cette fois-là, dès que j'arrive au pied de la colline et que le feu est rouge, je souris et dis : « Merci… Il fallait que je m'arrête pour admirer la vue. »

•

Parfois, nous évitons les moments vrais car ils nous font peur. Nous ne prenons pas le temps d'accorder toute notre attention aux choses car nous craignons qu'en le faisant, nous découvrions quelque vérité déplaisante sur nous-mêmes ou sur notre vie. Et cette crainte est justifiée :

La confrontation avec les moments vrais
peut entraîner une forte remise en question.
En arrêtant d'en faire trop, et en prenant
le temps de vivre des moments vrais, vous
allez vous retrouver face à des émotions,
des révélations ou des vérités dont vous
n'aviez pas encore pris conscience.

Il y a de nombreuses années, je vivais une relation insatisfaisante et incompatible avec un homme. J'aimais beaucoup cet homme mais nous n'étions pas faits l'un pour l'autre. Je faisais tout pour ne pas voir cette réalité car je ne voulais pas que notre relation se termine. Je remplissais ma vie de tant d'activités et de tant de projets que je ne m'arrêtais jamais. Je travaillais toute la journée, puis toute la soirée, les week-ends et même pendant les vacances. Mon travail me procurait d'énormes satisfactions et, inconsciemment, j'évitais de prêter attention à ma relation amoureuse.

Pourtant, lors de nos vacances suivantes, j'ai décidé, je ne sais pourquoi, de n'emmener aucun travail à faire. Nous avions loué une chambre sur un îlot minuscule perdu au milieu de l'océan, et pour la première fois depuis que nous nous étions rencontrés, nous allions nous retrouver seuls, sans distractions, sans agendas, sans travail à commenter. Je me souviens de mon nœud à l'estomac lorsque nous sommes montés dans l'avion, ne comprenant pas pourquoi je me sentais aussi anxieuse. Mais j'ai vite compris.

Le lendemain de notre arrivée, j'ai passé l'après-midi seule sur une plage déserte. Un long après-midi plein de moments vrais, durant lequel je n'ai pu échapper plus longtemps à la vérité qui sourdait dans mon cœur. **Il fallait que je mette un terme à notre relation.** Jusqu'alors, j'avais réussi à éviter la confrontation avec cette vérité car j'avais trop peur de la peine que j'allais faire à mon compagnon et le drame que ça allait provoquer dans ma vie. Mais là, sur cette île, il n'y avait plus aucun moyen d'échapper à mes sentiments.

Il m'a fallu plusieurs semaines pour trouver le courage de dire à l'homme que j'aimais que j'allais le quitter, mais finalement, je l'ai fait. Je me demande souvent ce qu'il nous serait arrivé si je n'avais pas pris le temps de vivre quelques moments vrais avec moi-même, si je n'avais pas accepté de faire face à la peur d'être confrontée à ma vérité. Combien de temps encore aurions-nous vécu l'un avec l'autre, n'arrivant pas à assouvir nos désirs et nos besoins ? Aujourd'hui, nous sommes chacun mariés de notre côté et heureux en ménage, et nous avons trouvé un sens à notre vie.

Cela demande parfois du courage de vivre un moment vrai et d'être ouvert à ce qu'il va nous révéler, quoi que ce soit. Mais c'est la seule alternative à l'échappatoire, au déni et à une vie passée à vous fuir vous-même.

« C'est ce que vous tirez de l'intérieur de vous-même qui va vous sauver. Ce que vous ne tirez pas de l'intérieur de vous-même va vous détruire. »

EVANGILE SELON SAINT THOMAS

Je vous indiquerai plus loin quelques techniques pour arriver à vivre davantage de moments vrais. Mais pour l'instant, faites déjà l'expérience suivante : à un moment ou à un autre, dans les jours à venir, choisissez d'accomplir une activité en lui accordant toute votre attention, et sans vous laisser distraire. Ce peut être conduire votre voiture en faisant vraiment attention à ce que vous voyez autour de vous ou préparer le dîner en faisant vraiment attention au fait que vous préparez ce repas pour ceux que vous aimez.

J'ai essayé récemment de faire cette expérience dans un avion. Je voulais vivre pleinement les quatre heures qu'allait durer ce vol, sans lire un livre ou un magazine et sans regarder le film proposé par la compagnie, en ayant simplement conscience d'être tirée dans les airs par un long tube métallique, à 10 000 mètres au-dessus de la surface de la Terre. Et c'est ce que j'ai fait ! Je me suis assise près d'un hublot, et pendant quatre heures, j'ai regardé la Terre passer sous moi. J'ai vu des ruisseaux devenir de grandes rivières, j'ai vu des plaines comprimées entre des montagnes reprendre leurs aises une fois les pics rocheux passés. J'ai vu des petites villes, des grandes villes et de minuscules villages, tous charmants vus du ciel. Ayant l'atterrissage, j'avais eu le temps d'éprouver un amour pour la terre de notre pays que je n'avais jamais ressenti auparavant. En sortant de l'avion, je me suis sentie pleine d'un sentiment de paix.

• Nous évitons les moments vrais en dressant des barrières entre les autres et nous-mêmes.

Beaucoup de mes meilleurs moments vrais se sont produits à un moment où j'étais en étroite connexion avec quelqu'un, mon mari, une amie proche, ou mon chien Bijou, et souvent, lors de la première rencontre avec une personne. Qu'est-ce qui rend **vrai** un moment entre deux individus ? **L'intimité.**

Il y a intimité entre deux personnes lorsque leurs barrières s'ouvrent et que leur cœur se touche.

Si l'intimité vous pose problème, et c'est le cas pour un grand nombre d'entre nous, vous n'allez pas chercher à susciter des moments vrais avec les personnes de votre entourage. Vous ne vous sentiriez pas en sécurité car lors d'un moment vrai, vos barrières habituelles sont foulées, pénétrées. Vos sentiments profonds se révèlent, vous sentez que vous êtes vulnérable et sans protection. Et si par le passé vous avez permis déjà à quelqu'un de vous approcher de très près et que cela vous a causé finalement de la peine, vous aurez du mal à recréer un climat d'intimité sans avoir en même temps très peur.

C'est une des façons les plus courantes de se cacher des moments vrais. Nous nous laissons gouverner par notre peur et décidons d'éviter l'intimité ou d'y résister. Nous sommes passés maîtres dans l'art de dresser des murs autour de nos cœurs. Ces barricades nous protègent de la souffrance, mais parallèlement, elles nous empêchent aussi de vivre pleinement les moments vrais. Tant que l'amour des autres ne peut pénétrer en vous et que vous ne pouvez faire sortir votre amour à vous, vous ne connaîtrez pas l'intimité. Les barrières censées vous protéger vous enferment, en fait, dans une prison émotionnelle, vous privant de ces moments de communion profonde dont vous avez besoin pour être heureux.

Les connexions magiques et les rencontres bénies...

Si vous voulez connaître davantage de moments vrais dans votre vie, de ces moments d'intimité profonde, n'attendez pas de rencontrer quelqu'un ou de vous marier pour le faire. Nous partageons ce monde avec plus de cinq milliards d'individus. Malheureusement, nous fonctionnons selon des règles tellement strictes, quant à savoir avec qui nous pouvons nous connecter, si la connexion est appropriée et quelle intensité nous devons lui consacrer, que nous passons à côté de nombreuses opportunités de vivre ce que j'appelle « les connexions magiques et les rencontres bénies ».

Dans notre société, nous appelons « étrangers » les gens que nous ne connaissons pas et nous nous détournons de notre chemin pour éviter d'entrer en connexion avec eux. Quand vous touchez quelqu'un dans un ascenseur, vous

vous excusez, comme si vous aviez fait quelque chose de mal. Si vous remarquez que quelqu'un vous regarde un moment dans un restaurant, vous vous dites immédiatement que vous avez votre collant filé ou une tache sur votre cravate, que la personne essaye de vous draguer ou que c'est un tueur psychopathe à l'affût de sa prochaine victime. Il est très rare que l'on se dise : « Oh, il y a un autre être humain qui me regarde et entre en contact avec moi. »

Nous avons chacun notre code en matière de barrières avec les autres. Certains sujets de conversation sont acceptables avec les étrangers : le temps qu'il fait, le sport, les loisirs, les ragots. Si vous êtes deux à juger une troisième personne, vous instaurez un climat de sécurité l'un envers l'autre. Et tant que chacun respecte les barrières de l'autre, vous vous sentez à l'aise. Mais aucune de ces conversations ne vous fera vivre un moment vrai l'un avec l'autre.

Si vous voulez partager un moment vrai avec quelqu'un, vous pourrez apprendre de cet étranger des choses sur vous-même que vous ne pourriez apprendre de vos proches.

Les étrangers peuvent être le miroir de la vérité, vous offrant le reflet de ce qu'il vous fallait voir, vous livrant un message cosmique qu'il vous fallait entendre.

L'anonymat nous procure un sentiment de sécurité qui nous permet, lorsque nous ne connaissons pas une personne, d'aller au plus profond des choses et de s'ouvrir à des vérités qui attendaient l'occasion de se révéler. J'ai vécu des moments vrais extraordinaires avec des étrangers, que ce soit dans des files d'attente, au même rayon d'un magasin ou dans des avions, puisque je voyage énormément. Laissez-moi vous raconter l'un d'eux…

Comment j'ai rencontré mon miroir dans le ciel

Quand je suis montée dans l'avion, à San Francisco, qui allait me ramener chez moi à Los Angeles, j'étais très fatiguée. Je venais de passer deux jours à parler, lors de conférences et d'émissions de télévision, et j'avais besoin de silence. J'avais donc hâte de me retrouver dans l'avion pour méditer et somnoler pendant tout le trajet. Telle était mon intention jusqu'à ce que je gagne la place qui m'était attribuée et que je me retrouve à côté d'une petite fille d'environ 9 ans, en train de s'agiter sur son siège. « Oh non ! », ai-je grommelé en moi-même, « pas un enfant… je n'ai pas l'énergie suffisante. Pourvu qu'elle se soit trompée de place. » Mais manque de chance, elle était bien à sa place, et moi aussi.

Je me suis assise tout en me demandant quelle stratégie j'allais adopter pour éviter d'avoir à lui parler. « Peut-être si je ferme les yeux et fais semblant de dormir n'osera-t-elle pas me parler », me suis-je dit. « Ou peut-être devrais-je dès maintenant demander à l'hôtesse qu'elle me trouve une autre place. » Quand l'avion s'est doucement mis en branle pour se rendre sur la piste de décollage, j'avais déjà hâte d'atterrir !

Tout d'un coup, j'ai réalisé à quel point je réagissais d'une manière inconsciente. Ma voix intérieure m'a rappelé de faire attention à ce qui se passait au lieu de l'ignorer. Toute ma vie, je n'ai cessé d'apprendre encore et encore qu'il n'y a pas de hasards dans l'existence. Si ma place était à côté de cette petite fille, c'est qu'il y avait une raison. Et si je réagissais d'une manière tellement négative à l'expérience, c'est qu'il devait y avoir quelque part une importante leçon à tirer pour moi.

Aussi me suis-je présentée à Stéphanie qui semblait attendre que je me manifeste en premier. Quand elle a compris que j'étais sincèrement intéressée par elle, elle s'est livrée à moi sans aucune réserve. Elle m'a d'abord dit qu'elle était très excitée car c'était la première fois qu'elle prenait l'avion, et qu'elle allait rejoindre son père à Los Angeles. Ses parents avaient divorcé peu de temps auparavant, et son père était allé vivre là-bas avec le frère et la sœur de Stéphanie. On lui avait bien sûr donné le choix de vivre avec cette partie de la famille, mais elle avait préféré rester auprès de sa mère.

« Ça n'a pas dû être une décision facile à prendre », lui ai-je dit, « car en choisissant de vivre avec ta mère, tu savais que tu te privais de la compagnie des autres membres de ta famille. »

« C'est sûr, mais j'avais l'impression que maman avait besoin de moi », a-t-elle expliqué d'une voix un peu solennelle. « Elle traverse une sale période. » Elle m'a alors appris que sa mère s'était mariée et avait eu ses enfants très jeune, et qu'à présent, elle se sentait piégée et ligotée. « Elle a beaucoup de petits amis et elle sort sans arrêt », m'a dit Stéphanie sur le ton de la confidence, « et ça ne me plaît pas car je suis tout le temps toute seule. »

« Je suis sûre que ton papa te manque beaucoup », ai-je avancé. Les yeux de la petite fille se sont emplis de larmes.

« Oui, il me manque beaucoup, et les autres aussi. Il m'appelle tous les jours pour savoir si je vais bien. »

« Et que lui dis-tu ? »

« Je lui dis que je vais bien, même si parfois ce n'est pas le cas… »

J'ai eu beaucoup de peine en voyant la tristesse et la confusion se lire dans le regard brillant de Stéphanie, trop de souffrance à porter pour un enfant de 9 ans. Mais elle avait en elle une sagesse très développée pour son âge... il le fallait bien. Et j'ai vu tout le tableau. La mère se sentant prisonnière commence à sortir de plus en plus. La situation s'envenime, les parents divorcent et le père obtient la garde des enfants car la mère n'est pas fiable. Mais la tendre Stéphanie a de la peine pour sa mère et ne veut pas l'abandonner. Aussi renonce-t-elle à une nouvelle vie stable, à la protection de son père et à la compagnie de ses frère et sœur, pour montrer à sa mère que quelqu'un l'aime encore. Et tous les soirs elle reste seule devant la télévision en attendant que sa mère rentre de son rendez-vous galant, trompant sa solitude en se persuadant elle-même qu'elle agit comme il faut.

Nous avons donc parlé, Stéphanie et moi. Je lui ai raconté ma propre expérience, quand j'avais 11 ans et que mes parents ont divorcé eux aussi. Je lui ai dit comme je me sentais déchirée d'avoir à choisir entre l'un ou l'autre, comme je me sentais blessée et différente de tous les amis de mon âge, et comme je pleurais souvent, le soir, dans mon lit, au moment de m'endormir. « Moi aussi ! » a-t-elle ajouté, se sentant en harmonie avec mes souvenirs. Je lui ai alors expliqué ce que j'avais appris à propos des parents, une fois que j'étais devenue adulte moi-même. Je lui ai dit qu'ils étaient des gens comme les autres avec, au fond d'eux-mêmes, leur âme d'enfant, tout comme elle. J'ai essayé de la faire réfléchir sur les raisons du comportement de sa mère et sur le fait que sa mère étant l'adulte et elle l'enfant ne voulait pas dire qu'elle ne pouvait pas voir des choses que sa mère, elle, ne voyait pas. Je lui ai suggéré de dire à son père qu'elle n'était pas heureuse, sans se soucier du sentiment de culpabilité qu'elle allait susciter en lui, car il avait besoin de savoir. Je lui ai rappelé qu'avant toute chose, elle devait prendre soin d'elle-même, même s'il fallait pour cela qu'elle s'installe auprès de son père. Puis je lui ai raconté tous mes efforts pour arriver à m'aimer moi-même, à comprendre que je n'étais pour rien dans le divorce de mes parents, et à accomplir des choses importantes dans ma vie.

« Regarde ce que j'ai fait à l'âge adulte », lui ai-je dit fièrement en lui montrant plusieurs des livres que j'avais écrits, et que j'avais justement dans ma mallette.

« Ouaaa ! C'est vraiment vous ? », a-t-elle demandé les yeux écarquillés.

« Je te jure ! C'est bien moi ! Je suis même passée à la télévision. »

Stéphanie a littéralement bondi de son siège.

« Attendez une minute... Oui... Mais oui ! », a-t-elle explosé. « Je vous ai vue ! ! ! C'était à une émission que je regarde tout le temps, et je vous ai vue mardi soir dernier ! »

« C'est ça. »

« Oh c'est incroyable cette histoire ! Je suis excitée comme une puce ! » Et effectivement, elle sautait maintenant carrément sur le siège.

« Sais-tu pourquoi je te dis tout cela ? C'est pour que tu te souviennes que peu importe d'où tu viens, ce qui compte, c'est où tu vas. Tu es quelqu'un d'unique, d'intelligent et de talentueux, Stéphanie. Tu peux être tout ce que tu veux être. Si j'ai pu le faire, toi aussi tu le peux ! »

Notre vol touchait alors à sa fin. Stéphanie et moi avons échangé nos numéros de téléphone, et j'ai promis d'envoyer quelques livres à son père et à sa mère, et de glisser une surprise rien que pour elle. Elle se tenait tranquille à présent, le nez collé au hublot enchantée du spectacle qui se déroulait sous ses yeux.

Soudain, j'ai compris. Comme avais-je pu ne pas voir la vérité plus tôt ? **Stéphanie était moi.** Je venais de passer une heure en avion à me parler à moi-même, petite fille de

9 ans, à lui dire ces choses que j'aurais aimé entendre lorsque j'avais trop de chagrin, à lui faire envisager ce qu'elle pourrait devenir plus tard, à lui transmettre des leçons qu'il m'avait fallu trente ans pour apprendre. Dieu m'avait placée à côté de Barbara petite fille, sous un nom différent et d'autres circonstances, mais avec le même esprit troublé. J'ai ainsi pu guérir cette vieille blessure qui ne s'était jamais refermée en moi.

Avec Stéphanie pour miroir, j'ai pu voir qu'effectivement, j'avais triomphé de mon passé, que je pouvais maintenant lui pardonner mieux que je ne l'avais fait jusqu'à présent, et qu'un de mes buts, dans la vie, était de partager les leçons que j'avais tirées de mon parcours avec toutes les petites et les grandes Barbara du monde, les Stéphanie, les Pierre et les Paul. J'ai hoché la tête, m'émerveillant de la perfection du moment. Stéphanie avait été mon guide dans le ciel, tout comme j'avais été le sien ; elle me délivrait un message que je devais entendre, et moi lui en délivrant un aussi. Nous étions deux vraies sœurs spirituelles.

A ce moment, Stéphanie s'est tournée vers moi et j'ai vu de nouveau ses yeux pleins de larmes.

« Qu'est-ce qui ne va pas ? », lui ai-je demandé.

« Rien. C'est juste que c'est le plus beau jour de ma vie. »

« Parce que c'est ton baptême de l'air et que tu vas voir ton père dans quelques minutes ? »

« Non, parce que je vous ai rencontrée… », a-t-elle répondu dans un sourire radieux, son regard transperçant mon âme. Aucun des honneurs, des récompenses ou des ovations dont j'ai fait l'objet n'ont compté plus pour moi que les propos de Stéphanie cette après-midi-là. Elle m'a laissée sans voix (ce qui n'est pas tâche facile !). Nous sommes restées en contact, et aux dernières nouvelles, elle est quand même restée auprès de sa mère mais son père est venu s'installer avec les deux autres enfants non loin d'elle.

Je n'oublierai jamais Stéphanie. Elle m'a offert l'un des moments vrais les plus profonds et les plus salvateurs de ma vie. Peu de temps après, comme promis, je lui ai envoyé un bel ours en peluche pour qu'elle ait un ami intime avec lequel partager ses secrets et ses émotions.

Quand j'ai appris qu'elle l'avait appelé Barbara, je me suis mise à pleurer…

•

« Imaginez comme vous seriez heureux s'il vous arrivait de perdre tout ce que vous avez actuellement et le retrouviez finalement tout d'un bloc… »

ANONYME

J'espère qu'en lisant cela, vous vivez un moment vrai…

J'espère vous aider à prêter attention aux forces et aux sentiments que vous avez tenus cachés au fond de vous-même…

J'espère transpercer les couches d'oubli que vous avez accumulées au fil des ans, et que vous commencez à vous souvenir des vraies relations de votre existence…

Je vous dis tout cela car je ne veux plus que vous perdiez de temps. Peut-être n'êtes-vous pas conscient de perdre votre temps. Vous avez même peut-être la sensation d'arriver à faire tenir quarante heures de travail et de responsabilités dans une journée de vingt-quatre heures. Mais le temps perdu dont je parle, moi, est celui que vous ne consacrez pas à vivre pleinement chaque instant, le vivant et l'appréciant pour ce qu'il est, celui que vous perdez car vous le traversez sans y penser, négligemment, rejetant les opportunités d'amour, de connexion ou d'enseignement qui se présentent, comme si vous disposiez de tout le temps du monde.

Il y a plusieurs mois, une de mes amies m'a téléphoné, en larmes, pour m'informer qu'elle avait un cancer et qu'elle venait de l'apprendre. Nous avons parlé un moment, mais même après que nous ayons raccroché, je n'arrivais pas à penser à autre chose. Ce soir-là, alors que nous étions couchés mon mari et moi, je lui ai annoncé la mauvaise nouvelle et lui ai parlé des émotions qui m'avaient étreinte toute la journée. Je n'avais cessé de penser à elle, une femme de mon âge, et je pensais à ce qu'elle devait éprouver ce soir-là, toute seule dans l'obscurité de sa chambre, avec ses chats. A sa place, je sais que je me serais demandée le temps qu'il me restait à vivre et la manière dont j'aurais utilisé ce temps, si mon cancer était incurable.

« Qu'est-ce que je changerais à ma vie si j'apprenais que je n'en ai plus pour longtemps ? », me suis-je demandée à voix haute.

« Je suppose que cela dépendrait du nombre d'années que tu aurais encore à vivre, selon l'avis des médecins », a répondu Jeffrey.

« Je sais une chose, en tout cas, c'est que je ne perdrais plus une seule journée à ne pas vivre pleinement et jouir de chaque instant de mon existence. »

Soudain, une vérité flagrante m'a sauté aux yeux. Tout comme mon amie, moi aussi, mes jours étaient comptés et j'allais mourir, peut-être pas demain ou après-demain, mais qui peut savoir quand...

Pourquoi aurais-je besoin de savoir que je suis sur le point de tout perdre pour l'apprécier vraiment ?

Pourquoi sommes-nous si nombreux à n'être motivé que par la peur de perdre ce que nous avons ?

Pourquoi attendrions-nous d'être malades pour apprécier le miracle de notre corps ?

Pourquoi attendre que notre partenaire nous quitte pour réaliser à quel point il ou elle nous est nécessaire ?

Pourquoi remettons-nous à plus tard notre façon de vivre idéale, comme si nous disposions d'un temps infini ?

Le temps qui nous est imparti sur cette Terre est court. Si nous avons de la chance, nous avons approximativement quatre-vingts années, ou 29200 jours, pour faire l'expérience de la vie et de tout ce qu'elle offre. Combien d'entre nous, en rendant notre dernier soupir, pouvons vraiment dire : « Je me sens pleinement satisfait et épanoui de ce que j'ai été dans ma vie et de ce que j'y ai accompli. J'ai profité vraiment de tous les moments que Dieu m'a offerts » ?

C'est souvent au seuil de la mort que l'on est suffisamment clairvoyant pour se souvenir à quel point chaque nouveau jour de vie est vraiment un cadeau précieux. L'acteur Michael Landon, aujourd'hui disparu, a transmis le message suivant lors d'une interview, quelques semaines avant sa mort, il y a plusieurs années :

« A mesure que la vie se déroule, il est bon de se rappeler que la mort se rapproche, et il est bon aussi de ne pas savoir quand elle aura lieu. Cela nous maintient en alerte. Cela nous rappelle de vivre quand nous avons encore la chance de pouvoir le faire. Quelqu'un devrait nous remettre en mémoire, périodiquement, notre mort à venir. Ainsi pourrions-nous vivre pleinement notre vie jusqu'à son extrême limite, vivre intensément chaque minute de chaque jour. Faites-le ! Quoi que vous ayez envie de faire, faites-le ! Vos lendemains vous sont déjà comptés… »

Nous devons arrêter de perdre notre temps à nous cacher des moments vrais. Au contraire, nous devons les rechercher, les susciter, et non pas l'année prochaine, ni à la fin de ce livre, mais tout de suite, là, maintenant. Et ce n'est pas difficile car :

Les moments vrais sont toujours à portée de la main

Nous n'avons pas à les chercher pour les trouver.

… Ils sont aussi proches que la personne assise à côté de vous dans un avion, ou la serveuse qui vous tend chaque matin votre café serré avant d'aller travailler, ou encore l'ami(e) qui traverse une période difficile et vient se confier à vous.

… Ils ont lieu chaque fois que vous décidez de réellement prêter attention à ce que vous avez en face de vous.

… Ils sont faits de rencontres bénies et de connexions magiques n'attendant qu'à se manifester, à condition que vous leur en donniez la chance.

DEUXIÈME PARTIE

VIVRE LES MOMENTS VRAIS

4

Donnez naissance à votre « moi » profond

« Où suis-je ? Qui suis-je ?
Comment suis-je arrivé ici ?
Qu'est-ce que cette chose appelée Monde ?
Comment suis-je entré dans le Monde ?
Pourquoi n'ai-je pas été consulté ?
Et si je suis obligé d'y prendre part,
Où est le directeur ?
Je veux le voir. »

KIERKEGAARD

A mesure que passent les années de notre vie, il arrive un moment où nous réalisons que, d'une manière ou d'une autre, nous nous sommes perdus en chemin. Nous avons perdu notre sens du but et de la direction à suivre. Nous avons perdu la faculté de vivre selon nos propres valeurs et nos propres convictions. Nous avons perdu la capacité d'éprouver une joie franche et désinhibée. Nous vivons chacun de nos jours en état de malaise plus ou moins latent, ayant l'impression silencieuse que quelque chose ne va pas. Mais même en allant chercher aux sources les raisons de ce malaise, nous ne voyons rien de particulier, en apparence, qui n'aille pas. Nous pourchassons des fantômes qui ne se montrent pas.

Alors nous essayons d'en faire plus, de découvrir de nouveaux endroits, de changer l'apparence de notre corps, d'acheter de nouvelles choses ou d'aimer quelqu'un d'autre, et peut-être, sur le moment, nous sentons-nous mieux. Mais l'ombre de l'insatisfaction revient nous obscurcir, encore plus qu'avant, et nous commençons à nous demander sérieusement ce qui « cloche » en nous. Peut-être est-ce la fameuse crise de la quarantaine dont nous avons souvent entendu parler. Peut-être ne sommes-nous pas satisfaits de ce que nous avons, et ne le serons-nous jamais quoi que nous ayons. Peut-être ne sommes-nous pas faits pour le bonheur.

Que cherchons-nous ? Nous cherchons les parties de nous-mêmes que nous avons perdues, et sans lesquelles il est difficile de vivre de moments vrais.

Que sont devenues ces parties de nous-mêmes ?

— Certaines nous ont été prises par nos parents ou les personnes ayant pris soin de nous, lorsqu'ils ont essayé de nous modeler selon ce qu'ils pensaient être bien pour nous.

— Nous en avons donné certaines aux autres dans l'espoir de nous faire accepter ou aimer d'eux.

— Nous en avons enfoui certaines tout au fond de nous-mêmes, de peur de ce que les autres penseraient s'ils connaissaient cette partie cachée de notre « moi ».

— Et enfin, nous en avons simplement oublié certaines dans notre lutte acharnée pour devenir quelqu'un que nous ne sommes pas vraiment.

Sans ces parties de nous-mêmes, nous ne connaîtrons jamais la plénitude à laquelle nous aspirons, et la paix que nous recherchons. Nous trouverons difficile de vivre les moments vrais dont nous avons besoin. Mais comment retrouver les pièces manquantes du puzzle ? Comment revenir à un état de plénitude ? Nous devons nous pencher attentivement sur la personne que nous sommes devenus à la place de celle que nous aurions dû être. Nous devons quitter le chemin des sacrifices et des limites, et entamer une nouvelle vie d'authenticité et de liberté. Nous devons donner naissance à notre « moi » profond.

Ce que, dans notre pays, nous appelons « crise de la quarantaine » est en fait une crise spirituelle. Si nous n'avons pas de but dans la vie, pas de sens à notre vie et peu de moments vrais quand nous arrivons à l'âge où nous pensions être satisfaits, que ce soit à 30 ans, à 40 ou au-delà, nous allons nous sentir insatisfaits et ne serons pas épanouis. Un jour, nous portons le regard sur ce que nous sommes devenus, et cette image ne nous plaît pas. Tous les efforts et le travail que nous avons fournis ne nous ont pas apporté le bonheur et la paix de l'esprit que nous escomptions. Les valeurs et les priorités auxquelles nous croyions nous ont menés à un sentiment de vacuité et d'insatisfaction. « N'y a-t-il rien de plus ? » nous demandons-nous. On a donné toutes sortes de raisons fallacieuses à cet état : depuis la peur de la mort jusqu'au désir ardent de retrouver sa jeunesse ou à l'ennui qu'engendrent la routine et les choses prévisibles. Mais ce n'est rien de tout cela. Il s'agit simplement d'un état de **panique spirituelle**.

Avoir un but dans la vie et un sens à notre vie est ce qui nous permet à nous autres les humains, de survivre psychologiquement à la vie sur cette Terre, à tous ses drames, à ses enjeux et à sa douleur.

Avoir un but dans la vie signifie que vous avez une raison d'être là et d'exister, que vous avez quelque chose à faire qui compte, que votre existence a une signification.

Et le fait que votre vie ait un sens signifie que votre expérience de la vie vous apporte l'épanouissement et la joie, moment après moment, de constater qu'une vie avec un but vaut la peine d'être vécue.

Si vous perdez ce sens du but et l'expérience du sens de votre vie, vous perdez ce qui alimente votre esprit et lui permet de manifester sa présence dans votre vie. Vous vous déconnectez peu à peu d'une source interne de sérénité, et vous vous sentez obligé de chercher en vain quelque chose ou quelqu'un pour combler ce vide. Vous êtes vivant, mais ne vivez pas pleinement. Les moments vrais vous manquent.

Peut-être éprouvez-vous ce genre de choses en ce moment. Peut-être vous sentez-vous piégé dans une vie ou une relation vous apportant moins que ce que vous pensiez qu'elle ferait. Peut-être avez-vous travaillé d'arrache-pied de longues années dans le but d'arriver à quelque chose, et maintenant que vous y êtes, vous n'êtes plus sûr d'être là où vous vouliez être. Peut-être pensez-vous que tout devrait aller bien dans votre vie, maintenant, puisque vous avez obtenu ce que vous vouliez, mais que finalement, ça ne va pas. Peut-être vous sentiez-vous inquiet, depuis quelque temps, sans savoir pourquoi. Ou peut-être êtes-vous jeune et craignez, si vous ne décidez pas dès maintenant d'accorder toute votre attention à chaque moment de la vie, de vous encroûter dans la routine comme l'ont fait vos parents.

•

Redonner naissance à votre « moi » profond exige que vous vous posiez des questions difficiles telles que :

Qui suis-je ? Est-ce que je mène la vie de la personne que je veux être ? Qu'ai-je réellement fait de ma vie ? Suis-je heureux(se) ? Qu'est-ce qui me procure de la joie ? A quoi dois-je renoncer pour être libre ?

Dans votre processus de re-naissance, ces questions vont vous servir de tremplin pour vous propulser vers une vie nouvelle et libérée. Se poser ces questions et y répondre demande un grand courage émotionnel. En effet, elles vont vous mettre face à des parties de vous-même que vous avez consciencieusement ignorées jusqu'à maintenant, face à des vérités sur votre vie que vous avez étouffées, elles vont vous confronter à des rêves que vous avez enfouis très loin dans un coin de votre tête. Une naissance n'est jamais facile. Mais votre récompense, au bout du chemin, sera une vie telle que vous ne l'aurez encore jamais vécue.

Donc, si comme moi vous entamez le processus de redonner naissance à votre « moi » profond, sachez alors que vous entrez dans une période capitale et sacrée de votre vie. Une force de transformation s'est saisie de vous. C'est comme un souffle de vent puissant qui vous pousse dans le dos en direction du chemin qu'il vous faut prendre. Soumettez-vous à ce courant, et si vous avez un peu peur de la vitesse à laquelle il vous pousse, où qu'il vous mène, n'essayez pas de faire demi-tour et de repartir dans l'autre sens. On ne peut aller nulle part ailleurs que droit devant soi.

Les endroits de votre parcours où vous vous êtes perdu

Quand nous sommes-nous déconnectés pour la première fois de la personne que nous sommes réellement ? Quand avons-nous sacrifié la première partie de nous-mêmes ? Cela a commencé dès l'instant de notre naissance. Au cours de notre petite enfance, nous emmagasinons les valeurs et les convictions des personnes de notre entourage, et nous les approprions. A commencer par nos parents. Par leurs propos et leurs actes, ils démontrent les valeurs qu'ils défendent et leurs traditions, et ils vous les transmettent. Vous avez appris à exprimer ou à ne pas exprimer vos émotions, à gérer un conflit, vous avez appris comment il fallait traiter les personnes différentes de vous, comment montrer votre affection, comment mettre en pratique vos convictions spirituelles, comment célébrer les grandes occasions, comment vivre en vacances, comment élever des enfants, comment faire la cuisine, que faire à manger, comment mettre la table, quelles activités pratiquer, etc., etc. Vous n'avez pas étudié tout cela de façon formelle, vous avez simplement **observé, écouté, et donc appris**.

La plupart d'entre nous ne choisissent pas consciemment de penser, de se comporter, d'aimer, de marcher, de parler ou de manger comme leurs parents. Mais c'est pourtant ce qui se passe, et souvent de manière si subtile que nous ne remarquons aucune similitude jusqu'au moment où quelqu'un d'extérieur en fait la remarque. « Tu plaisantes ! », répondons-nous sans y croire. « Je suis tellement différent de lui ! » Peut-être, mais peut-être pas. La question est de savoir en quoi vous êtes semblable.

Comment avons-nous abandonné nos rêves ?

Nous nous sommes également perdus d'une autre manière : nous avons adopté les espoirs, les rêves et les attentes de nos parents ou d'un groupe social, accordant peu de place aux nôtres, et même pas de place du tout dans certains cas. Vous êtes devenu médecin parce que votre père était médecin, et depuis votre plus jeune âge, il avait toujours été dit que vous exerceriez aussi ce métier. Vous vivez toujours dans votre ville natale, et appartenez toujours à la même paroisse que vos parents, sous prétexte que personne, dans votre famille, n'est jamais parti. Vous vous êtes marié(e) à 23 ans et avez eu deux enfants tout de suite car vos frères et sœurs plus âgés avaient fondé une famille très tôt.

Le chemin que les autres vous incitent à prendre peut aussi coïncider vraiment avec vos propres rêves. Mais le plus souvent, c'est un chemin qui vous entraîne loin de vos visions, loin de la possibilité de vos propres aventures, loin de vous-même. Des années ou même des dizaines d'années plus tard, vous réalisez que vous avez fait ce que les autres pensaient être bien pour vous ou voulaient que vous fassiez, pas ce que vous vouliez faire, vous.

Peut-être êtes-vous devenu médecin car c'est ce que vos parents souhaitaient pour vous, mais qu'au fond, vous auriez voulu être architecte, et maintenant, vous avez 47 ans et vous vous mordez les doigts de ne pas avoir suivi la voie que vous vouliez. Peut-être aviez-vous le secret espoir de quitter votre ville natale et de vous installer à l'autre bout du pays, mais aujourd'hui, des années après, vous avez fondé une famille et n'avez plus aucun espoir de partir. Peut-être n'êtes-vous pas allée à l'université car vous vouliez vous initier à la méditation et au yoga, et vous vous retrouvez maintenant à vivre la même vie que votre mère, mariée au même type d'homme que votre père, fréquentant le même genre de soirées, votre « moi » spirituel profondément enterré au fond de vous. Ou peut-être vous êtes-vous mariée et avez-vous eu des enfants tout de suite parce que c'est ce qui se faisait dans votre famille, et qu'aujourd'hui, à 30 ans seulement, vous avez l'impression que votre mari est un étranger et vos enfants un fardeau, et vous rêveriez de fuir tout cela.

Tant que vous n'aurez pas ré-examiné votre système de croyance, et mis de côté tout ce que vous n'avez pas choisi consciemment en tant qu'adulte, vous ne serez jamais vraiment un adulte.

Adopter les valeurs des autres affecte nos relations, notre philosophie personnelle, notre éthique du travail, la façon dont nous élevons nos enfants et notre manière de nous traiter nous-mêmes. Pas étonnant que nous soyons si nombreux à trouver que quelque chose ne va pas dans notre vie. Notre « moi » authentique est enfoui sous une épaisse couche de conseils, de suggestions et de sommations venant des autres.

Le prix à payer pour se fondre dans le moule

Quand on réfléchit à la conscience culturelle collective aux Etats-Unis, il n'est pas étonnant qu'un si grand nombre d'entre nous ait travaillé si dur pour y adhérer. Etre politiquement et socialement correct fait partie de la mentalité américaine, savoir ce qui se fait, ce qui ne se fait pas, ce qui est acceptable, ce qui est tabou. Dans ce pays, nous sommes élevés pour nous fondre dans un moule et non en sortir pour découvrir qui nous sommes. Et tous ceux qui sont différents ou ne se fondent pas dans le moule sont destinés à souffrir ou à sentir le poids de l'échec peser sur leurs épaules.

Quand j'avais 12 ans, je n'étais ni blonde ni mignonne, comme les jolies petites filles de mon âge. Je ne portais pas les vêtements à la mode car je ne pouvais me les offrir. De plus, j'étais la seule, parmi les enfants de mon entourage, dont les parents soient divorcés. Et je portais des petites lunettes affreuses. Je ne ressemblais en rien à l'archétype.

Une fois par mois, après l'école, j'allais à un cours de danse sponsorisé par un club local. Il y avait une grande salle de danse et des instructeurs devaient nous apprendre à danser le fox-trot, le cha-cha, la valse, etc. Les garçons devaient se mettre en file, d'un côté de la piste, et les filles de l'autre côté. Ensuite, chacun d'eux venait inviter une fille à danser.

Tous les mois, le même scénario se reproduisait. Je regardais toutes les filles, une par une, se faire inviter, jusqu'à ce qu'il ne reste plus que moi. Il ne restait alors plus qu'un seul garçon, un dénommé Martin, très gros, le visage couvert de boutons et les mains dégoulinantes de sueur. Il s'avançait vers moi en trébuchant, et pendant qu'il m'invitait à être sa partenaire, tout le monde nous regardait et gloussait. Aux premières notes de musique, il agrippait ma main réticente et je me maudissais intérieurement d'être si différente et aussi peu acceptable, et je me demandais s'il m'arriverait un jour d'avoir le sentiment d'être « adéquate ».

Heureusement, cela m'est arrivé assez vite. Dès mes premières années à l'université, j'étais devenue une des filles les plus populaires de la classe. J'éprouvais enfin le sentiment d'être acceptée. Mais comme tous ceux qui cherchent désespérément l'approbation des autres, j'étais pétrifiée à l'idée de perdre mes statuts, et je ne voulais prendre aucun risque de commettre un impair. Aussi ne fréquentais-je que les autres étudiants populaires, sans chercher à savoir qui ils étaient au fond d'eux-mêmes, et j'ignorais ceux qui pourtant m'attiraient, les artistes, les musiciens et les « grosses têtes », tranquilles dans leur coin. J'ai honte de dire que j'étais devenue alors le genre même de personne que je détestais lorsque j'étais plus jeune et tenue à l'écart. Je ne voulais pas devenir amie avec quelqu'un qui ne corresponde pas au moule.

Quand je repense à cette période de ma vie, je regrette amèrement mon attitude d'alors. Je tenais certaines personnes à l'écart par crainte d'être moi-même tenue à l'écart. J'avais tellement besoin d'appartenir à un groupe et d'être acceptée que je réfutais une partie de moi-même pour pouvoir considérer quelques personnes comme des amis. Ils ne savaient bien sûr pas qui j'étais au fond de moi. Ils ne connaissaient que la part de moi-même susceptible d'attirer leur approbation. Quant au reste, je le cachais soigneusement.

Lorsque nous avons passé nos premiers diplômes, tout le monde a été étonné d'apprendre que j'avais décidé de poursuivre mes études dans le Wisconsin, loin de tout ce qui m'était familier. Je m'étais moi aussi interrogée sur ma décision, mais je n'ai eu réellement ma réponse qu'en m'installant là-bas. Une fois sur place, j'ai découvert une chose que j'ignorais chercher : **LA LIBERTÉ** ! Soudain, je me suis sentie libre de tous ceux dont je cherchais l'approbation. Pour la première fois de ma vie, j'ai commencé à explorer qui Barbara était réellement au fond d'elle-même, et ça a été le départ de ma re-naissance. Je sais maintenant que je n'aurais jamais pu me trouver moi-même si j'étais restée à Philadelphie. Mon désir d'être acceptée et intégrée, tant j'avais souffert sur cette piste de danse de ma maladresse et de mon aspect un peu ingrat, était plus fort que mon désir d'être moi-même.

Martin, où que tu sois aujourd'hui, pardonne-moi de ne pas avoir vu que toi aussi tu te sentais honteux et rejeté. J'espère que, tout comme moi, tu as enfin découvert le sens de ta dignité et que lorsque tu danses avec quelqu'un, ta partenaire se sent fière d'être dans tes bras.

« Cela demande du courage de quitter l'environnement familier, sécurisant en apparence, pour en découvrir un nouveau. Mais ce qui n'a plus réellement de sens n'apporte plus de vraie sécurité. Ce qui est aventureux et excitant est finalement plus sûr, car dans le mouvement, il y a la vie, et dans le changement, une force puissante. »

Alan COHEN

Chaque fois que vous renoncez à un rêve, à une conviction, à une habitude ou à un désir, par crainte de ne pas être approuvé des autres, de ne pas correspondre au moule, de ne pas faire ce que l'on attend de vous, ou par peur du jugement des autres, vous renoncez à une partie de vous-même. Et plus vous dilapidez ainsi des parties de vous-même, moins vous êtes authentiquement vous-même. Si les valeurs des autres vous ont peu à peu recouvert en couches successives, il se peut que vous partiez à la recherche de vous-même et ne trouviez personne. Et si vous ne savez pas qui vous êtes au fond de vous-même, vous ne pouvez faire l'expérience de moments vrais et pleins de signification, aussi bien seul qu'avec les autres.

> **S**i vous adoptez les rêves et les valeurs des autres au détriment des vôtres, vous dilapidez votre propre pouvoir. Plus vous sacrifiez de votre authenticité, plus vous vous sentirez dépossédé.

Comment pouvez-vous reprendre ce pouvoir en main? Commencez par redécouvrir votre propre vérité, vos propres valeurs et votre voix à vous, et à les réintégrer à chaque instant de votre vie.

Lorsqu'un bébé vient au monde, il quitte le ventre de sa mère, le cordon est coupé, il respire, son propre sang circule dans ses veines, il est devenu un individu autonome. Cette épreuve est indispensable à la survie de l'enfant. Il doit se libérer de ce ventre qui, jusqu'alors, l'a nourri.

De la même façon, vous ne pouvez vous redonner naissance qu'en abandonnant les parties de vous-même qui ne vous font plus évoluer, et en coupant le cordon qui vous lie aux croyances, aux valeurs et aux obligations avec lesquelles vous vivez, sans qu'elles correspondent à votre moi profond au départ. Cela implique de dire adieu à la personne que les autres attendent de vous, et de réinventer vous-même la personne que vous voulez être.

> «Au bout du compte, rien n'est sacré, à part l'intégrité de votre propre esprit.»
>
> EMERSON

Tout au long du chemin menant à la redécouverte de vous-même, la première étape où il faut vous arrêter pour réfléchir est l'intégrité.

Vivre d'une manière intègre, c'est offrir une image de soi qui corresponde à ce que l'on est vraiment. Vos convictions, vos valeurs, vos engagements, autant dire votre réalité profonde, sont le reflet de ce que vous vivez à l'intérieur de vous-même. Plus vous vivez selon ce que vous êtes réellement au fond de vous, plus vous vivez en paix.

Vivre d'une manière intègre signifie :

— Dans vos relations avec les autres, de ne pas vous contenter de moins de ce que vous savez mériter ;

— D'être clair envers les autres quant à vos demandes et à vos besoins à leur sujet ;

— D'exprimer votre propre vérité, même si elle risque d'entraîner un conflit ou une tension ;

— D'avoir un comportement en harmonie avec vos valeurs personnelles ;

— De faire vos choix à partir de ce que vous croyez vous, et non de ce que croient les autres.

Ne pas vivre d'une manière intègre demande beaucoup d'énergie. C'est épuisant, aussi bien au niveau de l'intellect que des émotions, car ce que vous êtes au fond de vous et votre façon de vous comporter ne correspondent pas.

Imaginez que vous êtes au milieu d'une rivière, debout, chacun de vos pieds en appui sur une barque distincte. L'une des barques représente vos valeurs, et l'autre votre comportement. Le courant vous entraîne doucement le long de la rivière. Tant que les deux barques restent proches l'une de l'autre, tout va bien. Mais si l'une d'elles a tendance à s'écarter et à partir à la dérive, vous avez beaucoup de mal à maintenir le cap et à garder votre équilibre. Plus les barques s'éloignent l'une de l'autre, plus vous avez de mal à tenir, jusqu'à ce que, finalement, vous tombiez à l'eau.

Plus votre comportement s'éloignera de vos valeurs, plus vous connaîtrez l'anxiété intérieure, et moins vous pourrez vivre d'instants heureux. Si la distorsion entre les deux est trop grande, il arrivera un moment où le système se brisera. Cela se traduira par une maladie physique, le stress, la dépression ou les troubles émotionnels.

Vérifiez votre intégrité

Voici un moyen simple de voir sur quels points votre intégrité est mise en péril. Vous pouvez le mettre en pratique dès que vous aurez refermé ce livre :

Toutes les heures, faites un point rapide avec vous-même pour savoir si dans les soixante minutes qui viennent de s'écouler, vous avez dit ou fait quelque chose ne correspondant pas à ce que vous êtes au fond de vous-même.

Repassez-vous l'heure écoulée comme s'il s'agissait d'un film, et dès que vous repérez une sensation inconfortable, faites « arrêt sur image » et réfléchissez sur ce qui s'est passé. Avez-vous fait semblant de ne pas être contrariée par la réflexion sarcastique de votre mari ? Avez-vous écouté en silence un de vos amis juger quelqu'un qui compte pour vous, sans intervenir pour sa défense ? Avez-vous mangé quelque chose dont vous savez que c'est mauvais pour votre santé et auquel vous vous étiez bien promis de ne pas succomber ?

Vous allez être stupéfait du nombre de fois, dans une même journée, où vous vous trahissez vous-même, souriant alors que vous avez de la peine, retenant votre affection alors que vous avez envie de tendre la main, acceptant de faire quelque chose qui vous met mal à l'aise avec vous-même, ou ne montrant de vous-même que les aspects qui mettent les autres à l'aise plutôt que d'être tel que vous êtes réellement.

Disons qu'en pratiquant cet « exercice d'intégrité » vous repériez environ cinq incidents à l'heure qui révèlent un manque d'authencité de votre part. A présent, multipliez le nombre d'heures d'éveil dans une journée (disons, seize heures) par cinq, et vous obtenez quatre-vingts. Prenez ces quatre-vingts incidents (réactions ou propos de votre part) et multipliez-les par 365. Vous obtenez un total de 29 200. Ce qui veut dire que 29 200 fois par an, vous trahissez vos propres valeurs et vos convictions profondes en disant ou en faisant quelque chose qui vous met mal à l'aise avec vous-même. Et chaque fois que cela se produit, vous provoquez un stress physique et émotionnel en vous-même.

Admettons maintenant que vous ayez 45 ans. Nous ne compterons pas les huit premières années de votre vie car la plupart des enfants sont authentiques jusqu'à ce qu'ils grandissent et apprennent à se modeler en vue d'obtenir l'approbation des autres. Donc, si l'on soustrait huit de quarante-cinq, il nous reste trente-sept ans. Trente-sept années que vous multipliez par 29 200 incidents, ce qui fait 1 080 400 ! ! ! Dans votre vie, jusqu'à maintenant, il y a 1 080 400 circonstances où vous n'avez pas réagi d'une manière qui corresponde vraiment à ce que vous êtes !

> Tout au long de notre vie, personne ne nous trahit autant que nous nous trahissons nous-mêmes.

Faut-il s'étonner, donc, qu'en arrivant à la trentaine, nous commencions à nous sentir mal à l'aise avec nous-mêmes, et qu'aux abords de la quarantaine ou de la cinquantaine, nous nous trouvions, le plus souvent, dans un tel tumulte spirituel ? Et les moments vrais ? Comment pourrions-nous en faire l'expérience alors que nous n'arrivons même pas à faire totalement l'expérience de nous-mêmes ?

Si vous commencez dès aujourd'hui à faire toutes les heures votre « examen d'intégrité », vous remarquerez très vite que votre comportement correspond plus souvent à ce que vous êtes réellement, dans tous les domaines de votre vie. Vous vous surprendrez à trahir vos propres valeurs, et dans ces moments-là, vous aurez la liberté de choisir l'authenticité. Au bout d'une semaine seulement, vous serez plus fort et plus en paix avec vous-même que vous ne l'avez été depuis longtemps. Vous serez alors prêt à découvrir les moments vrais qui sont partout autour de vous, et l'ont toujours été, attendant de vous procurer leur joie.

●

« Ce qui est important, c'est d'être capable, à tout moment, de sacrifier ce que nous sommes pour ce que nous pourrions devenir. »

Charles DU BOIS

Tout au début de mon travail sur ce livre, j'ai dû me rendre à New York pour affaires. Un après-midi, je me suis retrouvée coincée dans un embouteillage terrible, à l'arrière d'un taxi. Le chauffeur et moi avons commencé à bavarder, et quand il a appris que j'écrivais et que je travaillais actuellement sur le sens à donner à sa vie, son visage s'est illuminé : « J'ai parcouru le même chemin ! » s'est-il exclamé avant de me raconter sa vie.

Le secret du bonheur de mon chauffeur de taxi

« Vous savez, je n'ai pas toujours conduit des taxis », m'a-t-il expliqué. « Avant, j'étais agent commercial. Je conduisais aussi souvent, à l'époque, et j'étais absent de la maison une bonne partie de la semaine. Je voyais très peu ma femme et mes enfants. Je gagnais bien ma vie, mais je ne devais jamais lâcher la pression pour ne pas me faire supplanter par les autres représentants de l'entreprise. J'avais la sensation de devoir réussir. Vous savez, mon père était plombier. Il était venu de Pologne quand il avait 16 ans, avant la guerre. Il n'a jamais très bien appris l'anglais, mais il avait des bras solides. J'ai toujours su qu'il voulait que je réussisse mieux que lui dans la vie, et j'aimais bien lui offrir cette image de moi, avec ma belle voiture et mes beaux costumes.

« Et puis, il y a à peu près dix ans de ça, mon plus jeune fils s'est fait renverser par une voiture en traversant la rue. Maintenant, il va bien, mais il a été mal pendant un bon bout de temps. J'étais sur les routes quand c'est arrivé, entre une ville et une autre, et ma femme n'a pas pu me joindre pour me prévenir. Elle n'a pu le faire que le lendemain de l'accident. Quand finalement je l'ai appelée, elle était hystérique. Elle m'a dit que notre fils aurait pu y passer pendant qu'elle était près de lui à l'hôpital, que moi j'étais injoignable et qu'elle ne pouvait plus vivre comme ça.

« J'ai battu tous les records de vitesse pour rentrer, et quand je suis arrivé à l'hôpital et que j'ai vu mon petit garçon étendu là, avec des tubes partout, enveloppé dans des bandages, je suis tombé dans les pommes. Ma femme était dans un état épouvantable et ma plus jeune fille ne cessait de pleurer. A cet instant, j'ai compris que les choses ne tournaient plus rond entre nous tous. Je n'étais jamais à la maison. Ça veut tout dire, n'est-ce pas ? Bien sûr, nous avions plein de choses et mon père était fier de moi, mais nous n'avions pas de vie en commun, ensemble. Et si mon fils était mort alors que j'étais au loin ? Ça aurait très bien pu se passer, vous savez ! C'est à ce moment précis que j'ai pris une décision. Il fallait que je donne un nouveau sens à ma vie.

« C'est alors que j'ai quitté mon travail et que j'ai acheté ce taxi. Une belle promotion, non ? En tout cas, ces dix dernières années ont été les meilleures de ma vie. J'ai pu voir mes enfants grandir, et ils vont tous les trois très bien. Nous revivons enfin une vraie vie de couple avec ma femme. Elle est aussi mon amie la plus chère, et je n'aurais pas pu en dire autant il y a dix ans. Nous avons même pu faire assez d'économies pour nous acheter une petite maison au bord d'un lac. Elle est très modeste, mais tous les vendredis soirs, nous partons là-bas et y passons le week-end. Je vous le dis, quand je suis assis sous le porche et que je regarde les arbres et l'eau, je me sens gonflé à bloc. Vous voyez ce que je veux dire ? »

Je voyais. Je venais de faire la connaissance d'un homme vraiment heureux. Il s'était perdu, comme le font un si grand nombre d'entre nous, puis il avait réussi à se redonner naissance à lui-même, retrouvant son propre chemin.

Je lui ai dit alors que son histoire m'avait impressionnée à un point tel que j'allais la mentionner dans mon livre. Il en a frémi de joie ! « Ma femme ne va pas en croire ses oreilles ! » a-t-il répondu en riant.

« Mais dites-moi », lui ai-je demandé, « si vous aviez un conseil à donner sur ce que vous savez maintenant du bonheur, quel serait-il ? »

Il a gardé le silence une minute, puis il a répondu :

« Pour être heureux, il faut savoir dire "non" à certaines choses. »

Le pouvoir du « non »

Si le Destin a mis ce chauffeur de taxi sur ma route, c'est qu'il y a une raison. Il me fallait donc réfléchir sur ce fameux pouvoir du « non ». Jusqu'alors, j'avais plutôt vécu selon le précepte inverse !

« Pour réussir dans la vie, il faut savoir dire "oui" aux choses. »

J'ai dit « oui » à tous les projets qui ont traversé mon chemin, « oui » à toutes les occasions de parler en public, « oui » à toutes les propositions de séminaires destinés à aider des gens, « oui » chaque fois qu'un ami avait besoin d'un conseil, quelle que soit l'heure du jour ou de la nuit. Mon téléphone n'arrêtait pas de sonner, mon agenda était plein à ras bord, et en écoutant ce chauffeur de taxi me parler de sa maisonnette au bord du lac, j'avais envie de tout laisser tomber et d'acheter moi aussi un taxi ! ! ! En se référant à ses propres nouvelles valeurs et en disant « non » à celles qui ne lui correspondaient plus, il a fait en sorte que les moments vrais soient une priorité dans sa vie.

Il nous faut trouver le courage de dire « non » aux choses qui ne nous correspondent pas, si nous voulons nous redécouvrir nous-mêmes, et vivre notre vie d'une manière authentique.

Je peux vous le dire par expérience, ce n'est pas aussi simple qu'il y paraît. Dire « non » peut impliquer de couper certains liens que vous avez depuis longtemps avec des gens, des lieux, des choses et des idées. Cela peut impliquer de prendre des décisions que les autres désapprouvent. De lâcher prise sur certaines de vos anciennes valeurs et identités, en attendant que les nouvelles se soient réellement imposées, et de vous sentir, pendant quelque temps, dans un état émotionnel un peu flou. En effet, vous n'êtes déjà plus la personne que vous étiez jusqu'à maintenant, et n'êtes pas encore très sûr de la personne que vous voulez devenir.

Mais derrière chaque « non » se cache un « oui ». En disant « non » à quelque chose qui ne vous convient plus désormais, vous dites « oui » au renforcement de votre intégrité. En disant « non » à ceux de vos amis qui ne vous soutiennent pas dans votre évolution ou votre nouvelle voie, vous dites « oui » aux nouveaux amis qui vont très bientôt entrer dans votre vie. En refusant de marcher sur vos principes et vos idéaux pour grimper professionnellement, vous dites « oui » à un nouveau degré de respect de vous-même. En refusant de ne pas être traité comme vous le méritez dans une relation avec quelqu'un, vous acceptez de vous aimer et de vous protéger.

Dans ma vie, c'est toujours après avoir dit « non » à quelque chose que j'ai franchi le premier pas vers mes transformations émotionnelles et spirituelles les plus importantes.

Mon premier grand « non »

Il a fallu que j'attende mes dernières années de lycée pour apprendre le pouvoir du mot « non ». C'était en 1969, et l'établissement où j'étais inscrite était très strict sur le plan vestimentaire. Les filles ne devaient pas porter de pantalon et les garçons étaient interdits de blue-jean. Tout le monde trouvait cela stupide, car en hiver, la température pouvait descendre bien au-delà de zéro, et les filles étaient glacées dans leurs petites jupes courtes et leurs collants. Les garçons avaient le droit de porter des jeans noirs, ou des verts, mais pas des bleus... par peur, sans doute, de laisser penser que notre école était fréquentée par des voyous. En tant que secrétaire du conseil de classe, à l'époque, j'ai essayé pendant des mois de parler au proviseur pour qu'il modifie le règlement vestimentaire du lycée, mais rien n'a bougé. J'ai donc décidé d'organiser une grève !

Je ne me souviens plus bien pourquoi j'ai choisi ce problème comme premier cheval de bataille. Peut-être parce que nous étions en pleine guerre du Vietnam et que je me sentais désemparée de ne rien pouvoir faire pour empêcher mes amis d'être embarqués dans cette histoire. Peut-être parce que je devais entrer quelques mois plus tard à l'université et que je me moquais alors de ce que les gens du lycée pensaient de moi. Ou peut-être en avais-je simplement assez de toujours dire « oui » à tout pour que les autres m'aiment.

Pendant des semaines, en secret, j'ai mis au point notre stratégie. Un certain vendredi matin, nous devions tous arriver au lycée, les filles en pantalon, et les garçons en blue-jean. Je m'étais dit que si suffisamment d'élèves suivaient la consigne, on ne pourrait nous renvoyer tous. L'idée a fait le tour du lycée, et enfin, le fameux vendredi est arrivé. J'avais hâte d'être à l'école pour voir la révolution que nous allions provoquer. Vous pouvez imaginer ma déception quand je me suis rendu compte que la plupart des élèves s'étaient « dégonflés » à la dernière minute et portaient leurs vêtements habituels. Une centaine d'entre nous, seulement, avaient osé défier le règlement du lycée.

Un quart d'heure après que la cloche ait sonné, le proviseur a convoqué tout le lycée pour une assemblée extraordinaire. Tous les élèves du lycée, nous étions alors 1 800, se sont rassemblés dans l'auditorium. « Apparemment, certains d'entre vous ne connaissent pas le sens du mot "règlement" », a-t-il commencé d'une voix monocorde. « Il m'est venu aux oreilles que ce matin, un groupe d'élèves radicaux avait essayé d'organiser une grève pour protester contre le règlement vestimentaire en vigueur dans notre établissement. Naturellement, enfreindre le règlement ne peut être toléré. Ces élèves devront donc rentrer chez eux et ne revenir au lycée qu'habillés correctement. Quant aux autres, et à moi-même, nous reprenons le cours de notre emploi du temps habituel. Si l'un d'entre vous a quelque information que ce soit à donner sur les instigateurs de ce complot, qu'il avertisse mon adjoint ou moi-même. »

En me souvenant de cela maintenant, je ris en pensant au ridicule de la situation : le proviseur essayant d'exercer encore quelques mesures de contrôle avant que nous partions pour l'université, les élèves trop effrayés pour oser le défier, et moi me sentant abandonnée de tous ceux qui m'avaient promis leur soutien. Mais à l'époque, je ne riais pas. J'étais en colère. En colère contre l'autorité qui ne voulait pas respecter mes valeurs, et en colère contre mes amis qui ne s'étaient pas montrés plus courageux.

Aucun d'entre nous n'a été renvoyé à cause de cette grève. Mais j'ai payé le prix pour l'avoir organisée. A la cérémonie de fin d'année, quelques mois plus tard, je n'ai eu aucune des gratifications que, selon mes professeurs, je devais avoir. Elles ont toutes été attribuées à une fille qui n'avait jamais remis en question la politique de l'établissement, ni d'ailleurs jamais pris position pour quoi que ce soit.

Je ne peux pas dire que je n'ai pas été blessée de ne pas recevoir les honneurs pour lesquels j'avais tant travaillé dans l'année. J'imaginais certains parents chuchoter à leurs enfants : « Tu vois ce qui arrive quand on enfreint les règlements ! » Mais toutefois, ce que j'ai tiré de l'histoire a été bien plus important pour moi. J'ai retrouvé une partie de moi-même que j'avais enfouie au fond de moi depuis des années en cherchant tellement à être acceptée des autres. En exprimant à haute voix ce que je pensais être juste, j'avais franchi un pas important vers la re-naissance de moi-même.

Au bout du compte, le pouvoir du « non » a malgré tout triomphé. Un an après que j'ait quitté l'établissement, le règlement vestimentaire a été modifié et les élèves ont pu venir dans la tenue de leur choix. Mais ce n'est pas la fin de l'histoire. Il y a quatre ans, c'est-à-dire vingt et un ans après mon départ du lycée, j'ai reçu une lettre venant de la direction de l'établissement, m'annonçant qu'ils voulaient inscrire mon nom à la Cour d'Honneur, à côté de celui des autres élèves devenus célèbres ensuite, me disant, je cite, « … puisque vous êtes devenue quelqu'un dont nous pouvons tous être fiers ». J'ai aussitôt appelé ma mère et nous avons ri au moins pendant dix minutes au téléphone toutes deux ! Je n'ai pas pu me rendre à la petite cérémonie accompagnant cet « événement », mais à la première occasion, je ne manquerai pas de dire aux élèves, dans ce même auditorium, ce que je n'avais pas pu dire vingt-cinq ans plus tôt : que l'éducation devrait nous apprendre à donner naissance à notre propre identité, en tant qu'individus, plutôt que nous apprendre à nous conformer aux idées des autres et à ce que nous devrions être…

●

Dans notre recherche de la plénitude, redécouvrir nos propres valeurs et vivre en fonction d'elles sont les moyens les plus significatifs de vivre de manière authentique et de connaître davantage de moments vrais. En matière d'intégrité, voici une de mes histoires préférées. Je ne me souviens plus où je l'ai entendue la première fois, mais je la place chaque fois que j'en ai l'occasion :

Il y avait un jour un jeune Juif qui vivait dans une petite ville située quelque part dans ce que l'on appelait l'Empire russe au début de ce siècle. A cette époque-là, les petites communautés de Juifs, dans chaque village, étaient persécutées par les cosaques, les soldats du Tsar. Chaque jour, aux heures de marché, lorsque les habitants des villages se regroupaient sur la place principale pour faire leurs affaires, les cosaques arrivaient sur leurs chevaux puissants, renversant et abîmant sur leur passage les étals des Juifs et lisaient les derniers avis gouvernementaux visant à limiter de plus en plus leur liberté. Puis ils repartaient galopant dans un nuage de poussière.

Ce jeune Juif aimait énormément son grand-père, qui se trouvait être le rabbin du village. Tous les Juifs du village s'accordaient à dire que leur rabbin était aussi sage qu'Abraham ou que Moïse. Chaque jour, le jeune Juif accompagnait son grand-père, à pied, depuis leur modeste maison jusqu'à la place du village. Les cosaques arrivaient, faisant voler la poussière, et le soldat chargé de lire l'avis du jour prenait fermement la parole : « A partir d'aujourd'hui, aucun Juif ne peut acheter plus de cinq pommes de terre à la fois », ou « Le Tsar a décidé que les Juifs devaient immédiatement vendre leurs meilleures vaches à l'Etat. »

Et chaque jour, la même chose arrivait : le vieux rabbin écoutait les avis avec ses congénères, et aussitôt après, il brandissait sa canne en direction des cosaques et disait d'une voix forte : « Je proteste ! Je proteste ! » Alors l'un des cosaques galopait jusqu'à lui parmi la foule et lui donnait un coup de cravache en lui disant : « Silence, vieil imbécile ! » Puis les cosaques repartaient. Tout le monde se précipitait alors sur le vieillard pour l'aider à se relever et ôter la poussière de ses vêtements, et son petit-fils lui prenait le bras pour rentrer chez eux.

Jour après jour, mois après mois, le jeune garçon voyait se reproduire la même scène horrible. Un jour enfin, n'y tenant plus, en chemin vers la place du village, le jeune garçon trouva le courage de parler à son grand-père. « Rabbi chéri », demanda-t-il d'une voix tremblante, « pourquoi continues-tu chaque jour à protester contre le Tsar puisque tu sais très bien que les soldats vont te taper dessus ? Pourquoi ne gardes-tu pas le silence ? »

Le rabbin souria affectueusement à son petit-fils et lui répondit :

« C'est parce qu'en ne disant rien contre ce que je sais être mal, je deviendrais alors l'un des leurs… »

Exprimez votre vérité, cela vous permettra toujours de revenir à vous-même.

Franchir le pas vers la plénitude

Se détourner de la personne que l'on a été jusqu'à présent devrait toujours se faire avec amour. En effet, le processus de la naissance commence neuf mois plus tôt par un acte d'amour. Il doit en être de même pour votre passage à la plénitude : il ne doit pas se faire par une négation de votre passé mais par une affirmation de votre présent et de votre avenir. Il n'est pas question de déterminer ce qui est bien et mal dans votre vie, mais plutôt ce qui vous sert à avancer ou vous maintient en arrière. Le fait que vous choisissiez un nouveau chemin ne veut pas dire que le premier était forcément mauvais. Le fait que vous preniez une nouvelle direction ne veut pas dire que vous ayez pris la mauvaise jusqu'à maintenant. Le fait que vous vous référiez à de nouvelles valeurs ne veut pas dire que les anciennes étaient corrompues. Nous devons apprendre à dire « non » sans forcément dénigrer ce que nous avons vécu jusqu'à présent, et sans nous culpabiliser de ne pas avoir réagi plus tôt.

Changer de direction sans porter de jugements est particulièrement difficile à faire lorsque vous devez, pour évoluer, renoncer à des relations ou à des activités qui vous tiennent beaucoup à cœur. Votre amour est parfois si fort que vous craignez de ne pouvoir partir si vous l'éprouvez toujours, alors essayez-vous de le tuer pour trouver le courage de le quitter. Je rencontre beaucoup de gens qui réagissent ainsi. Ils savent qu'il est temps d'interrompre leur relation avec quelqu'un, mais la perspective de franchir le pas les fait souffrir tant leurs émotions sont encore à vif. Aussi se persuadent-ils eux-mêmes de détester leur partenaire ou, s'ils doivent changer de travail, de dénigrer celui qu'ils ont actuellement. Quitter la personne ou le travail devient alors plus facile puisqu'ils n'éprouvent plus de sentiment de perte. Mais au fond, ils se sont volés eux-mêmes de l'amour qu'ils ont nourri si longtemps dans leur cœur.

Mon adieu sur les ondes

Une des choses les plus difficiles que j'aie eu à faire a été de renoncer à mon émission de radio quotidienne à Los Angeles. Tous les jours, depuis deux ans, je répondais aux auditeurs en direct et j'essayais de les aider à résoudre les problèmes qu'ils m'exposaient. L'émission a connu très vite un grand succès. J'entretenais une relation spéciale avec mes auditeurs, je me sentais protectrice quand ils étaient maltraités, je les encourageais lorsqu'ils traversaient des périodes de crise, je pleurais avec eux lorsqu'ils vivaient une tragédie. Ils étaient ma famille et j'étais la leur.

Une nuit, j'ai rêvé que la chaîne de radio changeait de concept pour se consacrer entièrement à l'actualité, et que toutes les émissions comme la mienne étaient supprimées. Dans mon rêve, j'expliquais la situation à mon mari et lui disais : « C'est parfait parce qu'ainsi je ne vais pas être obligée de partir de moi-même et personne n'aura donc à m'en vouloir de cet abandon. » Le lendemain matin au réveil, en me rappelant mon rêve, j'ai su immédiatement qu'il était temps pour moi d'arrêter cette émission.

Mon rêve avait mis en lumière les raisons qui me retenaient encore : la peur de décevoir mes auditeurs, ainsi que le fait d'aimer tellement ce que je faisais et de ne pouvoir imaginer abandonner quelque chose pour lequel j'avais tant travaillé. Si j'avais détesté mon travail, le quitter aurait été facile. Je savais qu'en restant sur les ondes je continuerais à aider les autres, mais que cela ne me servirait plus. J'avais hâte d'avoir plus de temps pour écrire, pour voyager et m'orienter de nouvelles façons, et mon émission quotidienne représentait un frein à tout cela.

Lorsque j'ai dit adieu à mes auditeurs lors de ma dernière

émission, j'ai pleuré, et eux aussi. J'ai reçu des milliers de lettres me demandant de reprendre. Certaines personnes venaient directement à la station implorer mon retour. J'ai même reçu quelques coups de fil furieux à mon bureau, m'accusant d'abandon déloyal de poste. Je ne me suis pas laissée infléchir par toutes ces réactions car je savais, au fond de moi, que j'avais fait le bon choix. Tout le monde pensait que « j'appartenais » à cette chaîne de radio, et moi je savais que ce n'était plus le cas.

Ce n'était pas la première fois de ma vie (ni la dernière !) que suivre ce que me dictaient mes voix intérieures m'attirait les foudres des autres, voulant, eux, que je reste où j'étais, **non parce que ce serait bien pour moi, mais parce que ce serait bien pour eux**. Je suis donc habituée aux souffrances qui accompagnent souvent chaque nouvelle vie dans laquelle je me lance. Les déchirures souvent nécessaires. Les forces m'agrippant pour rester. La tentation d'écouter les voix qui disent : « Si tu fais ça, nous ne t'aimerons plus. » Cependant, chaque fois, je suis les élans de mon cœur, j'émerge de ma nouvelle métamorphose avec plus de plénitude et plus de liberté que je ne l'avais jamais imaginé. Et ce sont ces re-naissances qui m'ont donné certains de mes moments vrais les plus précieux.

●

« La seule vie valant la peine d'être vécue est la vie aventureuse. La caractéristique dominante d'une telle vie est d'être **sans crainte**. Sans crainte de ce que les autres pensent… Il ne s'agit pas de suivre les pas et les objectifs de ses voisins. Il s'agit d'avoir ses propres pensées, de lire ses propres livres, nourrir ses propres espoirs et d'être gouverné par sa propre conscience. Le troupeau peut se rassembler où il veut et brouter l'herbe qu'il veut, celui qui choisit de vivre une vie aventureuse ne doit éprouver aucune crainte lorsqu'il se retrouve seul. »

Raymond B. FOSDICK

J'espère que ce chapitre vous a rendu impatient… Impatient d'examiner votre vie et de découvrir dans quels domaines vous ne vivez pas en symbiose avec vos valeurs. Impatient d'effectuer certains changements et de prendre certains risques que vous avez soigneusement évités jusqu'à maintenant. Impatient de partir à la recherche des parties de vous-même perdues depuis longtemps. Impatient de recommencer à rêver. Impatient de vivre davantage de moments vrais, authentiques.

Vous êtes libre de le faire, vous savez. Vous pouvez « réinventer » votre vie. Et inutile d'attendre plus longtemps, vous pouvez le faire dès maintenant, juste après avoir refermé ce livre.

Vous sentirez-vous mieux si je vous dis que réinventer votre vie ne veut pas nécessairement dire que vous deviez quitter votre travail, divorcer, tout vendre et partir vous installer à la campagne ? Cela peut simplement vouloir dire faire les choses différemment. Des dizaines d'opportunités de faire un choix différent vont se présenter à vous aujourd'hui ou peut-être demain. Des opportunités permettant à certaines parties de vous-même, perdues depuis longtemps, de s'exprimer. Des occasions de parler, de faire ou de dire des choses qui ne sont pas dans vos habitudes et même, selon vous, qui ne vous ressemblent pas.

Qui êtes-vous ?

Voici certaines des questions à vous poser lorsque vous entamez votre processus de re-naissance. Elles sont destinées à servir de clés pour ouvrir des endroits cachés. Il ne s'agit pas de questions simples appelant une réponse précise. Réfléchissez soigneusement à chacune d'entre elles. Semez-les profondément en vous-même, comme vous mettriez une graine dans la terre pour qu'elle germe. Et soyez patient. N'ayez pas hâte de formuler une réponse.

Ce sont d'excellentes questions à aborder avec les gens que vous aimez. Il est aussi excellent d'écrire à leur sujet. A mesure que vous changez et redécouvrez qui vous êtes réellement, les réponses se modifient. Sachez que par le simple fait de vous poser ces questions, votre voyage à la quête de vous-même et de plus de moments vrais à déjà commencé.

Qui suis-je ?

1. Dans quels domaines ai-je hérité de comportements et d'attitudes, similaires à ceux des membres de ma famille, qui m'empêchent d'être authentiquement moi-même ? (La façon de communiquer, l'expression de mon amour ou de mon affection, mes habitudes d'hygiène quant à ma santé, les convictions politiques et religieuses, etc.)

2. Comment les gens de ma famille traitent-ils (ou jugent-ils) ceux qui sont différents de nous ? Comment, moi, je réagis avec ceux qui sont différents de moi ? Suis-je à l'aise quand c'est moi qui suis différent(e) ?

3. Lesquels de mes propres rêves ou convictions ai-je dû sacrifier, atténuer ou mettre de côté dans le but de satisfaire les attentes des autres ?

4. Quelles parties de moi-même, aussi bien dans le passé qu'aujourd'hui, ai-je cachées aux autres de peur qu'ils ne me désapprouvent ? Y a-t-il même des choses que je me cache à moi-même ?

5. Quels moyens ai-je utilisés pour essayer de me fondre dans le moule, qui m'ait obligé(e) à transiger avec mes propres valeurs ou à ne pas être moi-même, actuellement comme par le passé ?

6. Dans ma vie, quelles sont les choses que j'ai faites parce qu'il me semblait devoir les faire, même si je n'en avais pas vraiment envie ?

7. Y a-t-il aujourd'hui dans ma vie des choses que je fais parce qu'il me semble devoir les faire, même si je n'en ai pas vraiment envie ? Lesquelles ?

8. Quelles sont les habitudes et les traditions, auxquelles je souscris encore aujourd'hui, qui sont plus le reflet des valeurs d'autres personnes que des miennes ?

9. Quelles sont **mes** valeurs et **mes** convictions ? Si je vivais en les respectant totalement, comment cela se manifesterait-il dans ma vie ? Comment les gens de mon entourage réagiraient-ils ?

10. Est-ce que je vis où je veux vivre et comme je veux, ou comme le veut une autre personne, et où elle veut ? Que faudrait-il que je change à mon mode de vie pour qu'il coïncide avec mes désirs ?

11. Que dois-je faire pour ramener à la vie les parties de moi-même profondément enfouies ?

12. A quoi faut-il que je renonce pour enfin devenir adulte ?

13. Suis-je heureux(se) ? Qu'est-ce qui me rendrait heureux(se) ?

14. Que faut-il que je fasse, dans ma vie, pour être libre ?

« Quand nous mourons et frappons aux portes du Paradis, notre Créateur ne nous demande pas "Pourquoi n'as-tu pas trouvé le traitement de telle ou telle maladie ? Pourquoi n'es-tu pas devenu le Messie ?" La seule question qu'il nous pose en cet instant précieux, c'est "Pourquoi n'es-tu pas devenu toi-même ?" »

Attribué à — Elie WIESEL —
paraphrasant une vieille histoire juive.

Vous êtes un individu unique. Jamais il n'y a eu et jamais il n'y aura d'être humain comme vous. Il n'y a rien d'ordinaire en vous. Et si vous vous sentez banal, ordinaire, c'est parce que vous avez choisi de cacher aux yeux du monde les parties de vous-même qui sont extraordinaires. Peut-être même avez-vous oublié leur existence, elles ne se sont pas manifestées depuis tellement longtemps !

Mais écoutez bien… elles vous appellent… ces voix qui sont au fond de vous-même… elles crient pour être reconnues, pour que vous les rassembliez. « Libère-nous », disent-elles, « et nous te montrerons le chemin de la plénitude. »

Vous avez entendu l'appel, vous avez ressenti le mouvement, vous comprenez donc que le temps de votre re-naissance est arrivé. Maintenant, votre travail commence :

Vous devez faire le vide de tout ce dont vous n'avez plus besoin.

Laisser de la place pour votre esprit qui émerge.

Puis laisser faire et profiter du parcours.

Rappelez-vous : vous savez déjà comment faire. C'est par ce moyen que vous êtes arrivé jusqu'ici…

5

Les moments vrais et le travail

« Vous devez d'abord découvrir quel est votre vrai Travail, et ensuite, de tout votre cœur, vous donner à lui. »

BOUDDHA

Les moments vrais ne sont pas réservés aux week-ends. ils ne sont pas censés être gardés jalousement pour les grandes occasions, comme un vêtement que vous adorez et ne portez que le samedi soir ou pendant les vacances. Ces moments ne se limitent pas aux promenades sur la plage, aux randonnées à bicyclette dans la nature, tôt le matin, ou aux câlins avec celui ou celle que vous aimez. Ils doivent être inclus à tous les domaines de votre vie, y compris votre vie professionnelle.

Vous passez au moins la moitié de votre vie éveillée à travailler, qu'il s'agisse d'un travail en dehors de chez vous (dans un bureau, comme agent commercial, etc.) ou chez vous. Cela représente beaucoup de temps, surtout si vous n'éprouvez pas de plaisir dans ce que vous faites. Ceci explique pourquoi nous sommes si nombreux en rentrant du travail ou après avoir accompli notre lot quotidien de tâches ménagères, à avoir l'impression d'être passés sous un rouleau compresseur. Il est épuisant de faire quelque chose que l'on n'apprécie pas vraiment, surtout quand on sait qu'il faudra recommencer le lendemain, et le surlendemain.

> L'esprit se nourrit de joie, d'amour et de fête… Travailler sans connaître de moments vrais vous assèche l'esprit et le rend assoiffé.

Vous avez l'esprit avide et assoiffé lorsqu'après votre travail, le soir, vous vous précipitez devant votre poste de télévision et « zappez » d'une chaîne à l'autre, ou lorsque vous ouvrez la porte du réfrigérateur et regardez, l'air vide, son contenu, pour chercher quelque chose à grignoter, ou encore lorsque vous allez directement de votre travail au café du coin pour prendre un verre et « décompresser ». Ce que vous cherchez, vous ne le trouverez dans aucune émission de télévision, dans aucun réfrigérateur ni aucun verre de bière. Votre esprit cherche simplement à savoir si les heures de la précieuse journée que vous venez de passer à travailler n'ont pas été vaines, si ces heures avaient un but et un sens, et si elles ont compté pour quelque chose.

Il est difficile de rentrer chez soi et partager des moments d'amour avec sa femme quand on a l'esprit assoiffé de quelque chose qu'on ignore. Il est difficile de prendre passionnément son mari dans ses bras quand on a l'esprit altéré.

Vous n'oublieriez pas de nourrir votre corps pendant la journée. Vous ne devez pas non plus oublier de nourrir votre esprit.

A la recherche de votre vraie vocation

Il arrive que nous ayons du mal à vivre des moments vrais et pleins de signification dans la journée de par la nature même du travail que nous faisons. « Comment le boulot de caissière au supermarché peut-il nourrir l'esprit ? », vous dites-vous. Faire votre « boulot » ne peut vous apporter de moments vrais, mais faire votre « travail », si.

> Nous avons tous un Travail à accomplir,
> ici sur cette Terre, mais ce Travail n'a rien
> à voir avec votre « emploi ».

— Votre emploi est ce que vous faites pour survivre physiquement, et pour subvenir à vos besoins et à ceux de votre famille. C'est la profession que vous choisissez, les capacités que vous développez.

C'est être peintre, plombier, informaticien ou archéologue.

— Votre Travail est ce que vous faites pour survivre émotionnellement et pour subvenir aux besoins de votre esprit. Ce sont les leçons que vous êtes ici pour apprendre, la sagesse que vous devez acquérir. C'est la carte de votre aventure terrestre personnelle.

Votre Travail est votre But.

C'est apprendre à traiter les autres avec tolérance et compassion, apprendre à vous aimer vous-même, même avec vos imperfections, c'est apprendre à pardonner, apprendre le courage, apprendre la confiance, apprendre l'amour.

•

« Vous devez attendre d'être plus vieux, plus sage et plus mature pour accepter le Travail merveilleux que Dieu vous envoie. »

Marcella DANIELS

Il existe un autre mot pour le Travail en question, c'est la « vocation ». La plupart des gens font l'amalgame entre la vocation et le « job » qu'ils ont, ou la carrière qu'ils ont choisie. Mais le mot vocation vient du latin « vocatio » qui veut dire « appel » ou « assignation ». Littéralement, votre « vocation » est donc ce qui vous appelle.

Chacun d'entre nous est « appelé » à faire quelque chose, quelque chose d'unique qui contribue à la bonne marche du monde, quelque chose de valeur à partager avec ceux que nous aimons et avec qui nous vivons. Ce à quoi vous êtes appelé est le Travail que Dieu vous envoie, un Travail avec un grand « T » ! Quels types de tâches Dieu donne-t-il aux humains ?

— Etre gentils les uns avec les autres,
— Prendre soin de la Terre,
— Jouir autant que possible de ses merveilleuses Créations,
— Apprendre tout ce qu'il est possible d'apprendre pour devenir quelqu'un de bon,
— Aimer et accepter les autres et nous-mêmes autant que Dieu nous aime,
— Nous souvenir pourquoi nous sommes là.

Vous n'avez pas besoin d'être préparé ou même qualifié pour ces tâches. Le simple fait que vous soyez là et ayez une existence physique implique nécessairement que vous sachiez de quoi il est question. Et quant à apprendre à bien les accomplir, ce n'est qu'une question d'entraînement.

Si vous ne savez pas quel est votre But, ou votre vraie Vocation, peut-être n'êtes-vous pas heureux dans vos tâches quotidiennes, ou pensez-vous que vous vous êtes trompé de voie, car vous attendez qu'elles vous nourrissent l'esprit et elles ne peuvent le faire. Un travail est un travail. Naturellement, certains métiers vous conviennent mieux que d'autres. Il ne tient qu'à vous d'en trouver un qui vous procure le plus de joie possible. Mais le fait que vous considériez votre emploi comme « ordinaire », « ennuyeux » ou « peu valorisant » ne signifie pas que vous ne puissiez accomplir le Travail pour lequel vous êtes sur cette Terre.

Rappelez-vous mon ami le chauffeur de taxi. Son emploi est de conduire un taxi. Son Travail, ce qui l'appelle, c'est de partager l'amour de sa famille et de tous ceux avec qui il est en contact, et de se souvenir, dans sa vie, de ce qui est réellement important. D'après ce que j'ai vu quand je l'ai rencontré, il réussit très bien les deux. Il assume parfaitement son emploi tout en accomplissant son Travail, comme il l'a si bien fait en s'ouvrant à moi aussi honnêtement. Son emploi prend ainsi tout son sens.

Dès que vous savez quel est votre vrai Travail, vous pouvez le faire n'importe quand, aussi bien en construisant un mur qu'en vendant des chaussures, en préparant le dîner pour votre famille ou en aidant votre enfant à faire ses devoirs. Et vous pouvez le faire n'importe où, dans un magasin, au téléphone, à un coin de rue… même dans un taxi.

•

« On ne s'inquiète pas de ce que l'on va perdre quand on a décidé de ne plus être quelque chose, mais quelqu'un. »

COCO CHANEL

Les enseignants et les prêtres ne sont pas les seuls êtres humains à suivre leur vocation. Nous sommes tous appelés, au fond de nous, à suivre une vocation particulière. Je ne peux vous dire quelle est la vôtre, ni quel est le vrai Travail que vous êtes appelé à accomplir. C'est à vous de le découvrir. En fait, c'est le premier stade de votre Travail. Vous devez définir quel est votre But, votre Appel et les Dons qui vous caractérisent. Mais je peux vous donner un coup de pouce pour vous mettre sur la voie : **regardez ce qui est unique en vous, ces caractéristiques ou ces capacités qui vous distinguent des autres. C'est dans cette voie que vous trouverez votre Vocation.**

Peut-être votre unicité réside-t-elle dans votre capacité de trouver les mots pour bien exprimer ce que vous pensez. Ou peut-être est-ce votre effet calmant sur les autres ou vos talents pour les faire rire. Peut-être réside-t-elle dans votre capacité de comprendre et de simplifier les situations complexes. Peut-être êtes-vous doté d'une belle voix, de mains puissantes, d'yeux magnifiques ou de la faculté de voir ce qu'il y a de mieux chez les autres. Et si vous n'êtes par sûr des dons qui vous caractérisent, demandez aux gens qui vous connaissent.

Il arrive que les autres perçoivent nos dons et notre destination avant nous-mêmes.

Que pourriez-vous regarder encore pour trouver votre vocation ?

> Regardez ce que vous aimez faire. Regardez ce qui vous procure de la joie. Regardez ce qui vous apporte la paix. Là se trouve votre Vocation, attendant que vous vous y engagiez.

Dans notre Univers, rien n'a été conçu sans un but précis. L'aile d'un oiseau est conçue de telle manière qu'il puisse voler. Les roses ont des couleurs pour attirer les abeilles. Notre corps a régulièrement besoin de quelques heures de repos, et justement, il se trouve que la Terre se détourne du soleil, notre source de lumière et de chaleur, pendant les quelques heures nécessaires à notre corps pour se régénérer par le sommeil. Ensuite, la Terre se tourne de nouveau vers le soleil. Depuis le mouvement des planètes jusqu'au mouvement du sang dans nos veines, chaque détail de notre existence physique reflète un Ordre Supérieur.

Vous faites partie de la Création. Vous faites partie de cet Ordre. Qui vous êtes et ce que vous êtes ne sont pas les fruits du hasard. Il y a un but en chaque point vous concernant. Si vous avez reçu les capacités et les dons qui vous sont propres, c'est pour pouvoir accomplir votre Travail, particulier et unique. Ce n'est pas un hasard.

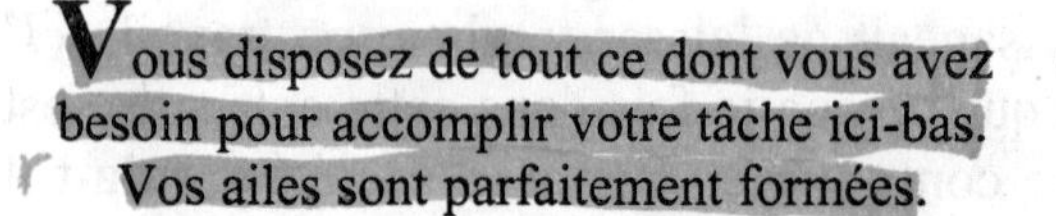
Vous disposez de tout ce dont vous avez
besoin pour accomplir votre tâche ici-bas.
Vos ailes sont parfaitement formées.

•

Pourquoi sommes-nous alors si nombreux à ne pas répondre à cet appel, à ne pas suivre notre vraie vocation ? Parce que nous commettons l'erreur de penser que nous devons gagner de l'argent en faisant quelque chose pour lequel notre temps et notre énergie aient une valeur. C'est comme si nous pensions qu'être payé pour ce à quoi nous contribuons est un signe du Ciel nous indiquant que notre contribution a de la valeur.

Recevoir de l'argent pour ce que vous faites
ne prouve pas que vous suiviez votre
Vocation, accomplissiez votre vrai Travail,
mais recevoir de la joie et de la satisfaction, si.

Un de mes amis est directeur dans une grande entreprise. Son travail consiste essentiellement en paperasserie, réunions, et encore paperasserie. Il gagne bien sa vie, mais il ne se sent pas épanoui par son travail. Ce qui lui procure d'énormes satisfactions, en revanche, c'est ce qu'il appelle « ses sources d'intérêt extérieures ». Il consacre une grande partie de son temps libre aux enfants défavorisés. Depuis dix ans, il s'occupe bénévolement d'un grand nombre de jeunes garçons, un peu comme un grand frère. Le week-end, il apprend aux gamins des bas quartiers de la ville à jouer au basket, et une fois par an, il s'occupe de trouver de l'argent pour pouvoir emmener les enfants des familles pauvres une semaine en camping.

Nous nous sommes téléphonés récemment et il m'a dit qu'il envisageait de laisser tomber son travail. « J'ai l'impression que ce que je fais dans cette entreprise est inutile, que je ne contribue en rien à la société », m'a-t-il confié. « Peut-être devrais-je reprendre mes études pour être éducateur ou enseignant. J'ai 37 ans, et mon travail ne me rend pas heureux. »

« Mais tu es déjà éducateur, enseignant et même entraîneur de basket », lui ai-je rappelé. « La seule chose, c'est que tu n'es pas payé pour le faire. Est-ce que ce serait très différent, pour toi, si tu l'étais ? »

Mon ami est resté muet un instant, frappé par cette idée. Il n'avait jamais réfléchi au fait qu'il vivait effectivement sa vocation, bien qu'il ne reçoive pas de rémunération pour cela. Il considérait sa fonction dans son entreprise comme réellement son travail, et son travail avec les jeunes comme une activité annexe. Et c'était pourtant le contraire. Son Travail avec les jeunes était sa vraie vocation, et son travail en semaine, qui l'aidait à gagner sa vie, était son activité annexe.

« Ce que tu dis, finalement, c'est que tout ce que je fais est bien », a-t-il enfin répondu, « et que je dois juste changer ma façon de considérer les choses. »

J'ai acquiescé : « Si ça peut t'aider, pense à ton travail dans l'entreprise comme à un moyen de payer tes factures et d'être libre de te consacrer à ta vraie vocation d'ange gardien de ces jeunes garçons. »

Tout comme mon ami, peut-être occupez-vous un emploi qui n'a que peu de rapport, ou carrément aucun rapport, avec votre vrai Travail, mais il vous offre la liberté financière de pouvoir l'accomplir. Vous êtes secrétaire de direction mais votre vrai Travail est de diriger la chorale de l'église. Vous êtes comptable, mais votre vrai Travail est d'élever vos enfants. Vous êtes agent immobilier, mais votre vrai Travail est de savoir encourager vos amis pour qu'ils donnent le meilleur d'eux-mêmes.

Faites savoir aux autres quel est votre vrai Travail. Lorsque vous rencontrez quelqu'un pour la première fois et qu'il vous demande « Que faites-vous dans la vie ? », dites la vérité : « Je travaille à être bon pour moi-même et pour les autres, et sinon, ma profession est coiffeur. » Ou : « Mon vrai Travail est d'être une mère pour mes enfants, et pour gagner ma vie, je suis conseiller financier. »

> Les moments vrais surviennent lorsque vous faites le Travail pour lequel vous êtes destiné.

Si le premier stade est de déterminer quel est ce Travail, le deuxième stade est d'apprendre à accomplir ce vrai Travail tous les jours. Plus vous donnez d'occasions, à votre vrai Travail, de s'inclure à votre vie quotidienne, et plus vous allez connaître de moments vrais. Admettons que vous soyez professeur et qu'à un moment de la journée, vous soyez allé(e) vers un enfant qui visiblement avait un problème personnel. Vous l'avez écouté, compris, le lui avez montré et partagé ses émotions. Soudain, votre journée a eu un sens, non parce que vous êtes allé(e) travailler, mais parce que vous avez mis en pratique votre vraie vocation en accomplissant votre travail. Ou peut-être travaillez-vous dans une grosse usine et avez-vous pris dix minutes sur votre temps de travail pour aller voir le directeur et essayer de le convaincre d'engager un de vos amis qui n'a pas réussi à trouver un emploi et traverse de grosses difficultés pour nourrir sa famille. Vous avez le sourire aux lèvres en rentrant le soir chez vous. Vous avez accompli votre Travail sur votre lieu de travail. Vous éprouvez un sentiment de plénitude.

Si vous êtes en relation avec les autres dans le cadre de votre métier, vous serez toujours en mesure de vivre au moins un ou deux moments vrais dans la journée. Chaque fois que vous allez au-delà des relations habituelles superficielles avec les autres, et communiquez au niveau du cœur, vous avez l'occasion de vivre un moment vrai.

Chaque fois que vous échangez de l'amour,
vous contribuez à votre vocation.

Voici quelque chose qui va vous aider à vivre davantage de moments vrais au cours de votre journée de travail. Dressez la liste des activités, comportements et attitudes que vous pouvez inclure à votre journée de travail, à l'extérieur ou à la maison, et qui vous aide à vivre selon votre vocation. Ainsi, chaque fois que vous ressentirez le besoin d'un moment vrai, vous pourrez sortir votre liste et déciderez de mettre l'un des points en pratique, et de donner un sens profond au moment que vous allez vivre.

Je vous conseille de faire plusieurs copies de cette liste « aide-mémoire », et d'en mettre une dans votre sac, une sur votre bureau, une sur le réfrigérateur, etc., afin de pouvoir la relire souvent. Voici quelques-uns des éléments de ma

propre liste. Certains vous donneront peut-être des idées pour constituer la vôtre.
— Partager un moment d'amour avec quelqu'un.
— Apprécier ce qu'il y a de beau dans mon environnement.
— Apprendre quelque chose de nouveau.
— Trouver l'occasion de valoriser quelqu'un à ses propres yeux.
— Jouer avec le chien.
— Observer pendant quelques minutes la croissance des fleurs au jardin.
— M'allonger dans le hamac et laisser la brise me caresser le corps au travers de ses mailles.
— M'arrêter et prendre le temps de considérer pourquoi je suis ici et ce que je fais.

Si votre travail n'est pas bon pour vous

Ce que vous faites concrètement n'est pas aussi important que votre manière de le faire. Si vous y mettez tout votre soin et le faites avec satisfaction, c'est donc une bonne façon de gagner votre vie. Votre « gagne-pain » n'est pas forcément une activité qui vous permette d'exprimer totalement votre vrai Travail ou votre vocation, mais il ne doit pas vous porter à contre-courant.

Si votre métier vous oblige à des compromis avec vos propres valeurs, à cacher votre vraie personnalité, ou à participer à des actes qui

remettent en cause votre intégrité, alors, huit
heures par jour, ce métier contribue à faire
mourir votre esprit.

Vous ne pouvez pas compartimenter les différentes parties de votre vie. Vous ne pouvez pratiquer un métier qui est toxique pour votre bien-être sans affecter vos relations avec les autres, votre santé et la paix de votre esprit. Si votre travail vous entraîne trop loin de vos objectifs de vie, il vous est difficile de retrouver le bon chemin après une journée de travail, et après des années d'une vie ainsi dissociée, peut-être ne vous rappellerez-vous même plus quels étaient ces objectifs.

En écrivant cela, je repense à une femme que je connais et qui travaille pour l'industrie du spectacle à Los Angeles, et plus précisément pour une personnalité très connue. Son travail est excitant, éblouissant, et elle gagne beaucoup d'argent. Il n'y a qu'un problème : son patron la traite n'importe comment. Il est grossier, abusif, immature et inconsidéré. Chaque fois que mon amie m'appelle ou que nous déjeunons ensemble, la conversation revient toujours sur les deux mêmes sujets : la haine de son travail et sa frustration de ne pas rencontrer un garçon gentil et de se marier avec lui.

Voilà des années que je l'entends se plaindre sur ces deux aspects de sa vie. Finalement, la semaine dernière, n'y tenant plus, je lui ai dit : « T'es-tu jamais demandé si le fait de ne pas trouver de garçon gentil avec qui te marier n'était pas lié au fait de rester dans cette relation professionnelle abusive ? »

« Je n'aime pas entendre ce que tu es en train de me dire, mais continue », m'a-t-elle répondu le visage grimaçant.

« Très bien. Même si tu considères ton travail uniquement comme un gagne-pain, ce que tu vis huit heures par jour, depuis plusieurs années, affecte l'estime que tu te portes à toi-même et ce que tu attends du reste de ta vie. Je ne vois pas comment tu pourrais avoir une relation amoureuse douce et câline avec quelqu'un pendant que tu vis cette relation malsaine au travail. »

« Mais c'est une place en or... », a-t-elle répliqué.

« Même s'il rapporte des mille et des cents chaque mois », lui ai-je rappelé, « aucun boulot n'est "une place en or" s'il n'est pas bon pour toi. »

Si votre emploi n'est pas bon pour vous, trouvez-en un autre. A terme, il vous en coûtera beaucoup plus de rester dans une situation où vous êtes coupé de vous-même et de votre intégrité que ce que vous allez temporairement perdre en quittant cette place.

●

« Je pense qu'il y a une scission en chacun de nous. Nous abritons en nous-mêmes au moins deux personnalités en conflit l'une avec l'autre. L'une des deux veut se retirer à la campagne et faire pousser de fabuleuses tomates, et l'autre veut se tenir sur un piédestal, être admirée et se gonfler, se gonfler et se gonfler jusqu'à ce qu'elle explose. »

Bette MIDLER

Si vous confondez votre emploi et votre vocation en prenant votre travail trop au sérieux, vous pouvez vous trouver dans un état de grande confusion. Vous allez travailler trop dur et avoir du mal à refuser toute tâche supplémentaire. Et dès que vous commencez à croire que votre emploi est plus important que celui de quelqu'un d'autre, ou que vous êtes le seul à pouvoir le faire, ou encore que le monde va s'arrêter de tourner sans votre inestimable contribution, c'est qu'il est temps de vous retirer pour faire pousser des tomates, ou au moins de prendre de très longues vacances et de n'en revenir qu'après avoir remis à leur juste place les raisons de votre présence sur cette Terre.

Prendre votre travail trop au sérieux peut signifier deux choses : soit vous ignorez que vous avez une vocation autre que votre travail, soit vous l'avez temporairement oublié. En faisant l'amalgame entre votre emploi et votre Travail, vous ne pourrez prendre de plaisir dans le cadre de votre vie professionnelle car vous donnerez une importance exagérée au moindre événement de la journée. Je ne dis pas que vous devez traiter votre travail par-dessus la jambe, bien sûr, ni même sans donner le maximum de vos aptitudes. La seule chose est de ne pas perdre votre identité tout en l'accomplissant.

Si vous arrivez à vendre vingt-cinq maisons ce mois-ci, ou à signer trois affaires importantes, ou à souffler un gros contrat au nez de quelqu'un d'autre, ou à bien organiser votre temps entre les enfants et les corvées, cela ne veut pas dire que vous soyez mieux que qui que ce soit, ou plus méritant au fond de vous-même, que si vous n'aviez rien vendu du tout, perdu un contrat ou n'arriviez plus à exercer le contrôle sur vos enfants. Sachant cela, peut-être pouvez-vous être un peu plus tolérant envers vous-même et envers ceux avec qui vous travaillez, lorsque les choses ne se passent pas aussi bien que vous le souhaiteriez.

Comment je me suis perdue en chemin

C'est ma douloureuse expérience qui m'a fait comprendre cela. Pendant de nombreuses années, j'ai fait l'amalgame entre mon travail de guide spirituel et émotionnel, et ma vraie vocation, et cela m'a causé beaucoup d'anxiété inutile et de désagrément. Toutefois, je comprends comment j'ai pu faire une telle confusion : **certains d'entre nous sont dotés d'un travail qui ressemble étrangement à une vocation**. Les professionnels de la santé, les professeurs, les prêtres, les politiciens, les gourous, les poètes, les orateurs, les acteurs… nous sommes tous tentés de croire que nous faisons partie d'un noyau de privilégiés dont l'emploi et la vocation ne font qu'un. Aucune source d'intérêt autre pendant le week-end. Nous vivons notre vocation à travers notre travail. Comme nous avons de la chance d'avoir ainsi été choisis pour devenir des personnalités aussi importantes ! Que ferait le monde sans nous ?!!!

Quand j'ai commencé à enseigner, je croyais au fond de mon cœur, en toute sincérité, que mon emploi et ma vocation étaient d'aider le plus de gens possible à sortir de leurs troubles émotionnels et à introduire plus d'amour dans leur vie. J'ai vu beaucoup de souffrance autour de moi, et je voulais utiliser mes capacités et mes dons d'atténuer toute cette souffrance, et de faire changer le monde.

Ce que je ne voyais pas, c'est qu'en croyant que ma vocation était d'aider les autres et en pratiquant un métier où je puisse le faire, je m'exposais moi-même à beaucoup de souffrance et de tourments spirituels. Par exemple, et si je n'arrivais pas à aider quelqu'un, cela remettrait-il en cause mes qualités pour exercer ma vocation ? Et si quelqu'un ne voulait pas de mon aide ? Cela voudrait-il dire que cette personne n'a pas de vocation? Et si, en arrivant à la fin de ma vie, je n'avais pas aidé assez de gens (quelle limite donner au mot « assez » ?) ? Est-ce à dire que j'aurais échoué dans l'accomplissement de ma vocation ? Que j'aurais échoué aux yeux de Dieu ?

Et c'est ainsi que je suis devenue une « prophète de l'amour » exagérément zélée. Je ne voulais pas seulement que les gens grandissent, **ils devaient le faire!** Et si je voyais qu'ils me résistaient, je me sentais profondément frustrée. Ne voyaient-ils pas le cadeau que je leur offrais ? Comment pouvaient-ils refuser ainsi l'occasion de découvrir leur propre liberté ? Et quand je sentais que les gens n'évoluaient pas assez vite ou n'arrivaient pas à se dégager de leur résistance, je me sentais rongée par l'impatience. Qu'est-ce qui leur prenait tellement de temps ? Ne réalisaient-ils pas que le destin du monde reposait sur leur propre prise de conscience ? Pourquoi ne pouvaient-ils pas être aussi rapides que moi ?

Naturellement, j'ai rarement confié ces émotions, mais je savais que mes interlocuteurs le sentaient. Certains d'entre eux craignaient parfois que, quoi qu'ils fassent comme travail sur eux-mêmes, je ne serais jamais satisfaite, car ce ne serait jamais assez. Quand j'entendais cela, je recevais un choc. Qu'est-ce qui leur faisait penser cela ? Je les aimais tous et me réjouissais de les voir évoluer. Comment pouvaient-ils dire qu'ils se sentaient jugés ? Ce que je ne voyais pas et que mes interlocuteurs ne pouvaient comprendre, c'est que mon But dans la vie étant de sauver le monde, j'interprétais tout signe d'échec non pas personnellement, mais comme une semonce divine.

Et bien sûr, quand on vit dans un monde qui a besoin d'être « sauvé », on n'a plus une minute à soi, et c'est ainsi que je suis devenue une acharnée du travail. Comment aurais-je pu prendre de longues vacances sachant que tant de personnes étaient dans le désarroi ? Comment aurais-je pu annuler un rendez-vous sachant qu'il y aurait peut-être un divorce à la clé, du fait de mon absence ? Après tout, c'était bien pour aider les autres que j'étais sur cette Terre, pas pour aller prendre du bon temps pendant que d'autres étaient en train de souffrir. Je travaillais donc sans cesse, travaillais, travaillais, et comme j'étais beaucoup remerciée et gratifiée pour ce que je faisais, je considérais cela comme un signe m'indiquant de poursuivre mon action.

Au début, je remplissais ma mission avec tant d'intensité que je n'arrivais même pas à me réjouir du travail que je faisais. J'étais trop tendue pour avoir du bon temps. Cela aurait dû m'avertir que quelque chose ne tournait pas rond, mais à l'époque, je n'en savais pas encore assez pour interpréter ce signe correctement. La raison pour laquelle je n'étais pas heureuse, pensais-je, était que je n'avais pas encore aidé assez de gens.

Quand je repense à cette période, je me rends compte, maintenant, que je prenais beaucoup trop à cœur les réactions de mes interlocuteurs et mon travail en général. J'étais agacée quand mes assistants n'avaient pas pensé à mettre de la craie au tableau noir, avant une réunion. J'émettais un jugement critique lorsqu'un employé n'arrivait pas, finalement, à tenir ses délais. J'étais énervée quand un de mes « patients » ne suivait pas mes conseils. Quand je repense à tout cela, je suis rongée par le remords, même si je comprends maintenant les raisons de ce comportement déplaisant. Je n'arrivais pas à comprendre pourquoi, alors que j'accomplissais pour ma part une tâche de la première importance, à savoir sauver le monde, les gens autour de moi ne prenaient pas les choses aussi au sérieux.

Heureusement, je me suis bien calmée après les sept premières années de cette phase de ma carrière, et j'ai réussi à faire passer mon message d'une manière douce et aimante.

Mais au fond de moi, je sentais toujours une grande agitation, et comme je l'ai écrit dans le premier chapitre, en dépit de mes réussites et de ma « chance », je n'étais toujours pas heureuse. C'est alors que j'ai su qu'il était temps pour moi de me remettre à étudier et de trouver moi-même un guide qui m'aiderait à comprendre pourquoi je n'étais pas épanouie, alors que je vivais en fonction de ma vocation.

Accrochée au bout d'une corde...

Je n'aurais jamais pensé avoir une prise de conscience aussi soudaine, qui change aussi radicalement ma vie, accrochée au bout d'une corde, sur un mur de vingt mètres de haut, mais c'est pourtant ce qui est arrivé. Voici comment cela s'est passé.

Mon mari, Jeffrey, est chiropracteur. Il y a quelques années, il m'a parlé d'un confrère renommé dont il venait de faire la connaissance. Il s'agissait du docteur Guy Riekeman, et il voyageait dans le monde entier pour apprendre aux autres à découvrir leur vocation et à l'intégrer dans leur vie. « Il faut que tu rencontres cet homme », me disait Jeffrey sans cesse. « Je veux participer avec toi à l'un de ses stages. »

Ces stages consistent en une série d'activités physiques confrontant les participants avec eux-mêmes, telles que sauter du haut d'un poteau télégraphique, marcher sur des câbles à quinze mètres du sol ou grimper le long d'un mur dans lequel ont été creusées de petites excavations pour les pieds et les mains. Pour la sécurité des participants, chacun est accroché à une corde de rappel comme celles utilisées en escalade. Le but de ces stages n'est pas d'accomplir un exploit physique, mais d'affronter les « murs » psychologiques et spirituels qui se dressent tout autour de nous, et de triompher des limites qu'ils imposent.

J'ai toujours eu beaucoup de courage, dans ma vie, pour affronter les épreuves émotionnelles, mais très peu en matière d'épreuves physiques. Je frissonnais donc à l'idée de grimper sur un poteau télégraphique et de me jeter dans le vide, au bout de ma corde, en espérant que ceux d'en-bas la tireraient au bon moment. Mais j'avais une telle peur en pensant à tout cela que je savais devoir conjurer cette peur en participant à l'un des stages. Par ailleurs, j'étais constamment à l'affût de nouvelles brèches, et c'était là, pour moi, l'occasion d'en trouver.

●

Ce jour-là, au début de notre stage, il neigeait sur les montagnes du Colorado. Nous étions conduits par Guy. En enfilant mon casque de sécurité et ma veste garnie d'anneaux pour faire passer les câbles, j'avais atrocement peur. Je ne pensais pas être capable de grimper à mi-hauteur du poteau, et d'en sauter de moi-même. Aussi quand j'ai réussi à sauter du haut et à marcher sur un câble, haut perché, en donnant la main à Jeffrey, j'éprouvais un sentiment de fierté indescriptible. Et, à mesure que la journée avançait, comme j'arrivais finalement à pratiquer tous les exercices, je me disais que je me débrouillais fort bien, mais c'était avant l'épreuve du mur…

Imaginez un mur de vingt mètres de haut, dressé tout droit, perpendiculairement par rapport au sol, totalement plat à part quelques excavations creusées dans la roche et quelques picots de ciment en saillie, pour nous aider dans notre escalade. Nous étions arrimés trois par trois à une corde, avec environ deux mètres de corde nous séparant les uns des autres. L'idée était bien sûr d'arriver au sommet de la paroi rocheuse, et naturellement, ou bien nous y arrivions tous, ou aucun des trois n'y arrivait, puisque nous étions encordés. Je me souviens qu'en assistant au départ de la première équipe, j'étais gelée, recroquevillée dans mon anorak par la peur et le froid. Quand finalement ils sont arrivés en haut, nous savions que l'épreuve était difficile, plus difficile que toutes les épreuves proposées jusqu'alors. Guy m'a arrimée à deux autres participants, moi au milieu, et notre ascension a commencé. C'était difficile dès le début car les picots étaient éloignés les uns des autres, et après avoir gravi péniblement mon premier mètre, j'étais déjà à bout de souffle. Nous étions à plus de trois mille mètres d'altitude, et l'air était plus rare et glacé. Du coin de l'œil, j'ai vu que mes deux coéquipiers étaient beaucoup plus haut que moi, au maximum de hauteur que leur permettait leur corde. Dans le quart d'heure qui a suivi, j'ai bataillé plus que je ne l'avais fait dans toute ma vie, tout cela pour gagner cinq mètres.

Mais je me trouvais alors en très mauvaise posture. Je n'arrivais pas à contrôler les tremblements dont tout mon corps était saisi. J'avais des crampes aux jambes. J'avais tellement froid aux mains que je ne sentais plus le bout de mes doigts. Et j'avais encore quatorze mètres à gravir… Mes deux coéquipiers avaient dû attendre patiemment que je les rejoigne. Je cherchais désespérément une prise à laquelle m'agripper, mais elles semblaient toutes trop éloignées. J'ai alors rassemblé toute mon énergie pour atteindre la prise la plus proche, mais je tremblais de tous mes membres, tenue heureusement par mes partenaires qui tendaient la corde.

Tout le groupe m'encourageait chaleureusement pendant

mon effort, et particulièrement en ce moment de grande difficulté pour moi : « Vas-y Barbara », me criaient-ils d'en-bas. « Tu peux le faire. Ne t'arrête pas maintenant. Mets ton pied dans le trou suivant. » Mais plus ils m'encourageaient, plus je me sentais mal. J'ai essayé plusieurs fois de me hisser péniblement jusqu'au trou suivant, mais sans succès. Je retombais chaque fois.

Je me suis alors mise à pleurer. « Je ne peux pas aller plus loin », ai-je gémi. « Je n'ai pas la force. Je suis désolée. Je sais que j'empêche mes deux partenaires de réussir l'épreuve. » Mes paroles n'ont fait que redoubler les encouragements de tout le monde. Et mes larmes, elles aussi, ont redoublé. Ne pouvaient-ils pas voir que je ne pouvais aller plus loin ? Pourquoi ne comprenaient-ils pas que cette épreuve était trop dure pour moi ?

Puis j'ai entendu la voix de Jeffrey. « Je sais que tu peux le faire, ma chérie. N'abandonne pas. Ne te laisse pas vaincre par ta peur ! Concentre-toi et trouve la force qui est en toi. Tu peux aller plus haut. »

« Non, je ne peux pas ! », lui ai-je crié d'une voix lamentable. « Je veux redescendre ! »

« Si, tu peux », a-t-il insisté, soutenu dans ses encouragements par les autres membres du groupe. « Tu peux le faire ! »

Je me suis alors mise à sangloter d'une manière hystérique car je savais que Jeffrey avait tort. Je réalisais, peut-être pour la première fois de ma vie, que même en essayant de toutes mes forces, même en me poussant de tout mon être, même si je voulais intensément réussir, je ne pouvais aller plus loin. Impossible, pour moi, d'y arriver. Je ne pouvais même plus bouger un seul muscle. J'étais complètement paralysée. J'étais accrochée à la paroi, écrasée par un sentiment d'échec tel que je n'avais jamais connu jusqu'alors. J'avais laissé tomber mes partenaires et les avais empêchés de surmonter cette épreuve. J'avais aussi laissé tomber Jeffrey. Et par-dessus tout, je m'étais laissée tomber moi-même.

Comment j'ai appris à arrêter de pousser les autres, et me suis mise à les aimer

Ce moment d'échec, accrochée sur cette paroi rocheuse, mes poumons criant de douleur, mon corps crispé et gelé, mon cœur brisé, m'a semblé une éternité. Enfin, j'ai entendu la voix de Guy dire : « Je crois qu'elle est au bout de ses limites. Faisons-la descendre. »

J'ai du mal à me souvenir de la descente, tant j'étais mal. Mais je me souviens qu'en touchant le sol, je me suis effondrée dans la neige, pleurant à chaudes larmes. Jeffrey est venu vers moi et m'a prise dans ses bras.

« Je suis là, mon petit cœur, je ne t'abandonnerai pas. »

Tout ce que je pouvais bredouiller à travers mes larmes était : « Je m'excuse. Oh, je suis tellement désolée. Je n'y arrivais pas. Excusez-moi, tous. Je suis désolée… »

« Chhhhut, tu t'es très bien débrouillée », m'a dit Jeffrey pour me réconforter. « Je suis très fier de toi, ne serait-ce que parce que tu as déjà eu le courage d'essayer. J'ai vu comme tu t'es forcée pour réussir. Tu n'as pas à t'excuser. »

« Je me sens si mal », ai-je sangloté. « Je voulais tellement ne pas te décevoir. Je voulais tellement que tu sois fier de moi. Mais je n'ai pas réussi. Je n'aurais pas pu faire un centimètre supplémentaire. Et en plus, j'ai fait échouer les deux autres. »

Jeffrey m'a regardée avec tendresse et compassion, et il m'a dit très doucement : « C'est souvent ce que ressentent les personnes de ton entourage, à ton contact. »

A ces mots, j'ai eu l'impression qu'un voile se levait devant mes yeux. A cet instant, j'ai saisi la vérité à mon sujet, aussi bien en tant que professeur qu'en tant que personne, j'ai réalisé le malentendu quant à ma vocation. Jeffrey avait raison. Les personnes de mon entourage ressentaient la même chose à mon contact : aussi vite qu'elles puissent aller, je pouvais aller plus vite qu'elles ; même si elles essayaient de toutes leurs forces d'y arriver, je les poussais à essayer encore plus fort ; elles voulaient me ralentir car elles n'arrivaient pas à se mettre à mon pas.

Cet après-midi-là, j'avais ressenti de toute mon âme ce que ressentaient mes élèves, mes amis, mes proches, mes amants, qui, tellement souvent, et de façons tellement différentes, me criaient les mots que j'avais moi-même crié au reste du groupe : « Je ne peux pas aller plus loin. Je ne peux pas aller plus vite. » Et toutes ces voix qui, d'en bas, s'étaient élevées pour m'encourager, toutes bien intentionnées malgré leur ignorance de mon état de souffrance, résonnaient en moi comme l'écho de ma propre voix dont je me servais pour motiver les autres, les pousser et les implorer d'aller plus vite. Et recroquevillée sur moi-même au pied de la paroi rocheuse, la vérité m'est apparue :

… Les personnes autour de moi avaient toujours été aussi vite qu'elles le pouvaient et ce qu'elles attendaient de moi était exactement ce que j'attendais, ce jour-là, du groupe et de Jeffrey, non pas un jugement, non pas de la déception, mais de l'amour.

… J'avais besoin de l'amour de Jeffrey, même si j'étais incapable d'escalader jusqu'en haut la paroi rocheuse.

… J'avais besoin de savoir que, quel que soit le point où j'arrive, ce serait suffisant.

… J'avais besoin de savoir que ce n'était pas l'atteinte de la destination qui faisait de mon escalade un succès, mais l'acte d'escalader en lui-même.

J'en ai appris plus sur ma fonction de professeur, cet après-midi-là, pendue au bout de ma corde, que pendant toutes les années passées à donner des séminaires. J'ai appris qu'un professeur respectait l'épreuve à franchir, et surtout la démarche des candidats à l'épreuve. Un guide doit savoir quand il faut encourager le grimpeur à poursuivre son ascension, et quand il faut lui dire de redescendre. Il doit savoir qu'au bout du compte, il n'y a pas de haut ni de bas, de rapidité ni de lenteur, de meilleur ou de pire, il n'y a que l'épreuve elle-même, et ce que l'escalade vous apprend.

Je serai éternellement reconnaissante à Guy Riekeman de m'avoir permis de découvrir cette vérité aussi cruciale, et à Jeffrey de m'avoir confrontée à cette vérité d'une manière aussi sage et aussi aimante, à un moment où j'étais enfin prête à l'entendre.

Le désir de sauver le monde : en faire un « hobby »

Affronter ainsi mes incompréhensions m'a profondément changée. Après cette expérience dans le Colorado, j'ai modifié ma façon d'enseigner : je l'ai fait avec un degré d'amour et de compassion que je n'avais jamais atteint jusqu'alors. Et j'étais plus heureuse que je ne l'avais jamais été jusqu'alors. Mais je savais que ma re-naissance n'était pas terminée. Je me sentais toujours obligée de travailler sept jours par semaine et de surcharger mon emploi du temps car je sentais toujours en moi le besoin de « sauver le monde ».

C'est alors que j'ai commencé à écrire ce livre. Je savais, en choisissant le sujet du livre, que l'écrire m'obligerait à me sonder moi-même, comme seule l'écriture peut le faire. Pour moi, écrire un livre est comme un séminaire qui durerait douze mois. Chaque jour, chaque nuit, chaque moment d'éveil pendant toute une année, je réfléchis, je parle et j'écris sur le sujet, en l'occurrence, les moments vrais et la recherche du sens à donner à sa vie.

Chaque jour, donc, en écrivant ceci pour vous, je relisais les pages déjà écrites et me penchais sur moi-même. Je me demandais si j'étais heureuse, si je me détournais des moments vrais et quelle était ma vraie vocation.

Lentement, mais d'une manière très forte, j'ai commencé à comprendre. Avec la personnalité intense et passionnée dont je suis dotée, tant que je croirais que ma vocation sur cette Terre, ou même mon gagne-pain, est de sauver le monde, je ne pourrais vivre ma vie personnelle d'une manière détendue, ni me concentrer sur mon propre bonheur. J'avais toujours pris tous mes emplois très au sérieux. Mais je voyais à présent que mon emploi et ma vocation étaient deux choses différentes.

Mon emploi était d'enseigner.

Et ma vocation, mon vrai Travail, était d'apprendre à célébrer mon existence sur cette Terre, d'aimer de tout mon être les autres et moi-même. Et d'être heureuse.

Quant à sauver le monde, comme me l'a suggéré un de mes amis, je n'avais qu'à en faire un « hobby » ! Mais ma toute première responsabilité était de me sauver moi-même et de vivre le plus de moments vrais possible.

Cette nouvelle compréhension m'a fait un cadeau inestimable : la liberté. Je pouvais exercer mon emploi, qui est d'enseigner, pendant mes heures effectives de travail, mais pas vingt-quatre heures par jour. Quant à mes contributions pour aider les autres, mes moments de grande lucidité, ils deviendraient maintenant des actes d'amour et des moments de joie, plutôt que des fardeaux à plein-temps et des obligations dictées « d'en haut ». Je m'étais enfin donnée à moi-même la permission d'être heureuse.

●

J'ai conscience que la plupart des gens ne vivent pas leur vie avec la même vélocité émotionnelle que moi. Je suis également certaine qu'une partie de ma vocation est de faire partager mon histoire aux autres. Les enseignants ont souvent recours aux métaphores pour faire passer leur message, et sur de nombreux points, ma vie s'est toujours construite telle une métaphore vivante m'aidant à guider les autres dans leur cheminement vers l'amour et la plénitude.

Peut-être ne vous sentez-vous pas chargé des mêmes responsabilités spirituelles que moi, mais vous menez vos propres luttes qui interfèrent dans votre bonheur et sont tout aussi réelles, les luttes entre vos obligations envers votre entreprise, votre famille et tout ce qui est important pour vous, et votre propre besoin de temps, de joie et de paix. Et même si vous n'avez jamais été bloqué sur une paroi rocheuse de vingt mètres de haut, incapable de monter plus haut et terrorisé à l'idée de redescendre, je sais que vous avez affronté vos propres murs de peur et de désillusion. Peut-être, en ce moment, êtes-vous face à l'un d'eux.

Puissent ces histoires vous réconforter dans votre recherche du sens à donner à votre vie. Puissent-elles vous rappeler que vous n'êtes pas seul. Puissent-elles vous donner le courage de reconsidérer votre emploi, de découvrir votre vrai Travail, et de connaître davantage de moments vrais dans les deux domaines. Peut-être allez-vous prendre conscience du fait que vous voulez vendre votre affaire actuelle et vous installer à la campagne, chercher du travail dans une entreprise plus saine que la vôtre, ou reprendre vos études pour changer de métier. Ou peut-être les ajustements que vous allez devoir faire dans votre vie pour être plus heureux sont-ils, comme pour moi, des ajustements au niveau de votre pensée plutôt que de vos actes.

●

Votre Travail, à terme, est de susciter en vous davantage de moments vrais en faisant chaque jour des choses toutes simples :

— Louer la présence du soleil.
— Respirer profondément.
— Vous émerveiller du miracle de votre corps.
— Faire sourire quelqu'un.
— Gratter le ventre de votre chien.
— Voir l'âme de quelqu'un derrière son regard.
— Apprécier chaque jour un miracle.
— Remercier la terre de la nourriture qu'elle vous offre.
— Saluer le vol d'un oiseau.
— Dire à quelqu'un que vous l'aimez.
— Souhaiter bonne nuit à Dieu.

6

Les moments vrais dans les périodes difficiles

> « Nous nous tournons parfois vers Dieu
> Lorsque nous sentons faillir nos assises,
> Et nous découvrons que c'est Dieu lui-même
> Qui ébranle notre édifice. »
>
> ANONYME

Certaines périodes dans la vie sont si douces que vivre sur cette Terre nous semble être un don du Ciel, un privilège. Par exemple, voir pour la première fois le bébé que vous venez de mettre au monde, être lové dans les bras de celui ou celle que vous aimez, tôt le matin, pendant que la pluie frappe au carreau de la fenêtre, remarquer les premiers signes du printemps, quand l'air est rempli de promesses et que tout semble possible. A certaines périodes de la vie, tout semble avoir un sens, les choses se passent comme vous l'aviez prévu, il est facile de croire en une magnifique Intelligence venue d'en-haut, car qui d'autre que Dieu aurait ainsi pu créer un monde aussi foisonnant de miracles.

Et puis il y a les périodes difficiles, lorsque vous perdez

quelque chose qui vous a demandé énormément de travail, ou quelqu'un que vous aimez, des périodes où votre foi en ce qui est bien est remise en question, des périodes où vous ne voulez rien d'autre que chasser la souffrance qui est en vous. Alors, rien n'a de sens, rien ne vaut la peine, et il est difficile de croire en quoi que ce soit.

Si vous avez l'âge de lire ce livre, c'est que vous avez déjà forcément traversé des périodes difficiles dans votre vie. Peut-être même en traversez-vous une actuellement. Une chose est sûre : **tant que nous vivrons, nous traverserons des crises et devrons vaincre l'adversité, et nos joies surviendront parallèlement à nos peines.**

La vie, sur notre planète, est en mouvement perpétuel. En fait, vous êtes vivant car vous êtes constamment en train de changer. Le changement est toujours une alternance de mort et de re-naissance. En ce moment même, des cellules meurent et renaissent dans chacun des organes et chacun des muscles de votre corps. Quand le corps cesse de changer et de se régénérer, il cesse d'exister. Cela s'appelle la Mort.

Ce cycle perpétuel de la destruction précédant la création est omniprésent dans votre univers physique. Sur l'arbre, la fleur doit mourir pour que le fruit puisse pousser. La graine doit mourir pour que la plante puisse germer, et le blé doit mourir pour devenir du pain. Comme le disait très justement Joseph Campbell : « On ne peut pas faire d'omelette sans casser des œufs. »

> **C**e qui a eu lieu doit changer de forme avant
> de pouvoir renaître, et la forme initiale,
> par ce processus, doit être mise à l'écart.

Il est facile de jouer les philosophes et même d'accepter l'idée de changement quand on parle d'une fleur ou d'une graine, mais ça l'est beaucoup moins en parlant de soi-même car l'enjeu est tout autre. **Tous les êtres humains adorent ce qui leur est familier.** Nous nous accrochons à nos habitudes, à nos rituels quotidiens, notre fauteuil préféré, notre place de parking, notre côté du lit, pour essayer de nous raccrocher à quelque chose de tangible et avoir l'impression de contrôler cet univers dont nous savons secrètement qu'il est totalement imprévisible. C'est pourquoi nous avons peur du changement. Il nous dérobe la sécurité à laquelle nous sommes habitués et nous plonge dans un océan d'émotions nouvelles.

Tout notre dilemme est là. Tant que la Terre continue à tourner, le changement survient. Et il survient toujours sous la forme d'une perte. Nous perdons notre jeunesse, nos cheveux, nos mensurations, nous perdons nos emplois, nos rêves ou notre énergie. La perte vient aussi des enfants qui grandissent, lorsque nous perdons leur amour innocent et inconditionnel, lorsque nous devons vivre séparés de ceux avec qui nous étions si proches, lorsque la mort emporte nos grands-parents puis nos parents loin de nous, et lorsque soudain nous sommes les plus âgés de la famille. La perte vient de nos amis et de nos amours lorsqu'ils disparaissent et nous laissent seuls, à l'agonie. Lorsque nous prenons de l'âge et ne sommes plus au cœur actif et palpitant de la vie, mais nous tenons sur ses berges, plus douces et plus tranquilles. La perte vient enfin lorsque nous quittons notre enveloppe corporelle pour rejoindre le royaume de l'esprit.

La vie est une suite d'adieux douloureux, et les adieux ne sont jamais faciles. Mais l'autre face de l'Adieu est le Bonjour. D'un côté on doit renoncer à l'ancien mais de l'autre on accueille le nouveau.

Le voyage entre ce que vous étiez et ce que vous êtes en train de devenir est, à proprement parler, la danse de la vie.

Les périodes difficiles sont généralement celles où se produisent le plus de changements. Ce ne sont des périodes ni agréables, ni joyeuses, ni confortables, mais elles recèlent de nombreuses occasions d'éveil à saisir. Et elles foisonnent aussi de moments vrais.

Les périodes difficiles mettent à votre disposition davantage de moments vrais car elles ouvrent les portes de votre monde intérieur, celles que vous gardez d'habitude jalousement fermées. Quand vous êtes confronté à une période de crise ou à un traumatisme, la douleur est si forte que vos filtres habituels vous permettant d'étouffer vos émotions ne fonctionnent pas. Il est impossible de vous extraire de ce qui se passe au fond de vous. Vous êtes obligé de **tout** ressentir. Et c'est précisément en ressentant aussi totalement tout ce qui vous arrive que vous vivez des moments vrais.

Repensez à une période douloureuse de votre existence. C'était peut-être lors de votre divorce, ou lorsque vous avez été très malade, ou encore lorsqu'un de vos proches a eu de graves ennuis. Si vous ressemblez à la plupart des gens, vous pouvez vous souvenir de cette période difficile en vous disant : « Même si cet événement m'a fait très mal (le divorce, la maladie, la tragédie, l'accident), c'est l'une des meilleures choses qu'il me soit jamais arrivé. » De là où vous vous situez maintenant, vous pouvez voir l'aspect positif issu du problème lui-même. Vous avez appris les choses qu'il vous fallait apprendre.

Les crises vous obligent à prêter attention à votre vie, à vos relations avec les autres, et à vous-même. Elles agissent comme ces puissantes lampes torches dont on peut diriger le faisceau sur quelque chose et l'éclairer d'une manière si intense, illuminant chaque détail, que vous ne pouvez rien voir d'autre. Et c'est dans ces moments très forts de réflexion sur soi-même et de révélation personnelle que surviennent les moments vrais.

•

« Chaque crise ouvre la voie à une nouvelle naissance. »

Nena O'NEILL

Chaque jour, l'aube naît du giron de la nuit. Du giron de l'adversité, vous émergez doté d'une nouvelle sagesse et d'une nouvelle force. En cela réside le pouvoir de la difficulté. Elle vous a obligé à puiser dans vos réserves de courage, d'espoir et d'amour, des réserves que vous n'étiez même pas conscient de posséder.

La douleur vous aide à vous déployer, à découvrir les trésors cachés de votre monde intérieur spirituel, une richesse dont vous ne saviez pas qu'elle existait en vous.

Dan Millman, qui a écrit plusieurs livres merveilleux sur ce qu'il appelle « la guerre de la paix », a écrit quelque chose de très vrai sur les périodes difficiles : « Les tragédies servent d'ascenseur à l'Esprit. » N'ayant nulle part ailleurs où nous tourner, nous nous tournons à l'intérieur de nous-mêmes et trouvons de nouvelles connexions avec une source de clarté et de confort qui est en nous. Aurions-nous découvert ce royaume caché en nous en d'autres circonstances ? Peut-être. Mais notre douleur et notre désespoir ont accéléré le processus. J'ai souvent discuté avec des amis traversant une mauvaise période, et tous évoquent une expérience similaire. Même s'ils avaient en horreur les circonstances terribles dans lesquelles ils se trouvaient, ils ressentaient parallèlement en eux-mêmes un degré de force personnelle insoupçonné et même un sentiment de paix.

> Le courage ne s'acquiert pas en étant heureux chaque jour. Nous le forgeons en survivant aux périodes difficiles et aux enjeux de l'adversité.

La douleur nourrit le courage. Mary Tyler Moore, qui a affronté et surmonté dans sa vie de nombreuses difficultés personnelles et physiques, a exprimé la même idée d'une manière très simple : « S'il n'y avait que des choses merveilleuses qui vous arrivaient, vous n'auriez pas l'occasion de voir votre bravoure. »

Chaque fois que je réponds à l'interview d'un journaliste ou que je m'exprime devant une large audience, on me demande : « Qu'est-ce qui a contribué le plus à votre connaissance de la vie, tout en étant si jeune ? » Ma réponse est toujours la même : « L'EXPÉRIENCE DE LA DOULEUR ! » Et c'est vrai. Si je me penche sur les périodes de ma vie qui m'ont appris le plus, je constate que ce sont les périodes difficiles. En les surmontant, j'ai acquis une confiance en moi que je n'aurais jamais atteinte si j'avais mené une vie totalement heureuse.

Accepter les périodes difficiles comme des cadeaux plutôt que des punitions injustes n'est pas chose facile. Quand vous vous débattez au milieu d'une tragédie ou d'un fort chagrin d'amour, vous avez l'impression que Dieu vous a mis en quarantaine. « Je me fiche complètement de la leçon "cosmique" de tout ça ! Ce que je veux, c'est arrêter de souffrir ! » crie votre esprit à l'intérieur de vous-même. Si vous étiez incapable de repartir après une période de malheur, vous ne seriez pas humain. **Mais ne portez jamais de**

jugement sur votre façon d'endurer la souffrance. Il n'y a pas la bonne et la mauvaise façon de faire l'expérience de la difficulté. Détester les périodes difficiles ne signifie pas que vous ayez moins de foi ou soyez moins lucide. Cela signifie simplement que vous n'avez pas encore fini de déballer votre cadeau... Le miracle, c'est qu'en dépit de votre attitude face à l'adversité, en dépit de votre volonté d'en sortir ou de vous y enferrer, vous allez en sortir, et ce qui vous attend de l'autre côté, c'est une force et une sagesse nouvelles.

Chaque fois que je traverse des temps difficiles, je me remémore la phrase du gourou qui m'enseignait la méditation, il y a vingt-cinq ans de cela :

« Le vent souffle fort sur les jeunes arbres non pour leur faire du mal, mais pour apprendre à leurs jeunes racines à s'accrocher fermement au sol. »

Ma vie a été pleine de bourrasques. Et il y a des périodes où j'ai maudit le vent pour tous les désordres provoqués en moi. Mais aujourd'hui, je suis un arbre grand et fort, avec de puissantes racines. Je bénis les moments douloureux de ma vie et je remercie le vent. Son inlassable force m'a modelée telle que je suis aujourd'hui.

Apprendre à danser avec votre douleur

Un jour, j'ai entendu cette phrase : « Vous ne pouvez arrêter les vagues, mais vous pouvez apprendre à faire du surf. » Cela signifie apprendre à chevaucher les vagues, à bouger dans la direction où le courant vous entraîne. Et c'est la meilleure méthode que je connaisse pour arriver à gérer une crise ou une douleur. Il faut la vivre et s'y mouvoir de l'intérieur, plutôt qu'essayer de s'en échapper.

> Vous pouvez vivre des moments vrais, dans les périodes difficiles, si vous vous soumettez à votre douleur au lieu de lui résister.

Apprendre à bouger dans le rythme de la période difficile que vous traversez est ce que j'appelle « danser avec votre douleur ». Cela ne veut pas dire éviter les sentiments de peur et d'inconfort qui vous assaillent, mais au contraire choisir en toute conscience de les explorer. Cela implique d'aborder les sujets que précisément vous souhaiteriez enfouir dans un petit coin reculé de votre tête. Cela implique de vous laisser du temps pour vous imprégner de la tristesse du malheur.

Il y a neuf ans, juste avant Noël, l'homme que j'aimais et avec qui je vivais est parti. Il ne m'a donné aucune explication cohérente. Il a pris ses affaires et il est parti. Il m'a quittée en me laissant seule, le cœur brisé.

Pendant plusieurs jours, j'ai combattu la douleur et la terreur que je ressentais en moi. J'ai passé mon temps au téléphone, parlant à quiconque voulait bien m'écouter. Je lui écrivais lettres sur lettres, puis les déchirais et les mettais au panier. J'ai relu toutes ses lettres en espérant y trouver la raison de son départ. Chaque nuit, je m'endormais en pleurant, priant pour que la journée du lendemain soit meilleure que celle venant de s'écouler. Et chaque matin, en me réveillant, tout me revenait en mémoire et j'étais de nouveau assaillie par ma douleur.

Je ne sais pas ce qui m'a décidée à partir toute seule pour Noël. Mais j'ai su tout d'un coup que je devais partir et m'isoler, loin de mes amis, de la télévision ou de toute distraction. J'ai cherché pendant plusieurs jours le bon endroit pour ma « retraite ». Puis j'ai entendu parler d'un petit bungalow à louer, situé sur les collines de Cambria en Californie, une toute petite ville entre Los Angeles et San Francisco. Le propriétaire du bungalow m'a prévenue que l'endroit était magnifique, mais que c'était plutôt rustique au niveau du confort, pas de chauffage, pas d'électricité, juste une cabane en bois avec une grande fenêtre donnant sur des bosquets. « L'endroit idéal quand on recherche la solitude », a-t-il ajouté. Et c'était exactement ce que je voulais. J'avais besoin d'être seule avec mon chagrin.

J'ai préparé mes affaires et j'ai pris la route. Pendant quatre jours, je n'ai parlé à personne. J'ai noirci des pages et des pages de mon carnet, j'ai médité, je me suis promenée dans les bois, et le soir, j'étais assise dans un fauteuil, à la lueur de la bougie, dans le silence de la nuit. J'ai cessé de résister à ce qui m'arrivait, et au lieu de cela, je me suis abandonnée complètement à ma douleur et à ce que j'avais perdu.

Une chose étonnante s'est alors produite : je me suis sentie peu à peu envahie par un sentiment de paix profond et réconfortant. Je me sentais à l'écoute de mon esprit, de nouveau en connexion avec le Grand Tout. Je me sentais protégée et couvée, comme si un regard d'en-haut observait mon cheminement. Et plus j'y voyais clair, mieux je relevais des vérités, au sujet de ma relation amoureuse, que je n'avais pas voulu affronter jusque-là, et je me suis plongée sans retenue dans mes réflexions. La douleur s'est mise à perdre de son intensité et je n'ai plus ressenti qu'une douleur sourde, de celles que l'on ressent lorsqu'on cicatrise après s'être blessé.

De nombreuses années se sont écoulées depuis ce fameux Noël, mais aujourd'hui encore, je considère ces quatre jours, où j'ai appris à danser avec ma peine, comme quelques-uns des moments vrais les plus significatifs et les plus précieux de toute mon existence. En me soumettant à cette période de crise et en acceptant de m'y mouvoir au lieu d'essayer de fuir, j'ai atteint un degré supérieur de clarté et de sérénité. J'ai traversé l'obscurité de la nuit pour émerger dans la lumière.

Joseph Campbell écrit :

« L'obscurité de la nuit, en ce qui concerne l'âme, précède de peu la révélation. Quand tout est perdu et que tout semble noir, une nouvelle vie commence à apparaître, pourvue de tout ce dont on a besoin. »

Trouver l'amour dans l'obscurité

Les temps de crise rapprochent les gens les uns des autres. Ils font ressortir ce qu'il y a de meilleur en nous. Ils suscitent notre sens de la compassion, notre générosité, notre gentillesse profonde. Ils nous aident à transcender nos différences et à célébrer notre unicité. Cela se vérifie chaque fois qu'une catastrophe naturelle se produit. **Les forces de l'amour se réunissent toujours pour nous aider à sortir de l'obscurité.**

Les périodes de crise créent toujours
des opportunités qui vous permettent de sentir
plus d'amour dans votre vie.

Quand on se trouve dans l'obscurité, trouver de l'amour autour de soi n'est pas difficile. Allez vers les autres, chargé de votre désespoir, et ils iront vers vous. Demandez de l'aide, et miraculeusement, elle se présentera. Dans votre vie, vous avez bien plus de richesses que vous ne le croyez. Des amis, des relations, de la famille, des gens qui vous aiment. « Je n'aurais pas cru que tant de personnes se préoccupent de moi », vous dites-vous en recevant tous ces petits mots gentils, ces coups de téléphone et ces offres d'aide. Il nous faut parfois vivre une tragédie ou déplorer une lourde perte pour prendre conscience de tout l'amour qui nous entoure. C'est une des raisons pour lesquelles les moments difficiles peuvent être riches en moments vrais, car ils sont riches en amour.

●

L'année dernière, un de mes amis est mort du sida. Il s'appelait Jon Gould et il n'avait que 39 ans. Jon était un homme doux et profondément gentil, dans le sens le plus vrai du terme, et sa vie était entièrement consacrée à aider les autres et à se découvrir lui-même. Quand la famille et le compagnon de Jon m'ont demandé de diriger le service funèbre, je me suis vraiment sentie honorée, mais j'avais un peu peur de la façon dont les choses allaient tourner. Je voulais rendre grâce à l'esprit magnifique de Jon, mais je savais que la cérémonie serait empreinte d'une émotion intense. Les parents de Jon, divorcés, seraient là, ainsi qu'un grand nombre de ses amours passés et une assemblée de gens très hétéroclite. Et je savais aussi que la sœur de Jon venait de perdre sa petite fille dans un tragique accident, que cette famille avait souffert, ces derniers temps, plus que n'importe qui en toute une vie.

Le service a eu lieu chez la mère de Jon. Son compagnon avait décoré toute la maison en plaçant partout des brassées de tournesols, la fleur préférée de Jon. Il avait mis des photos de lui partout. Nous étions une bonne centaine, serrés dans le salon et, avec en sourdine la musique préférée de Jon, j'ai commencé par ces mots :

« Dans de nombreuses traditions, il est dit qu'au moment de son passage vers l'infini, l'âme a l'occasion d'évaluer sa vie et ses choix, et qu'un rassemblement de tous ceux qui l'aimaient, au moment de ce passage, aidait l'âme à voir sa vraie valeur, à s'en trouver comblée et, toute enveloppée d'amour, à s'envoler vers la lumière et la belle aventure qui l'attend. »

Soudain, j'ai senti planer au sein du groupe un sentiment de soulagement. Nous avions réalisé que notre but en nous rassemblant ici était de célébrer Jon et non pas de nous affliger de ce deuil. Quand un être cher disparaît, ceux qui restent se sentent terriblement impuissants et perdus, ne sachant que faire de toutes ces émotions qu'ils ne pourront plus partager directement avec la personne. Ce soir-là, rassemblés dans ce salon, nous avions tous le sentiment d'avoir un but, malgré notre chagrin, car nous avions compris que nous pouvions faire quelque chose : nous pouvions **aimer**.

Et c'est ce que nous avons fait. Nous avons passé plusieurs heures à aimer Jon, en partageant chacun nos meilleurs moments avec lui, racontant des anecdotes amusantes, nous souvenant des repas fabuleux qu'il cuisinait pour ses clients ou ses amis, et sachant à quel point il avait touché notre vie. Nous avons ri, nous avons pleuré, nous avons prié pour que le voyage de son esprit soit paisible. Et quand la nuit est arrivée, chacun de nous a allumé une petite bougie flottante et l'a posée sur l'eau de la piscine en prononçant ses propres mots d'adieu.

Sur le chemin du retour, seule au volant de ma voiture, j'ai remercié Jon pour le dernier cadeau inestimable qu'il venait de m'offrir : il m'avait aidée à faciliter cette cérémonie. Une fois de plus me sont revenus en mémoire les puissants pouvoirs de l'amour.

En gonflant d'amour les moments
d'obscurité, nous illuminons notre cœur
de lumière, et cela calme notre douleur.
En gonflant d'amour les périodes difficiles,
elles nous feront cadeau de moments vrais.

•

Il y a des moments privilégiés où, l'espace d'un instant, nous ouvrons notre cœur et offrons le meilleur de nous-mêmes. Nous nous rappelons comment aimer. Juste après le grand tremblement de terre, en janvier 1994, j'étais debout, tremblante, sur le trottoir en face de chez moi, à Los Angeles. Des voisins en robe de chambre m'ont aussitôt proposé quelque chose à manger, un peu de confort, des piles neuves; ça m'a rappelé Woodstock et les autres grandes assemblées de gens auxquelles j'allais à la fin des années 60. Pendant quelques jours, les habitants de Los Angeles, de toutes races et de tous dialectes, n'ont formé qu'une seule et même famille. Partout on sentait de l'amour. Puis la crise est devenue moins intense et l'amour s'est envolé.

Pourquoi faut-il des tragédies et des périodes difficiles pour nous ramener à l'amour? Pourquoi avons-nous besoin de tels avertissements pour réaliser à quel point nous aimons notre conjoint, nos enfants, nos amis? Pourquoi oublions-nous d'aimer jusqu'à ce qu'il soit trop tard? Combien de peines et de destructions devrons-nous endurer avant de toujours nous en souvenir?

Je me demande souvent si nous aurions moins de périodes difficiles si nous nous souvenions de toujours partager plus d'amour et de vivre plus de moments vrais à chaque jour facile.

Peut-être les crises nous obligent-elles à nous recentrer sur nous-mêmes, lorsque nous avons dérivé loin de nos vraies valeurs, et à replacer notre vie dans le bon chemin lorsque nous avons oublié ce qui était réellement important…

Peut-être est-ce la façon qu'a l'Univers d'attirer rapidement notre attention et de nous recentrer sur l'amour…

Peut-être est-ce le cadeau secret que nous offrent les périodes difficiles…

Mon vœu le plus cher et que vous viviez de nombreux jours heureux et connaissiez peu de chagrins. Mais si une période difficile se présente, je souhaite que vous puissiez vous y soumettre et en sortir, porté par les forces de l'amour.

TROISIÈME PARTIE

LES MOMENTS VRAIS ET LES RELATIONS AVEC LES AUTRES

7

Les moments vrais et l'amour

« Sur cette Terre, il n'y a qu'un chemin menant au Paradis, et nous l'appelons l'Amour. »

Karen GOLDMAN

Parmi toutes les merveilles que recèle la Terre comme cadeaux à offrir, aucune n'a plus d'importance à mes yeux que l'Amour. L'amour est ce qui donne le plus de sens à la vie. Il accomplit des miracles et dispense sa magie. Il apporte la lumière là où il n'y avait que de l'obscurité et il insuffle l'espoir là où ne régnait que le désespoir. L'amour est votre guide le plus fiable.

L'amour est la plus puissante des forces qui existent. Il est invisible, intangible, incommensurable, et pourtant, il est si puissant qu'il peut vous transformer en un instant et vous offrir plus de joie que ne peut le faire n'importe quelle possession matérielle. Une fois qu'il est dans votre cœur, rien ne peut vous l'ôter. Vous seul êtes libre d'y renoncer si vous le désirez.

L'amour est le magicien de l'Univers. Il peut tout créer à partir de rien. Il peut apparaître d'un moment à l'autre. D'un seul coup, il apparaît dans toute sa splendeur, et vous l'accueillez à bras ouverts, tout étonné de ce qui vous arrive. Il transforme tout sur son passage : il crée des sourires, des rires, des regards langoureux, du rouge aux joues, des mots tendres, des petits surnoms délicieux, des larmes de joie et, par-dessus tout, il crée la vie. C'est l'Amour qui vous crée, vous. Sans lui, vous ne seriez pas ici.

Le plus beau cadeau que nous offre l'amour est sa capacité de rendre sacré tout ce qu'il touche.

L'Amour sanctifie la vie. Il vous laisse entrevoir ce qu'est le sacré. Il vous met sur un promontoire pour considérer le monde et les autres d'un regard céleste. Votre enfant, l'élu(e) de votre cœur, votre chien ou votre chat, votre jardin, ou tout ce que vous aimez vous semble adorable, précieux, sublimement beau, pratiquement parfait, malgré ses imperfections. Et l'Amour a aussi le pouvoir de rendre sacré des instants de la vie, des lieux et des possessions, leur accordant un statut particulier : le jour où vous avez rencontré votre mari pour la première fois, l'anniversaire de votre mariage, votre banc favori dans le parc de votre ville, le rocking-chair dans lequel vous avez si souvent bercé votre enfant, le vieux tapis de votre grand-mère, les premiers mots d'amour de votre enfant, griffonnés sur un papier : « Maman, je t'aime. » Autant de choses sacrées qui commémorent la présence de l'amour dans votre vie.

Mais je crois que ce qu'apporte l'amour par-dessus tout, c'est l'opportunité d'un profond éveil spirituel, car lorsque vous aimez quelqu'un ou quelque chose, les frontières habituelles qui vous en séparent se dissolvent, vous transcendez l'illusion de séparation qui définit l'existence humaine, et vous faites l'expérience de l'unicité. Soudain, vous n'êtes plus seul dans l'Univers. Il y a un échange de courant entre vous et ceux que vous aimez. Tout ce qui est en vous se déverse sur eux, et réciproquement. Vos âmes dansent ensemble.

Peut-être avez-vous connu des moments de cette sorte, sans savoir exactement ce qui vous avait remué autant…

Votre mari et vous êtes tous deux penchés sur le berceau de votre bébé qui vient de naître, et vous le regardez dormir. Son petit corps minuscule se lève et s'abaisse au rythme paisible de sa respiration. Vous vous tournez vers votre mari, et vos regards se croisent. D'un seul coup, vous sentez la force de l'amour vous encercler, vous, votre bébé et votre mari, et, tout en vous laissant porter par l'intensité de cette énergie, vous prenez conscience du lien illimité qui vous unit tous les trois. Rien d'autre n'existe. Vous éprouvez un sentiment de totale plénitude.

●

Il est tard et vous êtes tranquillement assis sous le porche à écouter le chant des criquets tout en contemplant les étoiles. Votre chien fidèle, qui est votre meilleur ami depuis dix ans, est allongé près de vous, son museau coincé sous votre bras. Le contact de son corps chaud si près du vôtre fait soudain monter en vous une bouffée d'amour pour lui et la dévotion inconditionnelle dont il a toujours fait preuve à votre égard. Il lève vers vous ses yeux pleins de tendresse et vous regarde un long moment en ayant l'air de dire : « Oui, moi aussi je t'aime. » La nuit vous englobe tous deux dans une paix éternelle, et il vous semble être les deux seuls êtres vivants sur cette Terre. Cet instant est tout à vous.

C'est cela le pouvoir de l'amour. Il vous entraîne dans son sillage pour vous faire passer de la séparation à l'unicité. Il pénètre les frontières habituelles à l'abri desquelles vous vivez. Ces barrières qui vous font ressentir être

« vous », distinct de qui que ce soit ou de quoi que ce soit d'autre. Vous savez que nous n'êtes pas votre mari ou votre femme, votre chien, votre ami ou le ciel. Et pourtant, dans ces vrais moments d'amour, « vous » devenez « nous », une expérience infiniment plus épanouissante que de rester « vous » tout seul.

L'Amour a le pouvoir de créer une expérience sans limites, sans frontières, sans berges. Il vous permet de voyager en dehors de vous-même.

Toute expérience de l'amour vous projette en dehors de vous-même

Peut-être ne vous êtes-vous encore jamais considéré comme une personne spirituelle, mais toute expérience vraie de l'amour est spirituelle, car votre esprit touche l'esprit de quelqu'un d'autre, et réciproquement. L'Amour est votre porte d'entrée dans le monde divin.

L'Amour est à la source d'une foule de moments vrais car il nous oblige à être pleinement attentif à l'autre. Il vous recentre en permanence sur le présent. Il attire toute votre attention sur ce qui est en train de vous arriver et il implique que vous vous y soumettiez. Mieux vous saurez aimer, et plus vous pourrez créer de moments vrais.

●

« Toute relation amoureuse profonde est un parcours d'initiation, un voyage parsemé de tests et d'épreuves. »

Barry et Joyce VISSEL

Une relation intime est l'occasion unique qui s'offre à nous de suivre le chemin de l'amour vers une transformation personnelle et spirituelle. L'Amour vous force à vous ouvrir, alors que vous étiez refermé sur vous-même, il vous force à ressentir des émotions alors que vous étiez à l'abri derrière votre carapace, il vous oblige à vous exprimer alors que vous gardiez plutôt le silence, à aller vers l'autre alors que vous préféreriez vous retrancher. Quand vous êtes face à vous-même, vous pouvez très bien avoir l'impression d'être quelqu'un de parfaitement aimable et ouvert, mais dès lors que vous entamez une relation amoureuse avec quelqu'un, vous êtes confronté à toutes les limites émotionnelles qui sont en vous.

Les relations humaines sont un constant terrain d'entraînement. Elles vous mettent devant un miroir, face à vous-même, vous révèlent les parties bien cachées de vous-même que vous n'ouvrez pas à l'amour. Elles vous montrent vos mauvais côtés. Elles frappent à la porte de votre cœur, lui demandant d'ouvrir les parties que vous avez verrouillées. Et puis, chaque jour et chaque nuit, elles vous donnent l'occasion de pratiquer l'Amour, de sortir de votre cocon et d'aimer de mieux en mieux.

Vous servir de votre relation comme d'un parcours

Très tôt dans ma vie, j'ai choisi de suivre le chemin de l'amour, car je savais qu'il me mènerait aux moments vrais et pleins de sens auxquels j'aspirais. Ce parcours a été à la fois excitant, mystérieux et souvent douloureux, mais il a toujours été aussi libérateur. Pendant longtemps, je n'ai pas très bien su comment aimer. J'ai commis de nombreuses erreurs. Je me suis fait du mal et j'ai fait du mal à d'autres. Mais peu à peu, j'ai appris à me servir de l'amour comme d'un chemin sacré vers la connaissance et la transformation. Et j'ai finalement eu la chance bénie des dieux de rencontrer un homme qui souhaitait suivre ce même chemin avec moi, et partager la même aventure.

Toute grande création commence par une vision. Avant qu'un artiste ne prenne ses pinceaux, il a en tête la vision du tableau qu'il veut peindre. Avant qu'un architecte ne dessine un immeuble, il a la vision de ce à quoi il voudrait qu'il ressemble. Avant qu'un musicien n'inscrive des notes sur une partition, il entend dans sa tête l'air qu'il veut retranscrire. La vision initie la naissance de tout ce qui est produit avec amour.

> Si vous ne voyez pas où vous voulez que votre relation aille, elle n'ira nulle part.

Etre dans une relation avec quelqu'un, sans que vous soyez tous deux d'accord sur la destination à viser, est comme essayer d'entreprendre un long voyage à travers le monde sans avoir de cartes. Vous n'allez pas cesser de vous perdre et vous profiterez mal du voyage. Pour vous servir de votre relation comme d'un parcours, vous et votre partenaire devez tous deux partager la même vision de votre avenir ensemble, et vous engager sincèrement à vivre en fonction de cette vision.

La vision nous aide à sortir des périodes difficiles. Elle concentre notre attention sur la destination et nous encourage à continuer notre chemin, même lorsque nous nous sentons perdus ou démoralisés. C'est la vision de la carrière que vous voulez mener qui vous aide à étudier, à rédiger des devoirs et à travailler dur à l'université. C'est la vision du bébé endormi dans leurs bras qui donne aux futures mères le courage de supporter l'épreuve de l'accouchement. C'est la vision de votre relation considérée mutuellement comme un chemin vers la transformation qui vous donne, à vous et à votre partenaire, la force, la patience et la persévérance nécessaires pour voyager ensemble sur le Grand Chemin de l'Amour.

Voici quelques-unes des vérités constituant la vision que mon mari et moi partageons quant à notre relation :

1. Nous avons été réunis dans le but de nous aider mutuellement à grandir, et de servir chacun de guide à l'autre.

2. Notre relation est un cadeau précieux. Elle nous sert de soutien chaque fois que nous devons apprendre à devenir des êtres humains plus conscients et plus aimants.

3. Les enjeux et les difficultés auxquels nous sommes confrontés éclairent toujours d'une lumière nouvelle les leçons qui nous sont les plus nécessaires.

Comme nous nous sommes engagés à accepter cette vision de notre amour, c'est dans un contexte sacré que nous traversons les luttes et les difficultés inévitables de la vie.

Quand nous ne sommes pas d'accord sur quelque chose ou sommes en colère l'un contre l'autre, quand la frustration nous donne envie de partir en claquant la porte, notre vision mutuelle s'éclaire comme un phare dans le brouillard, nous rappelant que nous poursuivons ensemble un but bien supérieur aux difficultés quotidiennes qui nous assaillent. Nous nous souvenons que nous avons choisi de faire ce voyage ensemble pour une bonne raison, et en y repensant, nous calmons rapidement notre colère, nous sortons de la peine, nous pardonnons et nous découvrons que le lien d'amour éternel qui nous unit est toujours présent.

Entre le travail, les enfants et les obligations familiales, il est facile d'oublier le vrai but de votre relation. Et en oubliant le but de votre relation en tant que couple, vous perdez de vue votre objectif et vous perdez en chemin. En perdant son chemin, une relation cesse de bouger et d'évoluer, car elle ne sait plus la direction qu'elle doit prendre.

Si votre partenaire et vous vous êtes perdus en chemin, cherchez à vivre de nouveau des moments vrais ensemble. Grâce à ces moments, vous retrouverez le chemin qui mène au cœur de votre amour.

Nourrissez l'âme de votre relation

Il vous faut vivre des moments vrais d'intimité et d'unicité pour nourrir l'esprit de votre relation afin qu'elle puisse continuer à grandir. Le fait de partager ces moments vrais avec votre partenaire vous rappelle à tous deux les liens éternels qui vous unissent, les buts que vous poursuivez ensemble. Cela vous donne ainsi une nouvelle vision de votre relation et vous regonfle de courage, pour mieux affronter les enjeux de la vie en couple.

L'énergie vitale des relations intimes
se trouve dans les moments vrais.

Si elle n'est pas nourrie de moments vrais, l'âme de votre relation va mourir. Vous pouvez faire le choix d'ignorer votre manque d'épanouissement et rester malgré tout ensemble, mais votre relation ressemblera alors à un coquillage vide, à un arrangement pratique pour ne pas vivre seul.

Vivre aux côtés de quelqu'un n'implique pas forcément que vous partagiez des moments vrais. C'est ce qui arrive pendant que vous êtes ensemble qui remplit votre vie de vrais moments d'amour. Vous pouvez très bien être ensemble, physiquement, et pourtant à un million de kilomètres l'un de l'autre sur le plan des émotions, car vous n'êtes pas tous deux dans l'instant présent. Inversement, vous pouvez très bien avoir une conversation intime avec quelqu'un au téléphone depuis l'autre bout de la Terre, et vivre un moment vrai, simplement parce que vous laissez tomber vos barrières et partagez du fond du cœur vos émotions.

La plupart des relations que je vois autour de moi souffrent d'un manque de moments vrais. Il ne s'agit pas d'un manque d'amour entre les membres de ces couples. Mais ils ne ressentent pas leur amour aussi profondément qu'ils le pourraient car ils ne lui laissent pas l'occasion de faire surface et d'être vécu intensément, sans distractions. Ils ne vivent pas assez de moments vrais **ensemble**.

•

Au début de cette année, mon mari et moi avons passé une heure dans le bureau d'une femme merveilleuse, Clara, pour choisir les cartons d'invitation que nous allions faire imprimer pour notre mariage. Jeffrey est parti le premier car il avait un rendez-vous à son bureau, et je suis restée encore un peu pour régler les derniers détails.

« Il est merveilleux ! » s'est exclamé Clara. « Vous formez tous les deux un couple extraordinaire. Vous avez l'air d'être les meilleurs amis du monde, et j'ai adoré vous observer pendant que vous discutiez de ce que vous vouliez. »

« Je vous remercie de me dire cela », lui ai-je répondu. « Mais croyez-moi, il nous a fallu beaucoup travailler sur nous-mêmes et sur notre relation pour l'amener à être ce qu'elle est aujourd'hui. »

« Vous voulez que je vous dise quelque chose d'un peu triste ? Eh bien, je rencontre chaque semaine une vingtaine de couples qui viennent ici choisir leurs faire-part, et sur le nombre, les semaines fastes, je dirais qu'un seul de ces couples a l'air d'être épanoui, un seul couple dont les membres se comportent amoureusement l'un envers l'autre. Je me demande même souvent pourquoi ils se marient. »

Ce que m'a dit cette femme n'a pas été une surprise pour moi. De par mon expérience dans les séminaires depuis tant d'années, j'ai pu moi aussi constater que son observation était triste mais vraie. La plupart des gens considèrent une relation avec quelqu'un comme une possession : « J'ai une voiture, j'ai un travail, j'ai une relation avec… » La relation devient quelque chose à obtenir, et lorsque c'est fait, ils ne lui consacrent plus de temps ni d'énergie.

Le mariage n'est pas un nom, c'est un verbe.
Ce n'est pas quelque chose que l'on obtient,
c'est quelque chose que l'on fait.

Le mariage ne se résume pas à deux alliances et à un papier officiel stipulant que vous êtes mari et femme, ou à la réception que vous offrez pour vos vingt-cinq ans de mariage. Le mariage est un comportement. C'est la façon dont vous aimez et honorez chaque jour celui ou celle avec qui vous vivez. Le fait que votre famille ou votre mairie pense que vous êtes mariés ne veut pas dire que vous le soyez effectivement. Le vrai mariage ne se célèbre pas dans une église, une synagogue ou une salle de bal, mais dans le cœur. C'est un choix que vous faites, pas seulement le jour de votre mariage, mais chaque jour de la vie, et ce choix se reflète dans votre façon de vous comporter avec votre conjoint.

Votre mariage est renouvelé et de nouveau consacré chaque fois que vous vivez ensemble un moment vrai.

« A chaque moment de votre vie, vous avez le choix entre l'amour et la peur, pour marcher sur la Terre ou monter vers les Cieux. La peur vous fait marcher sur un étroit sentier, promettant de vous conduire où vous voulez aller. Et l'Amour dit : "Ouvre tes bras et envole-toi avec moi". »

Pat RODEGAST

Nous avons tendance à éviter les moments vrais, dans nos relations amoureuses, car nous n'y sommes pas habitués et ils peuvent nous effrayer par leur intensité.

Vous êtes-vous jamais trouvé auprès de quelqu'un que vous aimiez, tard dans la nuit, à partager vos pensées, vos espoirs et vos émotions secrètes ? Au début, vous parlez de choses et d'autres, mais il arrive un moment où vous avez tous deux ouvert suffisamment de portes et créé entre vous un courant suffisamment fort pour qu'apparaisse quelque chose de plus fort que vos deux individualités séparées. C'est un lien tangible que tous deux vous pouvez sentir. C'est un espace que vous occupez ensemble, un espace sacré qui émerge lorsque la vérité a été suffisamment exprimée et entendue. Et vous sentez soudain entre vous la connexion la plus proche qui soit. Vous vivez un moment vrai.

D'un seul coup, vous réalisez que vous n'exercez plus le contrôle de vous-même. Vos barrières réciproques sont tombées et vos protections habituelles se sont évanouies, vous laissant dans un état inconfortable de vulnérabilité. Vous avez été vu sans vos masques, quelqu'un d'autre a été témoin de vos émotions les plus profondes. Votre sacro-saint espace personnel a été pénétré.

Et pourtant, c'est bien cela la définition de l'amour : permettre à son âme de toucher celle de quelqu'un d'autre. Si vous avez du mal à vous laisser aller et à vous mettre en confiance, vous vous extrairez de ce moment et vous détournerez de l'amour, par peur de vous perdre en lui. Vous ferez tout pour vous éloigner de votre partenaire, et peut-être même de votre relation. Ou peut-être allez-vous éviter toute intimité et toute relation avec qui que ce soit, sachant qu'ainsi, ces moments terrifiants de vulnérabilité ne peuvent avoir lieu.

Que cherchez-vous à fuir ? Votre propre nudité. De quoi avez-vous peur ? De perdre vos limites, votre égo, et de vous sentir avalé par une force plus puissante que vous.

C'est une sorte de mort, la mort de votre séparation, la mort de vos illusions à propos de vous-même.

Un grand nombre d'entre nous passent leur vie à jouer à cache-cache avec eux-mêmes, faisant tout ce qu'ils peuvent pour éviter d'avoir à affronter leur vérité propre et explorer leurs zones d'ombre.

Clarissa Pinkola Estes, auteur de *Women Who Run with the Wolves* [1], écrit dans son livre : « La peur est une bien piètre excuse pour ne pas faire le travail. Nous avons tous peur. Il n'y a rien de nouveau. Dès l'instant que vous êtes en vie, vous avez peur… L'Amour, c'est rester quand toutes nos cellules nous disent de fuir ! »

Aimer peut sembler comme un risque émotionnel, mais en réalité, ce n'est pas un risque du tout.

> Vous ne perdez jamais en aimant, mais vous perdez toujours en réprimant votre amour.

… Le vrai risque est de vivre avec quelqu'un, année après année, sans connaître réellement le fond de son âme et sans qu'il ou elle connaisse la vôtre.

… Le vrai risque est de vivre une relation basée sur le matériel et le superficiel, et d'éviter tout contact humain ayant réellement un sens.

… Le vrai risque est de vivre une relation sans moments vrais.

1. Les femmes qui fuient avec les loups.

Retrouvez la capacité d'éprouver des émotions

L'expérience de l'intimité avec celui ou celle que vous aimez exige que vous vous ouvriez totalement au moment présent, non seulement physiquement, mais en laissant libre cours à vos émotions. Ne faites pas semblant d'écouter tout en pensant à autre chose ; ne lisez pas votre journal pendant qu'elle est en train d'essayer de vous parler ; ne faites pas l'amour mécaniquement en ne vous laissant pas aller à vos émotions... Soyez totalement présent(e) à l'instant avec lui ou elle.

Etre là, dans le moment présent, avec vos émotions en éveil, implique que vous sachiez comment ressentir pleinement vos sensations.

La capacité de ressentir l'amour est basée sur la capacité d'éprouver des sensations et des émotions... Vous ne pouvez éprouver d'amour, de bonheur ou de satisfaction, si vous avez oublié comment on ressent les choses. Un grand nombre d'entre nous ont été privés, dès l'enfance, de la capacité de ressentir. Maintenant que nous sommes adultes, le fait de ne pas éprouver de sensations ou d'émotions est devenu une vieille habitude. Nous savons canaliser, juguler, nier et même supprimer nos émotions. Quand nous sommes confrontés à un appel de contact intime, nous nous en tirons par des petites phrases du genre : « Pas maintenant », « Je n'ai pas envie de parler de ça », « Mais si, tout va bien », « Tu n'es donc jamais content(e) ! » Et puis nous buvons de l'alcool, prenons des substances psychotropes, nous gavons de nourritures malsaines, travaillons d'arrache-pied, regardons trop la télévision, enfin, tout pour essayer de nous anesthésier. Nous portons ainsi en nous des années d'émotions enfouies au plus profond de nous-mêmes, et quand se présente un moment de connexion, d'intimité, même si nous désirons le vivre vraiment, nous ne savons pas comment faire.

> **R**etrouver la capacité de ressentir des choses est la première étape à franchir pour faire l'expérience de l'intimité vraie avec votre partenaire et créer des moments vrais dans votre relation.

Pour arriver à cela, vous devez d'abord faire fondre la glace qui emprisonne votre cœur et le réfrigère. Versez toutes les larmes que vous avez retenues jusqu'à maintenant ; évacuez de votre corps toute la rage qui l'habite ; retrouvez votre voix et dites enfin les choses que vous avez gardées pour vous depuis si longtemps. Plus vous faites l'effort de guérir vos blessures émotionnelles, et plus il vous sera facile d'aimer.

J'ai passé ma vie entière à travailler sur des techniques puissantes et efficaces visant à briser les barrières émotionnelles. Elles m'ont d'abord servi à me guérir moi-même, puis je les ai transmises à mes élèves. Un grand nombre de professeurs et de thérapeutes proposent également leurs propres méthodes permettant de recouvrer ses sensations et ses émotions. Utilisez-nous ! Nous sommes là pour vous aider à vous retrouver vous-même.

●

« Vous apprenez à parler en parlant, à étudier en étudiant, à courir en courant, à travailler en travaillant. Et de même, c'est en aimant que vous apprenez à aimer… Tous ceux qui pensent pouvoir apprendre par un autre moyen se leurrent eux-mêmes. »

SAINT FRANÇOIS DE SALES

Comment allez-vous commencer à vivre davantage de moments vrais en amour ? Eh bien, commencez... Ne remettez pas la chose à vos prochaines vacances, à samedi soir prochain ou après la lecture de ce chapitre, commencez tout de suite. N'attendez pas de trouver le bon moment ou de vous sentir plus adéquat. Tant que vous n'aurez pas commencé, ce ne sera jamais le bon moment et vous ne vous sentirez pas adéquat.

Savoir bien aimer est une capacité, tout comme jouer d'un instrument de musique, manipuler un ordinateur ou faire la cuisine. Plus vous le faites et plus vous affinez votre capacité. Savoir créer des moments vrais d'intimité demande de la pratique. Même si vous lisiez tous les livres existant sur la question et assistiez à tous les séminaires possibles, vous ne sauriez pas pour autant aimer. S'entraîner à aimer est le seul moyen d'apprendre à bien aimer.

Il y a plusieurs années, avant même que je devienne professeur, j'ai été mariée à un magicien très connu aux Etats-Unis. Il avait un talent d'illusionniste extraordinaire et il réussissait à merveille les manipulations de cartes à jouer ou de pièces de monnaie. Chaque fois que quelqu'un lui demandait comment il faisait pour accomplir aussi « naturellement » ses tours de passe-passe, il évoquait ses nombreuses années de pratique et il lançait sa phrase favorite :

« Le difficile doit devenir une habitude, l'habitude doit devenir facile et le facile doit devenir beau. »

J'ai entendu cette phrase pour la première fois il y a plus de quinze ans, mais tout en écrivant aujourd'hui, je l'ai toujours en tête. Bien savoir aimer est une chose difficile, mais à force de s'y appliquer, cela devient une habitude. Vous n'avez plus à vous rappeler constamment de dire à votre partenaire à quel point vous l'appréciez, vous vous surprenez à le faire spontanément. Vous n'avez plus à demander à votre partenaires de partager ses émotions avec vous, il le fait volontiers de lui-même. Soudain, il vous semble plus naturel à tous deux d'aimer, de donner, et de vous ouvrir, plutôt que de ne pas aimer et de rester sur votre réserve. Et plus chacun d'entre vous vous donne, plus cela devient facile à faire, jusqu'à ce que cela ne vous demande plus aucun effort. Et finalement, en laissant chacun votre amour refluer vers l'autre, ce qui est devenu facile s'ancre en vous de plus en plus profondément. Votre amour est devenu beau.

●

Dans la première partie de ce livre, j'ai dit que le bonheur était un choix, et il en va de même de l'amour.

L'amour est un choix que vous faites à tous les instants.

Vous **choisissez** d'aimer, d'exprimer cet amour, de le partager, de le montrer. Vous n'attendez pas d'être saisi par un sentiment débordant d'amour qui vous pousse à agir. Pour dire « Je t'aime », vous n'attendez pas que les mots vous sortent de force de la bouche. Pour prendre votre femme dans vos bras, vous n'attendez pas de ne plus exercer de contrôle physique sur vous-même. Tout cela, vous le faites parce que vous vous souvenez que vous aimez cette personne et parce que vous savez qu'en choisissant d'aimer, non seulement vous rendrez votre partenaire heureux(se), mais vous prêterez mieux attention à l'amour que vous éprouvez et à la joie que cela vous apporte.

Sachez créer des moments vrais dans votre relation

Les moments vrais ne vous courent pas après pendant que vous menez votre vie trépidante. Vous devez les inviter à entrer dans votre relation en réservant dans votre vie le temps et l'espace nécessaire pour qu'ils puissent avoir lieu.
— Mettez votre réveil un peu plus tôt le matin pour avoir le temps d'un petit câlin.
— Retrouvez-vous à l'heure du déjeuner pour un pique-nique dans le parc.
— Promenez-vous en silence, main dans la main.
— Faites une balade en voiture, sans destination particulière.
— Asseyez-vous l'un près de l'autre dans le canapé, à la lueur d'une bougie.
— Partagez vos craintes les plus profondes et vos rêves les plus fous.
— Eteignez la télévision, commencez à parler, et voyez ce qui se passe.

De nombreux couples se privent eux-mêmes de l'intimité des moments vrais en étant toujours entourés de monde : leurs enfants, leur famille, leurs amis. Ils sortent rarement ensemble, à deux. L'excuse d'être là pour leurs enfants leur permet de s'éviter mutuellement. Et quand ils partent en vacances, c'est toujours avec un ou deux autres couples. Cela vous rappelle-t-il quelque chose ? J'espère que non car c'est un mode de vie dangereux. Vous allez un jour vous réveiller, regarder votre partenaire et voir le visage d'un(e) étranger(ère).

Il faut vous montrer un peu égoïstes, tous deux, pour vivre ensemble des moments vrais. Faites tout ce qui est en votre pouvoir pour trouver le temps nécessaire. Et ne vous inquiétez pas de négliger vos enfants ou vos amis. Ils ressentiront le regain d'amour qui est en vous et en seront heureux.

Le plus beau cadeau que votre partenaire et vous puissiez faire à vos enfants est l'exemple d'une relation intime, saine et profondément aimante.

•

Chaque couple doit suivre le chemin de ses propres moments vrais. Mais voici quelques points sur lesquels vous appuyer si vous ne savez pas bien par où commencer.

— Nourrissez le cœur de votre partenaire : la formule « 3 × 3 »

La plupart des gens que je rencontre sont assoiffés d'amour. Ils n'ont pas l'impression d'en avoir assez. Posez-vous les questions suivantes :

« Est-ce que j'ai l'impression de recevoir assez d'amour de la part de mon (ma) partenaire ? »

« Mon (ma) partenaire reçoit-il (elle) assez d'amour de ma part ? »

J'ai mis au point une formule pour vous aider à mieux nourrir le cœur de votre partenaire. Notre corps a besoin de trois repas par jour, entrecoupés de petits en-cas. Notre cœur a les mêmes besoins pour se sentir nourri. Vous devez servir au cœur de votre partenaire au moins trois repas d'amour par jour. Cela veut dire que trois fois par jour (au moins !), vous devez décider de lui montrer concrètement votre amour, pendant au moins trois minutes. J'appelle cela la formule « 3 × 3 ». Trois minutes d'intimité trois fois par jour pour remplir le cœur de votre partenaire. Il peut s'agir de trois minutes juste avant de vous lever, puis trois minutes au téléphone dans le courant de la journée, et enfin trois minutes une fois que les enfants sont couchés.

Mais les « repas d'amour » ne sont pas suffisants. Votre partenaire a aussi besoin de petits « en-cas d'amour ». Un baiser dans le cou, un compliment, un petit mot que vous lui laissez, un remerciement, un coup de fil uniquement pour dire « Je t'aime ». Un « en-cas d'amour » peut ne prendre que quelques secondes. Mais il a le pouvoir de créer un instant de connexion et de mini-moments vrais.

De quoi sont faits ces trois repas et ces en-cas d'amour ? Tout comme il y a quatre groupe d'aliments de base en matière de nutrition, j'ai relevé trois groupes d'aliments de base, en matière d'émotions, que j'ai appelés « Les trois A » : l'Attention, l'Affection et l'Appréciation. Vous **prêtez** attention, vous **montrez** votre affection et **exprimez** des appréciations. Lorsque vous offrez ces trois ingrédients pendant trois minutes à votre partenaire, vous lui nourrissez le cœur.

Attention : prêter attention signifie être totalement présent au moment passé avec la personne que vous aimez. Rien d'autre ne doit compter pour vous, en cet instant, que d'être totalement là. Lorsque vous offrez toute votre attention à votre partenaire, même pour un court instant, vous avez l'opportunité de vraiment vous ressentir vous-même et de recevoir son amour. Regardez votre partenaire au fond des yeux et demandez-vous ce qu'il (elle) attend de vous. Vous connaissez déjà la réponse. Souvenez-vous, c'est quand nous accordons totalement notre attention que les moments vrais peuvent avoir lieu.

Affection : montrer son affection, c'est montrer physiquement son attachement à l'autre personne : la toucher, la tenir dans ses bras, être proche d'elle physiquement. Cette sorte d'affection n'est pas particulièrement sexuelle. C'est de la tendresse, des marques d'amour. Les marques d'affection adoucissent et guérissent notre corps et notre âme. Elles ont même le pouvoir de renforcer notre système immunitaire. Elles vous aident à entrer en contact avec votre partenaire sur le plan des émotions par le biais du contact physique.

Appréciation : exprimer votre appréciation signifie démontrer verbalement votre amour, dire à votre partenaire ce que vous aimez en lui (elle), ce pour quoi vous lui êtes reconnaissant, ce qu'il (elle) a fait dont vous soyez fier. La plupart d'entre nous ne reçoivent pas assez de marques d'appréciation et nous avons soif de gratitude. Il ne s'agit pas de **montrer** votre appréciation par un acte quelconque tel qu'aider votre femme en faisant votre lit ou faire laver la voiture de votre mari. La troisième partie de la formule se doit d'être verbale. Vous devez prononcer les mots : « Merci d'avoir été si patiente avec moi ce matin alors que j'étais d'une humeur de chien. » « Ce que je suis fière de toi que tu aies pu décrocher cette promotion ! » « J'aime la manière dont tu valorises notre fils pour ses bonnes notes sur son carnet. Tu es une mère extra ! »

Trois fois par jour, pendant au moins trois minutes, utilisez la formule des trois A pour nourrir le cœur de votre partenaire. Vous serez étonné des résultats. Vous verrez les yeux de votre partenaire briller lorsqu'il vous regarde. Vous-même vous sentirez plus amoureux(se). Et vous vivrez de plus en plus de moments vrais.

N'oubliez pas non plus les petits en-cas d'amour. Depuis que j'ai élaboré ce concept, Jeffrey et moi le mettons régulièrement en pratique. Plusieurs fois par jour, l'un de nous deux s'approche de l'autre, le sourire aux lèvres en disant : « En-cas d'amour ! » Et c'est l'occasion d'un baiser ou d'une marque de tendresse. Quand des couples amis nous voient faire cela et que nous leur expliquons le fonctionnement de la chose, invariablement, la femme se tourne vers son compagnon et lui dit : « Moi aussi je veux un en-cas d'amour ! »

Le but de cette formule de l'intimité est de vous donner l'habitude d'avoir des moments vrais d'amour et de connexion avec votre partenaire. Vous pouvez considérer cela comme une petite idée charmante, mais croyez-moi, elle peut transformer entièrement votre relation.

• Les « procédés de l'amour »

Voici quelques façons structurées d'exprimer votre amour, appelées « les procédés de l'amour », capables d'instaurer l'intimité instantanément, ainsi que des moments vrais. Vous pouvez utiliser ces procédés lorsque vous êtes seuls, votre partenaire et vous, et avec un peu de temps libre devant vous. Le plus facile est de vous tenir face à face ou à côté l'un de l'autre, et de vous tenir la main. Ensuite, pour chacun des procédés ci-dessous, chacun de vous prononce la « phrase-clé », puis « remplit les pointillés ». Plus vous êtes précis dans vos propos, et plus l'exercice a des effets puissants. Lorsque vous avez fini votre phrase, votre partenaire vous remercie et enchaîne à son tour sur ce qu'il a à dire.

Voici quelques exemples concrets. Vos réponses seront probablement plus longues. Vous pouvez consacrer autant de temps que vous voulez à cet exercice. Je recommande un minimum de dix minutes, mais ce n'en est que mieux si cela dure plus longtemps.

• Le procédé d'appréciation

— ***« Il y a quelque chose que j'aime en toi, c'est… »***

« Il y a quelque chose que j'aime en toi, c'est ton attention à mon égard lorsque je rentre de mon travail, le soir. Cette attention me donne le sentiment de pouvoir me détendre et de me laisser cajoler pendant un petit moment. » (Merci).

« Il y a quelque chose que j'aime en toi, c'est ton merveilleux sens de l'humour. Tu me fais toujours rire quand je deviens trop sérieuse, et j'ai besoin de cela ! » (Merci).

« Il y a quelque chose que j'aime en toi, c'est ta manière d'agir pour préserver notre relation, ta façon de m'atteindre lorsque j'ai tendance à me renfermer sur moi-même. Tu ne renonces jamais en ce qui me concerne, et tu t'arranges toujours pour que je me sente en sécurité pour m'ouvrir à toi. » (Merci).

— ***« Je t'aime parce que… »***

« Je t'aime parce que tu es toujours à l'écoute de ce que je ressens, même lorsque c'est inconfortable, et tu sais me donner le sentiment que ce que j'ai à dire est important. » (Merci).

« Je t'aime parce que tu crois en moi et en mes rêves pour notre famille, et parce que personne dans ma vie n'a jamais été aussi solidaire avec moi que tu l'es. » (Merci).

« Je t'aime parce que lorsque je te regarde jouer avec nos enfants, je vois apparaître la petite fille qui est en toi, et c'est la personne la plus douce et la plus adorable du monde. »

- **Le procédé de gratitude**

— ***« J'ai de la reconnaissance envers toi pour… »***

« J'ai de la reconnaissance envers toi pour avoir accepté de considérer ma fille comme ta propre fille lorsque nous nous sommes mariés, et d'avoir été pour elle le père qu'elle n'a jamais eu. » (Merci).

« J'ai de la reconnaissance envers toi pour ne pas avoir baissé les bras lorsque j'ai eu si peur de m'engager, et pour m'avoir appris à être à nouveau confiant en l'amour. Tu m'as sauvé la vie. » (Merci).

« J'ai de la reconnaissance envers toi pour avoir été aussi patient avec moi lorsque j'étais en rage contre mon ex-mari, et pour avoir continué de m'aimer lorsque je m'en prenais à toi. » (Merci).

• Le procédé du pardon
— « Je suis désolé(e)… »

« Je suis désolé de la distance que je mets parfois entre nous, et du mal que je te donne pour m'atteindre. Je ne fais pas exprès de te donner tant de mal pour m'aimer. C'est juste que j'ai peur. Pardonne-moi, je t'en prie. »

« Je suis désolé d'avoir critiqué, la semaine dernière, tes idées pour restructurer la maison, et de t'avoir donné l'impression que tu ne faisais rien de bien. Je suis désolé d'avoir aussi peu réfléchi et de n'avoir pas vu que tu ne cherchais qu'à améliorer notre bien-être. Pardonne-moi, je t'en prie. »

« Je suis désolé de ne pas te dire assez à quel point j'ai besoin de toi, de me noyer tellement dans le travail que j'en arrive à te négliger. Je suis désolé(e) de ne pas te dire chaque jour que tu es ce qui compte le plus dans ma vie. Pardonne-moi, je t'en prie. »

●

J'ai pu constater les effets miraculeux de ces procédés sur des centaines de couples, y compris le mien. Ils fonctionnent car ils ouvrent les portes de votre cœur, et permettent à l'amour qui attend derrière de sortir, tout en invitant celui de votre partenaire à entrer dans le vôtre. Je souhaite qu'ils vous mènent ensemble à de nombreux moments vrais et précieux.

Faites maintenant le choix de l'amour

Nous autres, êtres humains, avons la fâcheuse tendance à prendre les choses que nous avons pour de l'acquis, jusqu'à ce que nous les perdions. Nous pleurons alors ce qui ne peut plus nous appartenir désormais et nous nous maudissons nous-mêmes pour le temps que nous avons gâché.

> Si quelqu'un compte dans votre vie,
> n'attendez pas pour commencer à l'aimer
> vraiment.

Ne retardez pas les choses, même seulement d'une journée. Faites **maintenant** le choix d'aimer. Contrairement à ce que votre esprit voudrait croire, le temps que vous avez devant vous n'est pas infini. Qui que vous aimiez, rappelez-vous que cette personne vous est « prêtée » et qu'elle peut vous être reprise à tout moment. Je ne vous dis pas cela pour vous faire peur. Croyez-moi, cette vérité ne me plaît pas à moi non plus. Mais c'est comme ça, et c'est pourquoi il est tellement important de faire en sorte que chaque journée soit une journée d'amour qui compte.

Laissez-moi vous raconter deux histoires. Elles ont l'air de parler de mort, mais en fait il y est question de vie.

- **En mémoire de Bobby**

Il y a environ huit ans, j'étais à Los Angeles, comme tous les mois, pour un de mes séminaires sur « le travail de l'amour ». Il y avait, parmi les participants, un homme à la cinquantaine ayant mené une brillante carrière. Il avait amassé une grosse fortune au cours de sa vie en travaillant dix-huit heures par jour. Ce faisant, il avait bien sûr négligé sa femme et ses trois fils, et au bout de vingt-cinq ans de mariage, elle venait de demander le divorce. Cet homme était décomposé par la douleur. Il pensait avoir été un bon mari et un bon père, et il ne comprenait pas ce qu'il avait fait de mal. Même son thérapeute, qui l'avait envoyé à mon séminaire, n'avait pas réussi à l'atteindre.

Pendant les deux jours du séminaire, cet homme a fait quelque chose qu'il n'avait jamais fait auparavant : de l'introspection. Là, tout au fond de son cœur, il a découvert des sentiments dont il ignorait l'existence ; de l'amour qu'il n'avait jamais exprimé à sa femme et à ses fils, de la colère envers son père pour l'avoir poussé tout petit à se focaliser sur les richesses matérielles, et du désespoir de découvrir tout cela trop tard pour pouvoir sauver son couple. Et pour la première fois depuis son enfance, il s'est mis à pleurer. Il était déterminé à instaurer entre ses fils et lui des relations attentives et affectueuses. « J'ai hâte de pouvoir leur dire à quel point je les aime », a-t-il déclaré haut et fort, et nous avons tous applaudi face à cette merveilleuse prise de conscience.

Le lendemain matin, peu après que nous ayons commencé, un des membres de mon équipe a interrompu le séminaire pour une urgence. « Il y a là, dans le hall, une femme et ses deux fils », a-t-elle dit tout bas. « Ils sont à la recherche de leur mari, et père, qui doit assister au séminaire. Je crois que son plus jeune fils est mort ce matin d'un accident de bicyclette, en Europe. »

J'ai eu le souffle coupé. Tout de suite j'ai compris quel était l'homme qu'ils cherchaient. Nous l'avons accompagné jusqu'à la sortie de la salle de séminaire pour qu'il soit en tête à tête avec sa femme pendant qu'elle lui annonçait la tragique nouvelle. Nous étions bouleversés en entendant ses pleurs et ses cris d'angoisse. Soudain, la porte s'est ouverte, il s'est approché de l'estrade et il m'a demandé s'il pouvait faire une petite déclaration avant de partir.

Tant que je vivrai, je n'oublierai pas ce moment. Il était debout devant nous, le visage noyé de larmes, et il a dit : « Il y a deux choses que je voudrais dire. D'abord, je voudrais remercier Dieu pour ma présence ici ce week-end, car j'y ai appris à éprouver des sentiments, et si je n'avais pas assisté à ce séminaire, je n'aurais même pas été capable de pleurer la mort de mon fils. J'aurais inconsciemment étouffé mes émotions, comme je l'ai fait toute ma vie pour me blinder.

« Et ensuite, vous avez tous vu comme j'étais excité en pensant à l'avenir, à l'idée d'être enfin capable de dire à mes fils à quel point je les aime, et comme je suis fier d'eux. Mais à présent, je ne pourrai pas le dire à Bobby car il est parti. Je n'ai pas su saisir ma chance. Aussi je voudrais vous dire de ne pas attendre jusqu'à ce qu'il soit trop tard, comme moi. Si, dans votre vie, il y a des personnes que vous aimez, dites-leur et montrez-leur vos sentiments, et ceci dès aujourd'hui. Car vous ne savez pas s'ils seront encore là demain pour que vous puissiez le faire. »

Nous avons tous joint nos larmes à celles de notre ami en même temps que la vérité de ses propos nous entrait dans le cœur. Nous avons tous pensé à ceux qui nous sont chers, notre conjoint, nos frères et sœurs, nos parents, nos enfants, et dont nous considérons l'amour comme de l'acquis, pensant que nous aurions toujours le temps de leur dire que nous les aimons.

Alors que l'homme allait partir, je lui ai fait une promesse : je lui ai dit que la mort de Bobby ne serait pas vaine car pour le restant de mes jours, chaque fois que je devrai persuader quelqu'un ou un auditoire de la nécessité de ne pas remettre les choses au lendemain en matière d'amour, je raconterai son histoire. J'ai donc écrit ces lignes en ta mémoire, Bobby…

• **En mémoire d'Hélène**

Hélène Baron était la femme de mon rabbin, et mon amie. Elle est morte il y a trois ans après une bataille longue et pénible contre le cancer. Hélène avait mon âge. Au moment de sa mort, elle avait 40 ans et son fils Jonathan en avait 5.

La première fois que j'ai rencontré Hélène, il était difficile d'imaginer qu'elle avait le cancer tant elle était belle. Il émanait d'elle un rayonnement qu'il était impossible de ne pas remarquer. L'amour et la vie s'échappaient d'elle par tous les pores de sa peau, et nous pensions tous que s'il était possible de vaincre soi-même la maladie par son attitude vis-à-vis d'elle, Hélène était bien placée pour le faire.

En effet, son esprit fort et courageux a réussi à vaincre le cancer car elle s'est servie de sa maladie pour atteindre des degrés de conscience de plus en plus élevé, ce qui l'a conduite à opérer d'importantes transformations en elle-même. Mais le corps d'Hélène n'a pas été capable de vaincre les assauts physiques du mal, et après des années de traitements épuisants, elle a su qu'il était temps de partir, et elle est partie.

La mort n'est jamais la bienvenue, mais la maladie et la mort d'Hélène semblaient particulièrement incompréhensibles. Elle et son mari, David, formaient un de ces rares couples totalement amoureux l'un de l'autre et, par le soutien qu'elle lui apportait dans son travail de rabbin, par son esprit ouvert et tellement bon, elle atteignait le cœur de milliers de gens chaque année. Quand elle est morte, ceux qui l'aimaient ont été effondrés.

Ses funérailles ont eu lieu dans une chapelle où, un par un, tous les nombreux amis d'Hélène, ses médecins, son mari et son fils, sont venus à un petit pupitre pour partager avec les autres personnes présentes leurs meilleurs souvenirs, leur chagrin, leur perte et, par-dessus tout, leur amour envers nous tous et envers l'esprit d'Hélène que l'on sentait planer. Pendant plusieurs heures, par nos rires et nos larmes, nous avons célébré la femme qu'avait été Hélène Baron et avons accompagné son âme vers sa prochaine destination.

Je me souviens qu'à un moment, dans la chapelle, tout le monde s'est tenu la main, même les personnes qui ne se connaissaient pas. Il régnait alors parmi nous une force d'amour infinie. Soudain, une énorme vague de tristesse s'est abattue sur moi. « Pourquoi devons-nous attendre que les gens que nous aimons soient morts pour leur rendre hommage ? » me suis-je dit. « Pourquoi le jour où nous aimons et honorons le plus la personne est précisément celui où elle ne peut entendre nos paroles ? Pourquoi ne partageons-nous pas avec elle ces histoires, ces souvenirs et ces émotions avec la même passion, pendant qu'elle est encore en vie ? »

Hélène aurait dû être debout avec nous, entourée d'une foison de fleurs, pendant que nous rendions hommage à l'épouse, à la mère et à la femme magnifique qu'elle avait été toute sa vie. Pourquoi avait-il fallu sa disparition pour que nous braquions nos projecteurs sur elle ?

Les habitants de votre cœur savent-ils vraiment à quel point vous les aimez ? A quel point vous avez besoin d'eux ? N'attendez pas qu'ils aient quitté la Terre pour leur rendre hommage. N'attendez pas le jour de leurs funérailles pour leur exprimer votre amour. Aimez-les sans retenue dès aujourd'hui. **Dès maintenant !**

Organisez une fête pour quelqu'un que vous aimez. Invitez tous ses amis, sa famille et même ses voisins, et dites-leur à chacun d'exprimer leur appréciation et leur gratitude envers cette personne.

Nous devons commencer à célébrer la vie plutôt que la mort, et à créer des moments vrais aujourd'hui, plutôt que des souvenirs vrais demain.

•

« Seuls les êtres humains font la distinction entre l'humain et le spirituel. En fait, il n'y a pas de distinction. Les deux sont tissés ensemble. Si vous n'ouvrez pas votre cœur aux êtres humains, vous aurez du mal à ouvrir votre cœur à Dieu. Si vous n'aimez pas les êtres humains, y compris vous-même, vous aurez du mal à aimer Dieu. Au départ de votre chemin spirituel, il y a votre humanité avec, au jour le jour, la volonté toute simple d'être honnête, gentil et aimant, au mieux de vos capacités. »

Ron SCOLASTICO et les Guides

Car enfin, l'amour est une pratique spirituelle. Quand vous aimez une personne, un animal ou un arbre, vous aimez une parcelle de Dieu. Et chaque moment vrai d'amour vous donne l'occasion de mettre du sacré dans la réalité, mettant un peu plus de Paradis sur Terre.

Regardez autour de vous. Vous verrez quelqu'un qui a besoin de votre amour. Offrez-le lui, et à cet instant, il vous bénira. Et Dieu, lui, il sourira.

8

Les femmes et les moments vrais

« O Mère Eternelle, mère de nous tous, mère des premiers temps,
Viens jusqu'à moi par le labyrinthe du temps,
Pour m'aider à me souvenir de la sagesse de mes ancêtres,
L'éternel pouvoir de la Femme de donner la vie. »

Hallie IGLEHARD AUSTEN

Moi, la femme, en écrivant ce chapitre, je m'adresse à vous, les femmes qui me lisez, afin que nous trouvions ensemble les moments vrais dont nous avons besoin pour nous nourrir nous-mêmes. Je m'adresse aussi aux hommes qui aiment les femmes, et cherchent à nous comprendre.

Nous, les femmes, savons de tout notre être ce que sont les moments vrais. **Les mots vrais appartiennent à notre territoire naturel.** Nous y sommes parfaitement à l'aise, tout comme l'oiseau qui se laisse délicieusement porter par le vent. Pour voler, il doit lâcher prise, et c'est aussi pourquoi, nous, les femmes, sommes souvent si fortes pour naviguer dans les méandres de notre monde intérieur : nous savons lâcher prise. Nous sommes physiquement destinées à cela. Nous lâchons prise quand nous faisons l'amour et recevons en nous notre partenaire. Nous lâchons prise à chacun de nos cycles menstruels et relâchons le sang qui ne nous est pas nécessaire. Nous lâchons prise en mettant nos enfants au monde. Et lorsque nous nous l'autorisons, nous nous abandonnons facilement à l'intensité des moments vrais.

Nous, les femmes, sommes des alchimistes.
Nous transformons l'ordinaire en miraculeux.

Nous pouvons faire d'une simple promenade dans la rue avec notre enfant une aventure enchantée. Dans une pièce vide, nous mettons quelques plantes par-ci, et quelques rideaux par-là, et nous savons faire en sorte que l'on s'y sente aussi bien qu'à la maison. Nous savons transformer une petite conversation simple avec celui que nous aimons en l'occasion d'une vraie communion. Nous pouvons transformer le simple geste de composer un bouquet de fleurs et de l'envelopper pour l'offrir, ou de serrer quelqu'un contre nous, en un moment sacré empli d'émotions. C'est en cela que réside notre pouvoir, et aussi ce qui fait le plus peur aux hommes à notre sujet. En toutes choses, nous voyons un potentiel de magie et d'amour.

Depuis toujours, et encore maintenant, les femmes ont un accès aux moments vrais plus facile que les hommes, de part la façon dont nos rôles sont structurés dans le monde. La société ne nous laissant pas sortir, nous nous sommes repliées vers l'intérieur. Nous sommes restées dans nos foyers avec nos enfants. Nous connaissons plus de calme, plus de solitude, plus d'instants de connexion. Nous faisons le pain, cultivons le potager et le jardin, nous lisons, tricotons, prions.

Au cours du siècle qui vient de s'écouler, nous avons

obtenu la liberté de vivre en étant les égales des hommes, mais, par ce processus, nous avons perdu notre centre spirituel. Nous avons hérité des maladies des hommes, liées au stress, de l'épuisement physique et émotionnel des hommes, et de leur manque de paix. Notre liberté est en train de nous tuer. Nous passons à côté de nos moments vrais. Et nous cherchons désespérément à les retrouver.

Dans ce monde, les femmes sont celles qui nourrissent, qui éduquent et qui donnent. Nous sommes génétiquement et psychologiquement programmées pour prendre soin de tout le monde. Nous répondons aux besoins des autres avant même qu'ils ne les expriment. Nous savons quand notre bébé va se mettre à pleurer. Nous savons quand notre conjoint a besoin de pleurer. Quand quelqu'un éternue, nous lui offrons un mouchoir en papier. Quand quelqu'un est en colère, nous lui offrons un sourire. Nous voulons faire tout ce qui est en notre pouvoir pour que tout le monde soit content. Nous aimons faire plaisir. Nous aimons aimer.

Le problème, c'est qu'en considérant le fait de faire plaisir aux autres comme une priorité, le prix que nous payons est de souvent négliger de nous faire plaisir à nous-mêmes. En pratiquant ainsi l'auto-sacrifice, nous nous privons nous-mêmes du temps et des occasions de vivre les moments vrais auxquels nous aspirons et que nous savons tant apprécier. Nous nous déconnectons de l'essence même de ce que nous sommes au fond de nous.

Savez-vous quelle est la pire des choses que vous puissiez dire à une femme ? Lui dire qu'elle est ÉGOÏSTE… La plupart d'entre nous préféreraient être traitées de tout plutôt que de cela. Traitez-moi d'oie blanche, de lâche, de « pète-sec » ou de nymphomane, mais pas d'égoïste. Etre égoïste, c'est ne pas penser à vos besoins. Etre égoïste signifie que je ne prends pas soin de vous. Etre égoïste implique que je sois une garce. Etre égoïste signifie que je ne suis pas une femme.

Depuis que nous sommes toutes petites, on nous apprend qu'aimer, c'est prendre en compte ce que ressentent les autres. Aucun père ne dit à sa fille, comme il le fait avec ces fils, « Tu peux avoir toutes les filles de la Terre, montre-leur qu'il n'y a rien de mieux que toi ! » Au lieu de cela, on nous dit d'être douces et gentilles, de partager, de comprendre, de nous excuser, de pardonner. Voilà comment il faut se comporter. Les hommes devraient faire tout cela davantage, mais nous, les femmes, nous le faisons trop. Nous donnons quand nous devrions insister pour recevoir. Nous pardonnons alors que nous devrions poser un ultimatum. Nous nous excusons alors que nous devrions demander des excuses.

> Nous, les femmes, avons besoin de moments vrais de solitude et de réflexion sur nous-mêmes, pour déterminer la part de nous-mêmes que nous dilapidons.

Pour les femmes, prendre le temps de vivre des moments vrais est une condition de survie psychologique et spirituelle. Si nous ne le faisons pas, nous nous faisons avaler par les autres et par tout ce qui a besoin de nous. Nous devons nous réserver une journée, une heure ou même seulement cinq minutes, uniquement à nous-mêmes, et à personne d'autre. Nous devons régulièrement ressourcer nos esprits généreux afin de pouvoir continuer à donner sans arrière-pensées et sans conflits intérieurs. Nous avons besoin de silence. Nous devons entendre les battements de notre propre cœur, et pas toujours de celui des autres.

Pour dire la vérité, nous avons peu d'aptitudes pour l'égoïsme. Quand nous ne faisons les choses que pour nous-mêmes, nous ne nous sentons pas très à l'aise. Cela nous donne un sentiment de culpabilité. Nous avons l'impression d'abandonner tout le monde, le mari, les enfants, le chien ou l'ami qui traverse une crise. Et nous éprouvons le besoin de nous excuser lorsque nous prenons soin de nous-mêmes, que ce soit en prenant une journée pour aller nous promener seules, en fermant la porte pour pouvoir lire tranquillement pendant deux heures, ou en allant à un cours du soir en laissant la famille se débrouiller avec le congélateur. « Ecoute, je ne vais m'absenter que quatre heures. Mais quand je reviendrai, je jouerai avec toi aux jeux que tu voudras. » « Chéri, je sais qu'en partant chez mon amie, je te laisse avec beaucoup de choses à faire, mais je te ferai des listes pour tout. » Nous ferons tout ce que vous voulez, mais laissez-nous un peu vous quitter parfois sans nous en vouloir.

En revanche, être égoïste ne pose pas de problèmes aux hommes, et je le dis avec admiration, au moins dans ce contexte. S'ils ont envie d'ignorer leur famille après le dîner et de lire leur journal, ils le font. Ils ne s'excusent pas ni ne cessent de vous épier pour voir si vous prenez bien la chose. Ils ont la capacité de faire abstraction de tout ce qui les entoure, y compris vous-même. Alors comment se fait-il donc que nous, nous nous sentions obligées de nous excuser quand nous avons besoin de nous ressourcer ? Pourquoi éprouvons-nous le besoin de nous faire pardonner pour les moments vrais de solitude que nous nous offrons, en donnant deux fois plus ensuite ?

> **P**our vivre des moments vrais et redécouvrir
> le centre de vous-même, vous devez arrêter de
> vous préoccuper de ce que pensent les autres.

Si vous vous êtes toujours consacrée à votre entourage, sans penser à vous-même, certains de vos proches, dépendant de vous sur de nombreux plans, aussi bien affectifs que pratiques, ne vont pas beaucoup apprécier que vous commenciez à prendre du temps pour vous-même. Certains l'exprimeront ouvertement, d'autres se contenteront de vous faire la tête. Ignorez-les. Ils s'habitueront petit à petit à ces moments rien qu'à vous, et même les encourageront quand ils s'apercevront du rayonnement de vos yeux et de la paix dans votre cœur.

Avant même de commencer à écrire ce livre, je savais que je ne passais pas assez de moments vrais avec moi-même. En l'espace de quelques mois, j'ai opéré des changements radicaux quant à la façon d'organiser mon temps. J'ai renoncé à mener un grand nombre de séminaires périodiques sur lesquels les gens comptaient. J'ai arrêté de me plier aux mondanités qui ne m'intéressaient pas. Et en ce moment même, alors que j'en suis, à peu près, à la moitié de mon livre, c'est mon assistante qui répond au téléphone et informe les gens que je me mets en « réclusion », jusqu'à ce que mon livre soit terminé. Cela énerve sûrement certains de mes amis et de mes connaissances. Il ne leur est pas facile de croire que je ne suis pas là pour eux, alors qu'ils voudraient que je le sois. Et c'est toute l'histoire de ma vie. Bien sûr, personne n'est encore venu me dire « Comment oses-tu prendre du temps pour toi, espèce d'égoïste ! », mais je perçois chez certains ce type de pensées.

Et comment est-ce que je vis ces changements ? Merveilleusement bien ! Je retrouve peu à peu mon équilibre. Après avoir toujours donné, donné, et sans arrêt, donné, il fallait que je me ré-alimente à ma propre source.

•

« Est-ce donc ce qui arrive à une femme ? Elle passe son temps à faire don d'elle-même. Son instinct de femme, l'éternelle nourricière des enfants, des hommes et de la Société, lui dicte de donner. Son temps, son énergie, sa créativité, lui échappent tous azimuts. »

Anne MORROW LINDBERGH

Les hommes, eux, sont totalement entiers par rapport à eux-mêmes. Ils savent où se situent leurs limites personnelles par rapport au monde. Inversement, les frontières entre les femmes et le monde alentour ne sont pas bien définies, elles sont perméables. Nos limites sont floues, notre périmètre est poreux et c'est par ces porosités que s'échappe notre esprit. Nous sommes constamment prises dans le processus de donner et de prendre, avec ce qui nous est extérieur.

Nous sommes toutes les filles de la lune. Notre corps se transforme selon les cycles de la lune, ils agissent sur nous tout comme ils le font sur les mers et les océans, provoquant en nos âmes des marées invisibles que nul autre ne peut voir, mais que nous ressentons profondément. C'est pourquoi notre corps ne nous appartient jamais complètement. Tous les mois, il appartient à la lune. Quand je suis enceinte, il appartient à mon enfant, car alors, pendant les trois quarts d'une année, quelqu'un d'autre vit à l'intérieur de moi. Et ce n'est pas fini après la naissance car mes seins appartiennent alors à mon fils ou à ma fille, tant que j'ai du lait qui monte pour pouvoir le nourrir.

Dans nos relations amoureuses également, c'est nous qui sommes désignées à être perméables, afin de pouvoir nous unir sexuellement à un homme. C'est moi qui doit m'ouvrir pour recevoir mon amant. Il pénètre à l'intérieur de moi et une partie de lui-même entre en contact avec une partie sombre et cachée de moi-même que je ne peux même pas toucher moi-même. L'accès à ce qui m'appartenait en propre est maintenant ouvert à d'autres.

Mais notre corps n'est pas le seul à donner et à recevoir

aussi naturellement, notre psychisme y est également habitué. Quand nous marchons dans la rue, entrons dans une pièce ou parlons au téléphone, nous éprouvons des sensations qui ne nous appartiennent pas en propre, et nous nous greffons sur les colères, les douleurs et les aspirations des autres, alors que nous ne voudrions même pas les connaître. Qu'un enfant pleure quelque part, et une partie de vous-même est naturellement attirée par ces pleurs et par une sorte de désir inconscient de prendre l'enfant dans vos bras pour le consoler. Qu'il se soit déroulé un drame à des milliers de kilomètres et là, et votre journée est fichue car une partie de vous-même se trouve sur place à réconforter et aider ceux qui souffrent. Ce sont des réactions que nous sommes incapables de contrôler, des instincts qui se sont formés dans nos fibres féminines. Des forces invisibles nous poussent, et sans que nous y pensions, nous réagissons.

Notre nature perméable est ce qui rend les femmes aussi souples, aussi fortes pour vite reprendre le dessus après un échec ou une défaite, aussi aptes à faire de nouvelles rencontres et à s'impliquer dans leurs relations avec les autres. Mais un danger nous guette en permanence : trop nous impliquer dans ce qui est extérieur à nous, et trop réagir en fonction de ce qui nous tire vers l'extérieur. Le danger est que nous nous éloignions trop de nous-mêmes, de notre centre, et que nous nous perdions en chemin.

Nous autres, les femmes, avons besoin de moments où nous nous fermons à tout ce qui est extérieur à nous-mêmes.

Nous avons besoin de moments où nous fermons toutes les portes de nous-mêmes, qui sont en permanence ouvertes, pour pouvoir nous retrancher derrière. Il nous faut des moments où nous sommes inaccessibles, physiquement, affectivement ou psychologiquement, pour quiconque ou quoi que ce soit hormis nous-mêmes, où nous écoutons uniquement les voix de nos colères et de nos rêves.

« Fermé pour cause d'inventaire ! » Ne vous inquiétez pas pour les clients. Ils reviendront quand votre magasin sera de nouveau ouvert.

Rassemblez les morceaux éparpillés de votre âme

La plupart des femmes que je connais ont passé leur vie à donner des petites parcelles d'elles-mêmes, les unes après les autres. Nous donnons des parcelles à notre partenaire, à chacun de nos enfants, à nos amis, à nos parents, à notre belle-famille, à nos patrons, à nos collègues, à des associations, bref, à tous ceux qui en expriment le désir, et même à ceux qui ne le font pas ! Nous éparpillons partout des fragments de notre âme, comme des petits cadeaux sans importance, jusqu'à ce qu'un jour, à notre grand étonnement, nous nous sentions vides, notre réserve d'émotions épuisée, et nous ne semblons pas nous rendre compte de la façon dont tout cela est arrivé :

> **P**our nous, les femmes, retrouver notre plénitude et notre entité n'est pas tant de découvrir qui nous sommes, que de rassembler les parties de nous-mêmes que nous avons disséminées.

Si vous pensez que ce sont les autres qui ont puisé en vous toutes vos forces, vous ne pourrez les retrouver à cause d'une sorte de rancœur, même inconsciente. Mais si vous acceptez de voir que c'est vous-même qui les avez éparpillées, alors vous pouvez entamer le processus de les reconstituer.

Mon véritable éveil, en tant que femme, s'est produit lorsque j'ai entamé le processus de rassembler les parcelles éparpillées de moi-même. Il s'agissait de petits fragments de mon âme, de parcelles de mon intégrité, de mon respect de moi-même, de ma vérité et de ma confiance, que j'avais donnés à mon père, à mes anciens maris, à mes amants, à mes employeurs, à mes gourous, à mes collaborateurs. J'étais encore une enfant lorsque j'ai donné les premières parcelles de moi-même, dans l'espoir d'être aimée, dans l'espoir d'empêcher mon père de partir, puis lorsqu'il est parti, dans l'espoir qu'il revienne de temps en temps. J'ai encore donné des parcelles de moi-même lorsque je suis tombée amoureuse, dans l'espoir d'éviter les conflits, pour que tout ait l'air de bien aller, pour que l'homme avec qui j'étais ait l'impression de vivre avec une femme parfaite, l'empêchant ainsi de se tourner vers quelqu'un d'autre. J'ai dilapidé des fragments de moi-même en ne défendant pas mon point de vue lorsque j'aurais dû le faire, en prétendant avoir assez alors que j'avais besoin de plus, en pleurant lorsque j'aurais dû crier, en souriant lorsque j'aurais dû détourner mes pas.

Ce sont des bribes d'âme. Nous les semons aux quatre vents, et ce faisant, nous nous trahissons nous-mêmes... Mais pour quoi faire ? Pour pouvoir dire que nous avons une relation avec quelqu'un ? Pour avoir une bague au doigt qui prouve que nous sommes aimées ? Pour ne pas être seule le samedi soir ? Pour avoir une jolie maison et de belles affaires, même si nous sommes malheureuses ? Pour que nos enfants aient leur père près d'eux, même s'il se conduit comme un nul ?

Chaque femme paye un tribut. Chacune d'entre nous a tendance à se trahir pour différentes formes de tentations. En ce qui me concerne, je l'ai toujours fait pour des attaches. Mon âme payait son tribut à mes amants, à mes amis, à mes professeurs, ou à quiconque voulait bien faire comme s'il n'était là que pour moi, à quiconque acceptait de rester près de moi. Pour beaucoup de femmes, c'est une question de sécurité. J'ai en tête au moins dix de mes amies qui ne restent avec leur mari que parce qu'il est « si confortable », et qu'elles ne veulent pas renoncer à leur mode de vie. Elles choisissent de vivre une vie sans passion, et quelque peu mensongère, pour pouvoir continuer à conduire leur belle voiture et vivre dans leur grande maison, avec une bonne à demeure.

Je souffre pour chaque femme qui vend son âme et renonce à son identité propre, uniquement pour pouvoir se sentir quelqu'un. Je souffre pour chaque femme qui est d'accord pour changer de valeurs, d'opinions et même de tour de poitrine, pour arriver à ce qu'un homme l'accepte. Je souffre pour nous toutes, les femmes de cette Terre, qui avons éparpillé notre âme.

Mais il arrivera un moment où vous ne pourrez plus avancer si vous ne reconstituez pas le puzzle. Un jour viendra où vous réaliserez que vous ne pourrez connaître aucune forme de paix si vous laissez ces parcelles de vous-même abandonnées derrière vous. Vous vous réveillerez soudain et saurez qu'il est temps pour vous de partir à la recherche des pièces du puzzle et de le reconstituer.

Comment procéder ? La méthode est différente pour chacune. Pour certaines d'entre nous, à qui il ne reste que très peu de force d'âme, il nous faut partir de l'endroit où nous vivons et quitter la personne avec qui nous sommes pour réussir à nous retrouver. Certaines d'entre nous ont besoin d'arrêter de courir après l'amour et de s'établir dans une histoire. Certaines d'entre nous doivent commencer à dire le fond de leur pensée aux personnes à qui elles l'ont caché. Certaines d'entre nous doivent arrêter de parler sans cesse et commencer à écouter leur propre silence. Certaines d'entre nous doivent quitter leur travail. Certaines d'entre nous ont besoin de trouver un travail. Certaines d'entre nous ont besoin d'établir de nouvelles lois avec toutes les personnes de leur entourage. Certaines d'entre nous ont besoin de briser les lois établies. Certaines d'entre nous ont besoin de fermer la porte, de couper le téléphone et de jouer les ermites pendant quelque temps. Certaines d'entre nous ont besoin de sortir de leur maison et d'arrêter de se cacher.

Tout doucement, morceau par morceau, nous reconstituons peu à peu notre intégrité. Chaque fois que j'ai réussi à ramener au bercail de mon cœur un fragment de moi-même, j'ai ressenti une grande joie en moi, comme une mère qui retrouve son enfant depuis longtemps disparu. A chaque morceau retrouvé, je repars dans ma vie avec plus de courage et moins de peur.

J'ai entendu de nombreuses fois une histoire de bouts de bois, et de nombreuses versions. Si vous prenez une baguette de bois et essayer de la casser, vous y arrivez facilement. Mais si vous mettez cette baguette dans un fagot avec d'autres, vous n'arriverez pas à casser le fagot. L'ensemble forme un tout trop solide. Une femme à qui il manque des parcelles d'elle-même est comme une baguette de bois solitaire. Elle est facile à casser. Mais une femme dont toutes les parties d'elle-même sont rassemblées en un seul fagot dispose du pouvoir que lui confère son intégralité, sa plénitude, et elle est incassable.

Laissez votre esprit se promener librement

Le chemin que doit parcourir une femme pour retrouver sa plénitude est loin d'être facile. En tout cas, le mien ne l'a pas été. Souvent, nous ne savons pas par où commencer ou comment franchir le premier pas vers ces fameux moments vrais, car il y a si longtemps que nous n'avons pas connu de vraie liberté émotionnelle. Avez-vous déjà eu l'occasion d'assister à des documentaires sur des animaux élevés en cage depuis leur naissance ? Quand enfin la porte de la cage s'ouvre, l'animal, presque toujours, refuse de sortir. On penserait que l'animal se précipiterait hors de sa cage, soulagé d'être enfin libre, mais ce n'est pas ce qui se passe. Dans l'esprit de l'animal, la porte de la cage est toujours fermée, car elle l'a toujours été. Et il reste ainsi tapi passivement dans sa petite prison, craignant de quitter un habitat où il s'était toujours senti en sécurité.

> L'habitude de se perdre soi-même est parfois plus forte que celle d'être soi-même, aussi ne savons-nous pas avec certitude comment évoluer librement.

Voici, pour ma part, comment j'ai appris à laisser mon esprit aller librement.

Il y a plusieurs années, j'ai commencé à me sentir dans un état d'agitation extrême. Cette agitation, toutefois, ne m'était pas étrangère, car depuis l'âge de 16 ans, elle entrait régulièrement dans ma vie et en sortait, comme un souffle de vent, et chaque fois qu'elle faisait surface, elle dérangeait, sur son passage, tout ce que j'avais soigneusement rangé, et cela me mettait en état de trouble. Ou plus précisément, j'étais moi-même à l'origine du trouble en question, car lorsque je sentais ce souffle de vent déferler sur moi, et que je sentais l'agitation tourbillonner en moi, je sentais une sorte de chaleur spirituelle m'envahir et je cherchais furieusement quelque chose susceptible d'apaiser ma soudaine soif de changement. Quand le souffle n'était pas trop fort, je faisais des choses telles que nettoyer entièrement la maison, du sol au plafond, ou vendre ma voiture pour en acheter une nouvelle, ou encore partir sur une plage des Tropiques. Mais il est arrivé quelques fois où cette agitation était si forte que je me sentais carrément aspirée et je réagissais alors d'une façon radicale, me précipitant dans n'importe quelle aventure amoureuse, demandant le divorce ou changeant de carrière. Heureusement, ce vent d'agitation ne m'a jamais poussée totalement hors de mon chemin, et tout s'est toujours remis en place comme ça devait l'être, au bout du compte, car je n'ai finalement opéré aucun changement trop tard. Mais la soudaineté du processus a souvent été épuisante pour moi, douloureuse pour les autres, et son intensité m'a toujours effrayée.

Au début de ma relation avec Jeffrey, je me sentais comme quelqu'un ayant une maladie dont il veut garder le secret. Qu'aurais-je pu lui dire ? Qu'il m'arrivait parfois de devenir un peu folle, qu'une partie de moi-même, depuis longtemps disparue, se mettait soudain à émerger, et que s'il me voyait traverser une de ces crises, il se souvienne que ce n'était pas dirigé contre lui ? J'avais tellement peur d'être de nouveau prise dans ce souffle, de saboter notre relation et de perdre la meilleure chose qui me soit arrivée de toute ma vie. Pour conjurer cette peur, je me suis juré : « Cette fois, si cela m'arrive de nouveau, je serai prête. » Et j'ai attendu le souffle de vent.

Et il s'est manifesté, au début comme une délicieuse petite brise d'adrénaline quotidienne, puis, finalement, avec la violence habituelle, me poussant à détacher mes liens. Mais de quoi voulais-je me rendre libre ? Cette fois, j'étais heureuse. Cette fois, je savais que j'avais besoin de rester là où j'étais. Cette fois, je n'éprouvais pas le besoin de me sortir d'une situation ou d'une relation où je me sentais prisonnière.

Et ainsi, jour après jour, j'ai combattu cette force intérieure qui m'assaillait et murmurait en moi : « Pars… Prend la fuite… » Je me suis demandé à qui appartenaient ces voix qui m'appelaient. De quoi voulaient-elles que je m'enfuie ? Où voulaient-elles que j'aille ? J'ai prié pour avoir la réponse à ces questions, j'ai prié pour que la vérité s'éclaire en moi, pour avoir la sagesse me permettant de gagner la bataille.

Mon guide : Cristal

Nos guides spirituels peuvent se présenter à nous sous de multiples formes. Ils ne portent pas forcément de soutanes ou de robes de bure. Ils ne savent même pas forcément qu'ils font office de guides. Ils apparaissent dans notre vie quand nous avons besoin de nous rafraîchir la mémoire, et ils nous montrent le chemin à prendre.

En cette période troublée, mon guide m'est apparu sous la forme d'une chienne nommée Cristal. C'était un magnifique husky sibérien, vivant chez mes voisins d'en face, de l'autre côté de la rue. Toute ma vie, j'ai eu une peur panique des chiens, de tous les chiens, et surtout des plus gros, jusqu'à ce que j'en aie un moi-même : Bijou. Il m'a aidée à me lier d'amitié avec tous les chiens du quartier et m'a ainsi introduite dans le monde magique qu'est le monde animal. Aussi, lorsque mes voisins ont ramené Cristal chez eux, elle était encore tout bébé, j'ai su que c'était là l'occasion pour moi de connaître un gros chien dès son plus jeune âge, et de vaincre complètement ma peur.

Dès que Cristal a été en âge de recevoir des visiteurs, Bijou et moi avons commencé à aller régulièrement jouer avec elle, chez ses maîtres. J'ai été sa première amie en dehors des membres de la famille qui l'avait adoptée. Bijou a été son premier ami chien, et il est d'ailleurs resté le seul. Malgré sa petite taille, Bijou pouvait jouer avec elle, au début, et faire des roulés-boulés dans l'herbe, sans être involontairement piétiné par la chienne. Mais je la voyais grandir de jour en jour, et je savais que bientôt, elle ne pèserait pas loin de cinquante kilos.

Un jour d'été, Cristal avait alors quatre mois, mes voisins sont venus me voir pour m'avertir qu'ils allaient partir quelques jours en laissant la chienne toute seule, et qu'un ami de la famille viendrait chaque jour lui donner à manger. Je me souviens avoir été un peu inquiète en me disant que c'était encore un bébé, mais je me suis vite rassurée en la regardant. En fait, c'était déjà un grand chien et tout irait bien. Mais cette nuit-là, pendant mon sommeil, j'ai été réveillée par un cri mystérieux qui m'a donné le frisson. Je n'ai pas su tout de suite ce que c'était, ni même que j'écoutais, mais je sais que le cri m'a transpercé le cœur. Puis j'ai compris que c'était Cristal hurlant à la mort, à la manière des loups, pleurant sa solitude.

Je suis sortie du lit, et dans le noir, je suis allée jusqu'à la maison vide de mes voisins, et suis entrée dans le jardin par la porte de derrière. Cristal était assise devant la maison, toute tremblante, son épais pelage argenté brillant sous la lumière de la lune. J'ai couru vers elle et l'ai prise dans mes bras. « Pauvre Cristal », ai-je murmuré à son oreille. « Ils t'ont laissée là toute seule, et tu ne comprends pas pourquoi ils ne reviennent pas. Pauvre Bébé. » J'ai alors bercé son grand corps musclé, comme un bébé, tandis qu'elle collait son museau dans mon cou. En la laissant, j'ai promis de revenir le lendemain pour être sûre qu'elle allait bien.

A ma grande surprise, le lendemain matin, il y a eu un énorme orage. Il pleut rarement en juillet, en Californie du Sud, mais ce jour-là, il est tombé des trombes d'eau. J'ai aussitôt réalisé, en voyant la pluie, que Cristal n'avait nulle part où s'abriter. Bien sûr, ses maîtres n'avaient pas imaginé qu'il puisse pleuvoir et ils n'avaient prévu aucun abri pour elle. J'ai vite pris quelques couvertures et de grands sacs-poubelles en plastique, et j'ai couru voir Cristal. Elle m'attendait au même endroit que la nuit dernière, dégoulinante de pluie et toute tremblante. A nouveau, je l'ai prise dans mes bras, je lui ai trouvé un endroit sec où elle puisse s'installer, et je l'ai caressée en lui disant que tout irait bien.

Quelques jours plus tard, les voisins sont revenus et m'ont remerciée pour ce que j'avais fait pour leur chienne. Par la suite, les choses n'ont plus jamais été les mêmes entre Cristal et moi. A présent, nous étions connectées l'une à l'autre, liées ensemble par un lien puissant que je ne comprenais pas bien. Cela dépassait le simple fait que je me sois occupée d'elle. Il y avait une force mystérieuse qui nous unissait. J'ai commencé à me sentir très malheureuse de voir Cristal enfermée derrière ses grilles. Elle disposait d'un grand jardin pour jouer et s'ébattre, mais on ne l'emmenait jamais en promenade. Elle n'avait jamais vu le monde en dehors de chez elle. Dès que je passais sur son trottoir avec Bijou, Cristal glissait la tête entre les barreaux et se mettait à pleurer. Je sentais alors les larmes me monter aux yeux, et je devais me retenir pour ne pas l'emmener courir avec nous dans les collines. « Je ne sais pas ce qu'il y a dans ce chien qui me remue autant», ai-je confié à Jeffrey. «Je sais qu'elle est aimée de ses maîtres et de leur famille, et je sais qu'elle aussi les aime. Mais je ne pense qu'à la faire sortir de derrière ses grilles.» Je n'arrêtais pas de penser à Cristal, et je ne savais pas pourquoi.

La fuite de Cristal

Un jour, alors que j'étais à mon ordinateur en train d'écrire, j'ai eu l'impression d'entendre quelqu'un frapper à la porte de devant. Je suis descendue, j'ai ouvert la porte, et à ma grande stupéfaction, Cristal était assise sur mon paillasson, remuant frénétiquement la queue. «Comment as-tu fait pour sortir?», ai-je dit tout haut en lui administrant des tapes affectueuses. Je l'ai ramenée chez elle et ma voisine a été aussi étonnée que moi qu'elle ait pu s'échapper. «L'un de nous a peut-être laissé la porte de derrière ouverte», a-t-elle dit en refermant la porte derrière Cristal. En m'éloignant d'elle pour retourner chez moi, j'ai eu nettement l'impression qu'elle me souriait.

Puis Cristal s'est mise à creuser un trou juste à côté de la porte. Je savais très bien ce qu'elle faisait. Elle essayait de sortir afin de pouvoir courir librement. Et elle y arrivait! Tous les deux ou trois jours, je la retrouvais sur mon paillasson, frétillante de joie des pieds à la tête, une lueur sauvage dans ses yeux magnifiques, le bout des pattes et le museau pleins de terre, semblant rire aux éclats. Mes voisins n'arrêtaient pas de reboucher le trou, et Cristal n'arrêtait pas de le réouvrir, pour s'offrir ses escapades. Nous partagions alors en silence notre tendresse l'une pour l'autre.

Un soir, avant d'aller me coucher, j'ai commencé à lire *Women Who Run with the Wolves*[1]. Clarissa Pinkola Estes s'exprime merveilleusement à propos de la Femme Sauvage qui réside en chacune d'entre nous et a besoin d'être ramenée à la vie pour pouvoir courir librement. Cette nuit-là, j'ai rêvé de Cristal. Je l'ai vue creuser furtivement son trou pour s'échapper de ses grilles. Je l'ai entendue m'appeler avec un hurlement de louve. Et quand je me suis réveillée le lendemain matin, j'ai tout compris :

Cristal était mon miroir, l'incarnation de la Femme Sauvage qui était en moi, la partie passionnée, mystérieuse et instinctive de moi-même que j'avais toute ma vie tenue enfermée derrière des barreaux. Elle m'avait appelée en hurlant depuis sa confortable prison, pour me faire entendre le cri de quelqu'un qui a besoin de liberté, de pouvoir courir sans restrictions, de pouvoir aller où bon lui semble, de chanter en chœur avec la voix de son âme. Son cri m'avait atteinte, et sans que je sache pourquoi, ma propre agitation a refait surface. Nous étions sœurs, toutes les deux, nous sortions du même moule. Et elle l'a su avant que je m'en aperçoive. A la manière sage des loups, elle avait plongé son regard dans le mien et avait vu les tourments qui agitaient mon esprit, creusant moi-même la terre pour échapper à mes propres barrières, érigées par moi-même, aspirant à la liberté de mes gestes.

Chaque fois que Cristal apparaissait à ma porte, mes marques de tendresse envers elle la félicitaient de ces escapades, car c'était ce qu'il me fallait faire : creuser moi aussi mon trou pour pouvoir m'échapper de mes barrières émotionnelles, laisser tomber les règles que je m'étais imposées toute ma vie, les limites dont je m'étais bardée pour ne pas tout montrer de moi à mon mari, mes amis, mon public, et

1. Les femmes qui fuient avec les loups.

pouvoir tenir secrètes certaines parties de moi. J'ai compris alors l'agitation qui me prenait. J'ai compris d'où venait la voix qui résonnait soudain dans ma tête et me serinait de m'enfuir. C'était la Femme Sauvage en moi, sortant du trou où je ne cessais de l'enterrer, m'avertissant que j'allais étouffer si je ne brisais pas mes propres barrières. Rien d'étonnant, donc, que tous les cinq ans environ, une sorte de rage en moi me pousse à commettre des actes choquants ou loufoques ! J'étais comme un chien enchaîné qui parvient enfin à s'échapper et peut enfin aller renifler toutes les rues alentour.

Cristal m'avait ouvert les yeux :

> Ce n'était pas la fuite que je recherchais,
> c'était la liberté. Je ne voulais pas courir au
> loin et à jamais, je voulais simplement courir.

Après chacune de ses escapades, Cristal ne montrait aucune réticence pour retourner chez elle. Elle n'avait pas envie de quitter ses maîtres pour de bon. Elle voulait juste pouvoir partir quelquefois. Et c'était la même chose pour moi. Je savais que je n'aurais plus besoin de m'enfuir si je trouvais ma propre liberté intérieure. Il fallait juste que je laisse plus souvent la Femme Sauvage en moi courir librement.

C'est ainsi que Cristal m'a appris à me libérer l'esprit. Je ne ressens plus en moi les tempêtes d'agitation qui m'assaillaient autrefois, je ne ressens que des petites brises. Quand elles se manifestent, je sais qu'il est temps de m'offrir une escapade et je m'accorde une journée rien que pour moi, ou j'écris des poèmes, ou je vais voir une amie, ou j'assiste à un concert, ou je vais danser jusqu'à m'en user la plante des pieds. Puis je rentre à la maison.

Comment pouvez-vous déterminer le moment où vous avez besoin d'aérer votre esprit ? C'est lorsque vous commencez à être irritable, préoccupée pour un rien, critique de tout, fatiguée, que vous vous sentez confuse, que vous vous ennuyez ou avez la sensation de disjoncter. Vous vous mettez alors à manger n'importe quoi, à envoyer vos enfants promener, à dire à votre mari qu'il trouve tout seul ses satanées clés de voiture, à louer une chambre d'hôtel et à regarder des films romantiques toute la nuit au magnétoscope. Tous ces signes indiquent que la Femme Sauvage en vous est en train de vous appeler. Allez vers elle. Déterminez ce à quoi elle aspire vraiment. Nourrissez-la. Puis emmenez-la faire un tour.

Peu de temps après mon « aventure » avec Cristal, ses maîtres ont décidé de déménager, ils sont repartis dans l'Est et ils l'ont emmenée avec eux. Leur nouvelle maison se trouve sur un terrain de plusieurs hectares, et à présent, Cristal peut courir où elle veut. Elle me manque beaucoup et je pense à elle à chaque fois que je passe devant la grille derrière laquelle elle était enfermée. Mais j'ai le cœur en joie de savoir qu'elle est heureuse. Elle restera toujours pour moi l'un des guides les plus chers à mon âme.

Cours librement, ma sœur louve, car la terre
sous tes pattes se réjouit de leur contact libre
et heureux.

Trouvez des moments vrais pour vous-même

Voici, pour nous les femmes, quelques façons de créer des moments vrais.

- **Rechercher la solitude**

Si la seule voix que nous entendons est la nôtre, c'est que nous avons besoin de solitude. Nous sommes tellement habituées à accorder plus d'importance aux voix des autres qu'à notre voix à nous. Nous sommes toutes concernées par cette habitude, surtout si nous avons grandi dans l'idée que Dieu est masculin.

Si pour nous l'image de Dieu, telle qu'on nous l'a enseignée, est une image masculine, nous cherchons les contacts spirituels à l'extérieur de nous-mêmes et de notre féminité, et pas à l'intérieur.

Pendant très longtemps, j'ai attendu des hommes qu'ils me guident et me donnent leurs instructions, sans que je fasse confiance à ma voix intérieure. J'ai passé ma vie à doter les hommes de tel ou tel savoir que je ne possédais pas. Et la plupart d'entre eux ne faisaient aucune objection au statut que je leur conférais. J'ai eu un gourou, un mari qui se prenait pour un gourou et des collaborateurs qui voulaient me faire croire qu'ils étaient mes gourous. J'écoutais leurs opinions avec tant d'attention que je n'avais pas le temps de découvrir les miennes propres.

Offrez-vous à vous-même des moments de silence afin que votre propre voix de la sagesse ait le loisir de s'exprimer. Donnez-lui assez de force pour que toutes les voix qui vous entourent ne la réduisent pas au silence. Tenez compte de cette voix intérieure qui vous parle, de vos sensations, de vos sentiments et de ce que vous savez déjà. Tenez un petit journal réservé à tout ce que vous dit votre voix intérieure. Allez vous promener dans un endroit tranquille. Ecoutez. Très vite, vous entendrez votre esprit s'adresser à vous.

• **Donner naissance à quelque chose**

Quand une femme donne naissance à quelque chose, elle se sent en harmonie avec ce qu'il y a de magique en elle, avec sa capacité de changer la forme des choses. C'est pourquoi, chaque fois que vous désirez vivre un moment vrai, donnez naissance à quelque chose, quoi que ce soit. Ce peut être une nouvelle jardinière de fleurs, un gâteau, des confitures, une idée novatrice pour votre travail, une histoire à raconter à vos enfants avant qu'ils ne s'endorment, une lettre à un ami, le ménage à fond de votre cuisine ou un soin particulier que vous vous faites. Vous sentirez alors la force de vie créatrice qui bouillonne en vous, vous mettant en contact avec Dame Nature elle-même.

Je crois que nous avons régulièrement besoin de donner naissance à quelque chose, sous peine de perdre la connexion qui nous unit aux moments vrais. Certaines femmes accumulent les grossesses les unes après les autres, non parce qu'elles se sentent prêtes pour avoir un autre enfant, ou même qu'elles le désirent, mais parce qu'elles dépendent du processus de donner la vie pour se sentir en connexion avec leur pouvoir personnel et spirituel. Souvent, c'est leur propre re-naissance qu'elles cherchent inconsciemment. Elles cherchent désespérément à se donner naissance à elles-mêmes, aux fragments perdus de leur esprit, à leur créativité.

Nous avons besoin de considérer tous nos actes créatifs

comme des façons de donner naissance à quelque chose, et pas seulement l'acte physique de donner la vie à un enfant. Je n'ai pas eu d'enfants moi-même. Et pourtant je suis une mère. J'ai donné la vie de multiples façons. J'ai donné la vie à beaucoup d'amour.

Toutes les femmes sont des mères, car nous apportons la vie et l'amour où que nous allions.

• Rechercher la compagnie des autres femmes en tant que guides, sœurs et amies

Les femmes ont besoin de miroirs féminins pour découvrir leur propre beauté. Lorsque nous nous retrouvons avec d'autres femmes, nous sommes dotées du pouvoir de notre plénitude. Nous nous rappelons qui nous sommes. Nous nous souvenons des pas de notre Danse.

Depuis la nuit des temps, les femmes ont toujours eu à leurs côtés des guides féminins, des grands-mères ou des aînées, empreintes de sagesse, auprès desquelles elles cherchaient protection et initiation. Elles ont guidé nos pas le long de notre chemin, nous rappelant notre grâce et notre dignité. Mais depuis maintenant de nombreux siècles, nous vivons dans une société patriarcale. Nous avons donné aux hommes le pouvoir de nous définir, de nous éduquer, de nous indiquer notre place. Nous avons perdu le contact avec nos Mères d'Antan desquelles toute vie a jailli. Nous avons oublié notre magie. Nous avons perdu notre chemin.

Depuis que j'ai commencé mon voyage spirituel à l'âge de 18 ans, tous mes maîtres ont été des hommes. Je leur rends hommage pour tout ce qu'ils m'ont appris à propos de la force et du silence. Mais aucun ne m'a rien appris sur le fait d'être une femme. C'est pourquoi, ces quelques dernières années, j'ai lutté pour retrouver mon intégralité, ma plénitude, et j'ai longtemps cherché une femme qui soit à la fois mon professeur et mon guide. J'ai prié pour la rencontrer, et je savais que tant que je ne l'aurais pas rencontrée, je ne serais pas « complète ».

Au début de cette année, Jeffrey et moi nous trouvions dans une belle région de la Californie du Sud, « Big Sur », pour mettre tout au point pour notre mariage qui allait avoir lieu quelques mois plus tard. Une des femmes qui nous aidaient s'est approchée de moi et m'a dit : « Cette idée va peut-être vous sembler bizarre, mais j'ai trouvé ce matin, sur la jaquette d'un livre que je lisais, le nom d'un couple d'Indiens d'Amérique, dont je voudrais vous parler. Ils ont fondé ensemble une association à but non lucratif appelée « Une Terre, un Peuple en Paix », par laquelle ils souhaitent redonner à l'humanité tout entière le sens des relations respectueuses entre tout ce qui est vivant. Sans trop savoir pourquoi, cela m'a fait penser à vous et au travail que vous faites. J'ai senti que je devais vous donner leurs coordonnées. » Je l'ai remerciée et dès que j'ai eu son papier en main, j'ai senti quelque chose en moi qui me poussait à leur téléphoner sans tarder.

C'est donc ce que j'ai fait et nous avons pris rendez-vous pour le lendemain, dans la petite ville historique où ils vivaient, San Juan Bautista, une des missions californiennes les plus originales. Ils s'appellent respectivement Juan Jose Reyna Jr., que tout le monde appelle Sonny[1], et Elaine Reyna, plus connue sous le nom de Bluebird[2]. Sonny est écrivain, environnementaliste et guide spirituel des Indiens. Elaine est une artiste visionnaire, et elle dessine des vêtements ethniques traditionnels et contemporains. Lorsque Bluebird s'est approchée de moi à mon entrée dans leur

1. Fiston.
2. Oiseau Bleu.

galerie et qu'elle a plongé son regard dans le mien, je me suis dit qu'elle était peut-être la femme que je recherchais.

Nous nous sommes assises dehors, dans le jardinet baigné de soleil, et nous avons commencé à parler, non pas de sujets superficiels, mais de ce que nous étions au fond de nous, car nous sentions déjà entre nous une étroite connexion. Jeffrey leur a parlé de sa vie, de ses rêves et de son travail de chiropracteur. Puis j'ai parlé de mon chemin initiatique, des leçons que j'ai apprises et de tout ce que j'avais hâte d'apprendre encore.

Bluebird m'écoutait attentivement, et lorsque j'ai eu fini, elle m'a dit en me regardant au fond des yeux : « Vous savez, Barbara, ce dont vous avez besoin, c'est d'une Grande Sœur. » Les larmes me sont montées aux yeux. Je n'ai jamais eu de sœur plus âgée ou de femme proche de moi pour me guider le long de mon chemin. Et à cet instant, j'ai su que je l'avais trouvée, et qu'elle aussi m'avait trouvée. « Bienvenue dans notre famille d'indigènes ! », a-t-elle lancé. « Nous sommes unies par l'esprit et je suis très heureuse de t'avoir retrouvée, Petite Sœur. »

Depuis lors, Bluebird est ma Grande Sœur, mon professeur, mon guide, mon amie. « Nous les femmes, devons nous souvenir que nous sommes sacrées car nous donnons la vie » dit-elle. « Remercie le Créateur de l'expérience de la Vie, et rends-lui grâce pour le plus précieux des trésors, les peines et les joies. » Cette femme humble et magnifique m'apprend à honorer la Terre et toute vie qui en émane, elle m'apprend à m'honorer moi-même en tant que femme, et à vivre chaque jour des moments vrais.

•

Mes deux guides spirituels de sexe féminin, Cristal et Bluebird, ne correspondent pas à l'image que l'on se fait habituellement d'un guide spirituel traditionnel, mais je ne suis pas très traditionnelle moi-même. Les vôtres ne seront peut-être pas aussi inhabituels. Regardez autour de vous, vous trouverez sûrement quelqu'un pour vous guider, une femme à l'esprit magnifique qui vous aidera à retrouver le chemin des moments vrais. Pensez à vos grands-mères, à vos tantes, à vos sœurs, à vos filles et à vos amies, vous verrez certainement celles qui pourront vous aider. Vous n'avez qu'à demander, et leur présence se révélera à vous. Il n'est pas nécessaire que vous fassiez le voyage seule.

9

Les hommes et les moments vrais

« Cela fait maintenant environ cinquante ans que je règne dans la victoire et dans la paix, aimé de mes sujets, craint de mes ennemis, et respecté de mes alliés. Les richesses et les honneurs, les pouvoirs et les plaisirs, tout cela m'a été largement octroyé. Pourtant, j'ai fait le compte précis des journées de pur et d'authentique bonheur que j'ai vécues jusqu'à présent : il y en a eu quatorze. »

Attribué à Abd AL-RAHMAN III d'Espagne
960 ap. J.-C.

Les hommes n'ont pas de facilités pour vivre des moments vrais, et ils en souffrent beaucoup. Les femmes qui les aiment en souffrent également. De même que leurs enfants. De même que le monde entier.

Je ne peux écrire à propos des hommes en me plaçant en tant qu'homme, comme j'ai écrit pour les femmes en tant que femme. Mais je peux vous dire ce que j'ai vu des hommes que j'ai aimés et de ceux avec qui j'ai travaillé, les hommes de ma vie, et de ceux qui ont fait appel à moi pour être leur guide ou leur professeur. Les observations qui vont suivre sont justes, mais ce sont des généralités et peut-être ne s'appliquent-elles pas à tous les hommes. Cependant, je crois qu'elles expriment une vérité qui se vérifie chez la plupart d'entre eux.

Cette vérité est la suivante : les hommes meurent parce qu'ils ne vivent pas assez de moments vrais. Ils meurent sur le plan des émotions, car ils se privent eux-mêmes de l'amour et de l'intimité dont ils ont besoin, et ils meurent aussi physiquement par leur volonté d'en faire toujours plus. Ils ne savent pas s'arrêter et se reposer, leur vie perd l'équilibre et leur corps lâche prise. Et enfin, ils meurent sur le plan spirituel car ils ne savent pas comment se pencher sur eux-mêmes et commencer leur voyage vers le sacré.

Si vous êtes une femme qui aimez un homme, vous avez probablement déjà ressenti cela à son sujet. Il y a quelque chose qui manque. Mais vous ne pouvez pas vraiment dire de quoi il s'agit. Cela n'a aucun rapport avec son ardeur au travail ou la quantité de temps libre dont il dispose. Rien à voir non plus avec son âge. Ce n'est pas quelque chose de matériel. C'est plutôt comme une sorte d'endroit en lui-même où il va rarement, l'endroit correspondant à l'instant présent, un lieu de silence, de réceptivité aux émotions et d'ouverture aux mystères de l'amour. C'est là que vous voulez le rencontrer. Vous arrivez. Vous attendez. Mais lui ne s'ouvre pas.

Si vous êtes un homme, peut-être connaissez-vous la soif de moments vrais dont je parle, mais sous d'autres termes, les termes propres aux hommes. C'est la soif de marquer un arrêt dans ce qui est incessant, de briser le rythme perpétuel des mouvements qui peuvent votre vie. C'est le désir confus et inconfortable d'aller ailleurs, quelque part, d'être différent de ce que vous êtes ici, un désir qui ne pourra être satisfait, vous le savez, en changeant de travail, de voiture ou de femme. C'est quelque chose qui vous appelle au fond de vous et auquel vous voudriez bien répondre mais ne savez comment. Une sensation d'agitation qui ne s'efface jamais.

Voici ce qu'il en est des hommes et des moments vrais :

> Les moments vrais font appel à l'être, pas aux actes. Or, les hommes sont des actifs.

Depuis que l'Homme existe, et dès son plus jeune âge, il est formé pour devenir un bon chasseur, un bon constructeur, un bon protecteur des siens. Tel a toujours été le rôle des hommes, et c'est donc par leur travail, leur peine et leurs accomplissements qu'ils se définissent eux-mêmes et jugent leur propre valeur. A l'inverse, notre rôle à nous, les femmes, a toujours été d'établir de bonnes relations, de faire plaisir, d'élever les enfants, de permettre les connexions. Nous sommes devenues expertes dans l'art de ressentir des émotions et de simplement « être ».

Au cours de notre siècle, ces rôles ont commencé lentement à évoluer, mais ils ont tellement longtemps ressemblé à cela que nous avons du mal à les oublier. Les habitudes ont la peau dure ! La mémoire génétique influe sur beaucoup de nos valeurs et de nos comportements. Je me souviens encore de ma mère me disant à quel point nous étions différents, mon frère et moi, lorsque nous étions bébés. « Toi, tu étais tranquillement assise à observer les gens, à faire des coloriages ou jouer avec des poupées de papier », disait-elle, « tandis que Michael, lui, n'arrêtait pas de s'agiter dans tous les sens. » On l'appelait « le déménageur » car il passait son temps à déplacer les objets d'un endroit à un autre. Et s'il n'avait pas sous la main d'objets à bouger, il se bougeait lui-même, sans arrêt. Nous avons encore des petits films de cette époque et, effectivement, avant même de savoir parler, il était constamment en train de courir.

Les hommes sont des actifs, c'est inscrit dans leurs

gènes. C'est pourquoi, lorsqu'ils s'interrogent sur le sens de leur vie, ils considèrent leur travail, ce qu'ils font concrètement, si ce qu'ils font s'inscrit dans la réalisation d'un projet, que ce soit construire une étagère dans le garage ou bien jouer une bonne donne aux cartes. C'est dans le concret qu'ils croient pouvoir trouver satisfaction.

Mais au fil du temps, la nature du travail des hommes a changé radicalement. Ils étaient des conquérants, des aventuriers, des guerriers, ils se sont transformés aujourd'hui en comptables, vendeurs ou programmeurs en informatique. Leurs combats sont différents et ils n'ont plus de terres à explorer. Le travail ne leur procure plus la satisfaction instantanée que procurait la construction de la maison familiale, la victoire contre l'ennemi ou le labourage de la terre nourricière à leurs arrière-arrière-grands-pères. Leurs activités sont souvent si loin de la vie concrète qu'elles ne leur offrent pas le loisir de vivre des moments vrais.

●

Les hommes ne se sentent vraiment à l'aise que dans le monde du concret. Ils ne se sentent bien qu'avec ce qu'ils peuvent voir, toucher, mesurer. Ils poursuivent un but. C'est pourquoi ils accordent une si grande valeur à l'acte de « faire ». En effet, en « agissant », ils produisent un résultat qui s'inscrit dans la seule démarche qui compte pour eux : accomplir quelque chose.

Le type d'expériences que vous offre les moments vrais, nous l'avons vu, n'est pas forcément lié à un moment où l'on accomplit quelque chose. Ce sont des moments plus calmes, plus subtils, et dont les bénéfices sont beaucoup moins tangibles, puisqu'ils sont invisibles. Ce ne sont pas des expériences auxquelles les hommes accordent généralement de la valeur car on ne peut mesurer le sens qu'elles peuvent avoir. Quand un homme fait deux heures supplémentaires, il est payé en conséquence, et peut mettre l'argent dans sa poche, un bénéfice qui est mesurable et qui a un sens. Mais s'il passe ces deux heures à discuter avec sa femme ou à faire une promenade tout seul, où est le bénéfice ? On ne peut le calculer, et il a donc moins de valeur et de sens, à ses yeux, que deux heures supplémentaires sur son lieu de travail.

Cette différence de valeurs est à l'origine de frustrations et de conflits incessants dans les relations entre les hommes et les femmes. Si vous dites à votre mari que vous aimeriez passer plus de temps à parler avec lui, il vous répond : « Parler de quoi ? » Sa réponse vous ennuie et vous trouble. Faut-il que vous lui donniez une liste des sujets que vous voulez aborder, et quand vous voulez le faire ? Il sait maintenant que vous voulez parler avec lui. N'est-ce pas assez ? Non, ça ne l'est pas. Passer ensemble un moment d'intimité à simplement parler n'a probablement pas la même valeur pour lui, en tant qu'homme, qui accorde une large importance à l'acte de « faire », que pour vous, en tant que femme, qui accordez une large importance aux contacts et au fait « d'être », tout simplement.

Nous, les femmes, quand nous arrêtons un peu de prendre soin de tout le monde et nous occupons de nous-mêmes, avons de fortes aptitudes pour « être ». C'est pourquoi nous aimons les moments d'inactivité, surtout avec notre partenaire. Nous savons que c'est l'occasion de délicieux moments vrais.

Les hommes ont besoin de considérer les moments d'inactivité comme des expériences significatives.

Les hommes doivent cesser de ne voir que le bénéfice instantané qu'ils tirent d'une expérience, et apprendre à vraiment ressentir les choses au moment où elles se passent, ici et maintenant. Les moments vrais appartiennent au royaume de l'intemporel et de l'invisible. Leur valeur ne peut ni être mesurée, ni se calculer. Dès que vous essayez de l'évaluer, ce n'est plus un moment vrai.

•

« Etre en quête n'est rien de plus ou de moins que de devenir un poseur de questions. »

Sam KEEN

Le trajet à parcourir pour retrouver le chemin des moments vrais est parsemé de questions, comme nous l'avons vu dans le chapitre 4, telles que « Qui suis-je ? », « Est-ce que je mène bien la vie que j'ai envie de mener ? », « Suis-je heureux(se) ? », « Est-ce que je donne assez d'amour ? Est-ce que j'en reçois assez ? » Pour pouvoir vous poser ces questions, vous devez vaincre la peur de ne pas savoir, et trouver le courage de vivre quelque temps dans l'incertitude.

Ce n'est pas tâche facile pour les hommes. Les hommes ont les deux pieds sur terre. Ils ont besoin de solidité sous leurs pas et d'un chemin bien tracé à suivre. Ils ne se sentent pas à l'aise avec ce qui est informe, vague, fluctuant, mystérieux… et même ils en ont peur. (Autant de traits propres au psychisme féminin !) C'est pourquoi il est difficile pour eux d'interroger, de fouiller, d'explorer l'inconnu. Ils se sentent en terre étrangère.

Les femmes aiment poser des questions,
les hommes aiment avoir des réponses.

Poser une question implique que l'on ne connaît pas la réponse. En règle générale, les femmes n'ont pas peur de dire « Je ne sais pas », ce qui peut représenter une forme de chute libre intellectuelle. Ne savons-nous pas à la perfection lâcher prise et nous soumettre ? Nous mettons cela en pratique chaque fois que nous faisons l'amour, que nous avons nos règles, que nous mettons un enfant au monde ou que nous embrassons nos enfants quand ils partent pour l'école. Nous sommes beaucoup plus nombreuses que les hommes à nous préoccuper de notre évolution personnelle, à faire partie d'un groupe de soutien, à nous payer des livres pratiques destinés à nous aider et même à suivre une thérapie, car le fait de poser des questions nous met à l'aise et même nous stimule pour avancer. Et bien souvent, nous n'avons pas hâte d'obtenir les réponses.

Cependant, les hommes, eux, aiment **savoir**. Pour eux, savoir équivaut à « faire », c'est une preuve de force mentale. J'ai vu des hommes aller très loin pour éviter d'avoir à prononcer les mots « Je ne sais pas ». Ils préfèrent les formules du genre : « Je n'ai pas envie de parler de ça », « Pourquoi n'es-tu jamais contente ? », « Ne t'arrive-t-il jamais de te taire ? » ou « Calme-toi, je contrôle tout ». Ils ne veulent pas admettre qu'ils n'ont pas encore de réponse claire à l'esprit, aussi cherchent-ils à gagner du temps, ils évitent de répondre ou, si vous insistez trop, ils essayent de vous détourner brutalement de la question pour leur laisser le temps d'y réfléchir et de se retrouver en terrain connu.

Ne pas accepter de ne pas savoir fait souffrir
les hommes. Cela les maintient là où ils sont.
Cela les empêche d'aller de l'avant,
d'atteindre de nouveaux degrés de liberté
émotionnelle et spirituelle.

Dans l'un de ses livres, Sam Keen décrit la quête sacrée de l'homme à la recherche de lui-même, comme un voyage ponctué de passages… « entre la certitude de sa virilité en tant que mâle et le doute le plus profond… entre le fait d'avoir les réponses et de vivre les questions ». « Vivre les questions » signifie vivre dans un état constant de soumission et de perte de contrôle. C'est-à-dire le contraire de ce à quoi les hommes ont été habitués dès leur plus tendre enfance. En effet, on leur apprend très tôt à dominer, à conquérir, à tenir bon, à remporter des victoires et à ne pas baisser les bras. Je dis cela avec un immense respect. Ce sont ces mêmes qualités qui ont permis aux hommes de battre leurs ennemis, de tuer pour protéger leur terre et leur famille, de s'enfoncer dans des forêts obscures pour ramener la nourriture permettant à leurs proches de survivre, d'être main dans la main avec leurs frères pour combattre les oppresseurs qui en voulaient à leur liberté, de franchir les montagnes pour trouver des lieux de vie plus sûrs.

Mais dans sa quête de moments vrais, l'homme doit rassembler tout son courage pour abandonner sa panoplie de guerrier car cela le détruit, lui et ses relations avec les autres. Cela implique de pouvoir dire à la femme que vous aimez : « Je ne suis pas sûr », « J'ai besoin d'un peu de temps pour y réfléchir », « Peux-tu reprendre doucement, je ne suis pas certain d'avoir compris ce que tu voulais dire ? », « De quoi as-tu besoin que je ne te donne pas ? », « Comment pourrions-nous faire différemment ? » et « Je suis désolé ». Cela implique d'accepter, à certains moments, de vivre dans l'incertitude, de vous **ouvrir** au monde de mystère et de l'inattendu, de vivre pleinement des moments qui ne sont pas inscrits sur votre agenda, et de savoir que tout cela ne vous empêche pas de rester un homme.

C'est tout ce que nous attendons de vous, nous autres les femmes. Nous voulons que vous fassiez le voyage avec nous. Nous voulons partir en exploration avec vous, main dans la main. Nous voulons être vos partenaires spirituels. Nous voulons découvrir de nouveaux territoires d'intimité, de nouveaux royaumes de passion physique et franchir de nouveaux paliers dans le bonheur. Nous voulons connaître avec vous un amour toujours plus grand, et ne pas vous laisser derrière.

Et même si le poids de votre conditionnement vous hurle aux oreilles : « Si je me laisse aller, c'est que je ne suis pas un homme », sachez qu'au moins à nos yeux, vous serez notre héros le plus brave et le plus honoré.

Sentiments gelés et larmes sacrées

On en arrive à ce qui vous fait le plus peur, à vous les hommes : ce sont les sentiments. Vous saviez que nous y viendrions, n'est-ce pas ? Bien sûr. Car pour vivre des moments vrais, que ce soit avec votre partenaire, vos enfants ou vous-même, il faut que vous ayez envie d'éprouver pleinement des émotions. Et la plupart des hommes ont beaucoup de mal à le faire.

Pendant des siècles, les hommes ont été étrangers au monde des émotions dans lequel nous, les femmes, nous vivons. Il vous fallait vous endurcir et ne pas éprouver d'émotions afin de pouvoir survivre. Comment auriez-vous pu étrangler des hommes à pleines mains si vous aviez eu pitié d'eux ? Comment auriez-vous pu affronter, la lance à la main, un animal sauvage fonçant droit sur vous, si vous aviez eu peur ? Comment auriez-vous pu obéir à l'ordre de lancer une grenade sur un village ennemi, sachant qu'en le faisant vous alliez tuer des gens innocents, mais qu'en ne le faisant pas c'est vous qui alliez être tué, si vous vous étiez autorisé des états d'âme ?

Il n'y a pas grand-chose de changé au XXe siècle. Le monde des affaires, aujourd'hui, peut être aussi pervers et démoralisant que n'importe quel champ de bataille. S'ils sont durs et impitoyables, les hommes sont récompensés, mais s'ils sont considérés comme « trop mous » ou « trop gentils », leur image « d'homme » est ternie. Si vous montrez votre peur, on ne vous respecte pas. Mais si vous montrez une confiance en vous inébranlable, on vous tient pour un chef. Les armes ont changé, mais les règles du jeu sont les mêmes.

C'est le prix qu'il vous a fallu payer pour acquérir votre virilité. Ce qui a été exigé de vous pour « devenir un homme » vous a aussi obligé à vous faire une carapace contre les sentiments. Et tout votre dilemme est là. Vous ne pouvez vous prémunir contre les sentiments de peur, de honte et de tristesse, sans en même temps vous prémunir contre l'aptitude à la joie, à l'amour et à la compassion. Et c'est ainsi que tant d'hommes se trouvent dans un état de désespoir secret, leur cœur empli de sentiments gelés qu'ils ne veulent pas ou ne peuvent pas exprimer. Vos femmes et vos enfants vous supplient d'entrer avec eux dans la ronde des émotions, mais vous refusez et vous vous détournez de nous. Alors, à notre tour, nous nous détournons et pleurons en pensant que vous ne nous aimez pas. Nous sommes à mille lieues de deviner votre secret jalousement gardé : vous ne savez plus comment ça se danse…

Si vous êtes honnête avec vous-même et prenez la peine de vous pencher sur vous-même, vous pourrez voir les cicatrices psychiques que vous a laissé l'accession à votre masculinité, ces anciennes blessures qui vous empêchent de vivre dans la joie, comme vous le méritez, et vous empêchent de danser librement la ronde de l'amour avec ceux que vous aimez. Elles vous privent des moments vrais. Vous devez considérer ces cicatrices, ces anciennes blessures, comme vos nouveaux territoires à conquérir si vous voulez vivre pleinement, et de manière authentique, comme un être humain et un homme. Sam Keen, de sa voix d'homme, dit également : « Les hommes doivent faire de nombreux deuils avant de pouvoir renaître. »

Pour vous libérer d'une blessure, il vous faut d'abord la guérir, et pour la guérir, vous devez d'abord la ressentir.

Pour affronter vos blessures et laisser affluer vos sentiments gelés, il vous faut du courage, des larmes et le sens du pardon. Je crois que toutes les larmes sont sacrées, elles sont autant de signes indiquant que la glace enserrant notre cœur est en train de fondre. Les hommes n'arrivent pas facilement à les laisser couler, mais si vous le faites, vous retrouverez des fragments de vous-même que vous ne saviez même pas avoir perdu. Je suis fière d'avoir été présente, au fil de mes nombreuses années d'enseignement, lorsque des milliers d'hommes ont de nouveau versé des larmes, pour la première fois depuis leur enfance. Ce sont des moments sacrés, tout comme est sacré le moment de la naissance, lorsqu'arrive au monde un nouvel être humain. Les larmes vous aident à trouver près de vous des « sages-femmes » attentives et compréhensives, entre autres votre propre femme, pour vous aider à sortir de votre carapace.

Certains des moments vrais que nous apprécions le plus, nous les femmes, ont lieu lorsque les hommes que nous aimons nous font le cadeau de partager leurs larmes.

Lorsque Jeffrey m'accorde assez de confiance pour me montrer ouvertement sa peine, et me laisse le consoler et le réconforter, je ressens une profonde gratitude envers lui. C'est qu'il m'ouvre alors la porte de son sanctuaire intérieur et m'invite à y entrer. Il n'y a pas d'intimité plus profonde.

Faites le travail émotionnel que vous savez devoir faire. C'est l'engagement le plus important que vous puissiez faire vis-à-vis de votre mariage, de vos enfants et de vous-même.

Le revers de l'esprit de groupe : la solitude de l'homme

Les hommes aiment faire partie d'un groupe. Ils aiment être en groupe pour assister à un événement sportif. Ils se retrouvent en groupe à la plage. Ils vont pêcher en groupe. Au sein du groupe, ils se sentent en sécurité. Au sein du groupe, ils ne se sentent pas seuls, sans pour autant qu'on les presse à révéler quoi que ce soit sur eux-mêmes. Mais malgré cela, la plupart des hommes que je connais éprouvent un sentiment de solitude, non pas par manque de compagnie, mais parce qu'ils sont incapables de vivre des moments vrais ensemble.

Ce n'est pas vraiment de la solitude mais plutôt un sentiment profond d'isolement. Les hommes savent partager les choses qui ne sont pas importantes, telles que le vainqueur de la coupe de tennis qui a eu lieu la veille, le prix de leur nouveau pot d'échappement silencieux ou ce qu'ils pensent des jambes de leur nouvelle secrétaire. Mais ils gardent bien cachés au fond d'eux-mêmes leurs rêves et leurs secrets respectifs. Même entre bons copains, il n'est pas rare de voir des hommes ignorer les ennuis dans le couple de leur ami, ses inquiétudes à propos d'un parent âgé, ses problèmes sexuels ou ses ennuis d'argent. Ces choses-là n'entrent pas dans leurs conversations.

Un rapport récent sur l'intimité entre hommes à révélé ceci :

— Un homme sur dix, seulement, a un ami avec qui il peut discuter de son travail, d'argent et de ses relations avec ses proches.

— Un homme sur plus de vingt, seulement, a un ami avec qui il peut discuter de ce qu'il ressent sur lui-même, de sa sexualité ou de sujets tout aussi intimes.

Ce que révèle ce rapport, c'est que la plupart des hommes ne parlent pas, entre eux, de choses réellement importantes et personnelles. Ils ne vivent pas de moments vrais avec leurs congénères du même sexe.

Le mois dernier, Jeffrey et moi discutions d'un de nos amis, qui se trouve être l'un de ses meilleurs amis. « Quel dommage que sa femme et lui s'entendent si mal en ce moment », ai-je soupiré.

« Mais de quoi parles-tu ? », a répondu Jeffrey, abasourdi.

« Tu es bien au courant de leurs disputes au sujet de l'argent ! » Mais tout en parlant, je me suis rendu comte que Jeffrey n'était au courant de rien. « Il ne t'en a pas parlé ? »

« Non », a-t-il répondu d'une voix surprise. « Pourtant, je lui ai parlé hier et il m'a dit que tout allait bien. Quand lui as-tu parlé ? »

« Ce matin, au téléphone. Il a craqué et s'est mis à pleurer. »

La surprise nous a fait hocher la tête à tous deux, en réalisant que Jeffrey ne savait rien de ce qui se passait dans la vie personnelle de son ami, pourtant si proche. Comment ai-je réussi à lui ouvrir le cœur ? Le plus simplement du monde… Je lui ai demandé comment ça allait dans son couple, et j'ai senti une hésitation dans sa voix. Je l'ai alors invité à m'en parler, une chose que la plupart des hommes considèrent comme trop inconfortable. J'ai sciemment violé un des tabous masculins en m'adressant à lui d'une manière aussi intime. Un tabou qui interdit aux hommes de révéler des choses trop personnelles sur eux-mêmes. Mais comme je suis une femme, la porte s'est ouverte.

●

Les hommes ont l'air parfaitement à l'aise lorsqu'ils sont en groupe, mais dès qu'ils se retrouvent en tête-à-tête avec un autre homme, leur belle aisance disparaît. Lorsque deux personnes sont seules l'une avec l'autre, il se crée entre elles une sorte d'intimité obligée. Et quand on pense à quel point l'intimité avec une femme fait peur aux hommes, on imagine la secrète panique qui les saisit à l'idée d'avoir un contact intime avec un autre homme !

Si vous êtes un homme, imaginez un instant qu'il soit tard le soir et que vous soyez assis devant un feu de bois, à discuter avec un autre homme. Vous partagez vos sentiments les plus profonds, vos pensées les plus secrètes, et il fait de même envers vous. Vous ressentez de sa part une compréhension telle que vous n'avez pas ressentie depuis longtemps. Même la femme que vous aimez ne peut vous offrir un tel degré de compréhension, car elle n'est pas un homme. La connexion qui s'est établie entre votre ami et vous est vive et puissante. Une force tangible de fraternité et de ressemblance passe entre vous.

Soudain, vous vous sentez mal à l'aise. Vous faites l'expérience de l'amour avec un autre homme. Si vous êtes hétérosexuel, vous paniquez car vous vous dites : « Je ne devrais pas éprouver cela. Qu'est-ce que cela veut dire ? », et vous allez alors intervenir d'une manière ou d'une autre pour atténuer l'intensité du moment : vous lancez une blague, vous vous levez et vous vous étirez, vous changez de sujet de conversation. Peut-être même essayerez-vous d'éviter cette personne par la suite, pour ne pas sembler accorder trop d'importance à ce que cette expérience a produit sur vous. J'ai vu des hommes mettre un terme à une amitié avec un autre homme, pour quelque raison fallacieuse, car ils avaient peur d'éprouver un sentiment d'amour envers un autre homme.

C'est la phobie d'un comportement homosexuel qui les pousse à agir ainsi. Ils font la confusion entre un moment d'amour fort et l'attraction sexuelle. Vous, les hommes, cherchez à donner à ce type d'expériences une signification et à leur imaginer des conséquences qui vont au-delà de ce qu'elles sont réellement : des moments vrais d'amour. Mais la plupart des hommes ne partagent même pas une intimité de ce type avec un autre homme. Pour échapper à ce type d'expérience horrible, ils préfèrent se maintenir à distance. Et c'est ainsi qu'ils ne peuvent avoir de relations vraiment intimes avec quelqu'un de leur sexe.

La peur qu'éprouvent la plupart des hommes de vivre un moment d'intimité avec un autre homme rend les amitiés masculines quelque peu maladroites.

Je ne dis pas que les femmes ne sont jamais concernées par cette tendance. Nous avons également un seuil de tolérance quant aux sentiments d'amour que nous pouvons éprouver pour une amie, mais bien avant d'atteindre ce seuil, les hommes seraient déjà partis en courant.

•

« Ne pas ressentir d'union de l'âme avec un autre homme est peut-être la blessure la plus destructrice qui soit. »

Robert BLY

Chaque homme a besoin d'être lié par le cœur à un autre homme. Il a besoin de substituts pour les frères et les pères qu'il n'a peut-être jamais eus ou connus. Il a besoin d'assouvir ses besoins d'intimité avec quelqu'un d'autre que sa compagne afin qu'elle ne soit pas la seule soupape lui permettant de laisser s'exprimer ses émotions (elle finirait par devenir folle et lui par lui en vouloir). Il a besoin de miroirs pour refléter sa propre recherche à propos de sa masculinité, d'un frère de cœur qui puisse valider son parcours mieux que ne le ferait aucune femme.

Trouvez un ami. Retirez vos masques. Montrez-lui qui vous êtes au fond de vous-même. Et n'ayez pas peur si vous vous sentez très proche de lui… ce n'est que de l'amour.

•

Un mot pour les hommes qui aiment les femmes. Voici ce que votre partenaire aimerait pouvoir vous dire :

« Sais-tu ce qui me rendrait réellement heureuse ? Ce serait de partager des moments vrais avec toi. Je désire cela de toutes mes forces. J'ai essayé plusieurs fois de t'en parler, sans y parvenir. Que tu me prennes soudain dans tes bras après le dîner, que tu me voles un baiser sans raison particulière dans la salle de bains, que tu m'appelles de ton travail pour me dire uniquement que tu m'aimes, que tu me serres très fort, à un moment donné, quand nous faisons l'amour, en me disant : « Je suis ici avec toi, dans tes bras, et c'est le seul endroit au monde où j'ai envie d'être », voilà ce dont j'ai besoin.

« Quand j'ai l'air mélancolique, irritée ou anxieuse, ce n'est pas parce que j'ai besoin de vacances, ou parce que mes hormones sont en pleine activité, c'est parce que je n'arrive pas à te trouver. Mes mains te cherchent et te trouvent dans l'obscurité, mais les tiennes ne me renvoient pas mon message d'affection. C'est mon cœur qui t'appelle, mais il a ton silence pour toute réponse. Où es-tu allé ? Tu me manques, non par ton corps ou ta conversation, mais par ton esprit précieux.

« Ce que je veux de toi, c'est pouvoir te rencontrer là où ton cœur réagit. Ne serait-ce que pour un instant, je voudrais pouvoir ressentir l'intensité de l'amour que tu me portes, le ressentir jusqu'à ce que tu ne puisses plus le contenir et qu'alors tu me prennes la tête entre tes mains, me regardes au fond des yeux et me noies dans ton amour. »

●

« Si vous observez un homme réellement heureux, vous le trouverez en train de construire un bateau, d'écrire une symphonie, d'éduquer son enfant, de faire pousser des dahlias doubles dans son jardin ou d'observer des œufs de dinosaure dans le désert de Gobi. Il ne cherchera pas le bonheur comme on cherche un bouton de col qui a roulé sous le radiateur. Il n'en fera pas un but en lui-même. Il aura pris conscience d'être heureux au fil de sa vie débordée, vingt-quatre heures à la fois. »

W. BERAN WOLFE

Quelques petites choses encore avant d'entamer votre parcours vers une vie plus fournie en moments vrais :

... Isolez-vous régulièrement pendant un petit moment afin d'être seul avec vous-même.

... Commencez à écrire un journal. Vous allez peut-être vous dire que c'est un vieux truc révolu, mais les femmes, elles, connaissent depuis des siècles les effets puissants

obtenus par le fait d'écrire noir sur blanc ses pensées et ses émotions. Vous n'avez pas à le faire lire à qui que ce soit.
… Liez-vous d'amitié avec quelqu'un de votre sexe.
… Faites-en moins.
… Posez plus de questions.
… Marchez seul dans la campagne.
… Ecoutez votre cœur.
… Et quand vous êtes dans le doute, demandez à la femme de votre vie de vous aider à vivre davantage de moments vrais.
… Vous nous ferez profondément plaisir…

10

Les moments vrais et la famille

« Dans cinquante ans,
Peu importera la voiture que vous conduirez,
le style de maison dans lequel vous vivrez,
le montant de votre compte en banque,
ni les vêtements que vous porterez,
car alors, le monde ira un peu mieux :
vous aurez compté dans la vie d'un enfant. »

Anonyme

Tout ce que j'ai écrit dans ce livre jusqu'à maintenant à propos des moments vrais peut s'appliquer aux relations que vous entretenez avec votre famille, vos parents, vos enfants, vos frères et sœurs, et aussi la famille choisie que forment vos amis proches. Vous trouverez dans ce chapitre des réflexions sur les familles où il y a des enfants, car nous ne devons pas oublier certaines choses importantes et spéciales sur l'amour que nous portons à nos enfants. En effet, à notre époque de tous les enjeux, une époque souvent effrayante, ils ont besoin, plus que jamais, de notre amour et de notre soutien.

•

Les enfants sont des graines robustes qui vont devenir des jardins. Ce que nous semons dans l'esprit et le cœur d'un enfant touchera un jour des milliers de gens. C'est pourquoi les enfants ont toujours été associés à l'espoir. Ils nous donnent l'occasion de rompre le cycle, de jeter au loin les chaînes du passé et de préparer un avenir meilleur. Ils ouvrent la porte aux guérisons et aux nouveaux départs.

Ce que vos enfants vont devenir se répercutera un jour sur vous. Vous exercerez toute votre vie sur eux la plus forte des influences, car votre rôle aura été, justement, de cultiver la graine, pour qu'elle se transforme en jardin. Vous savez cela d'instinct, aussi essayez-vous de donner à vos enfants tout ce que vous-même n'avez pas eu et de prendre soin d'eux dans tous les domaines et par tous les moyens. Mais malgré vos efforts sincères, peut-être avez-vous oublié une vérité cruciale :

> Vous ne pouvez pas être un bon parent
> si vous ne prenez pas soin de vous-même.

Si votre rôle est d'arroser la graine d'âme de vos enfants, il faut vous assurer que votre arrosoir est bien plein. Il vous faut constamment veiller à emplir votre propre cœur. Vous devez veiller à vous offrir assez d'amour, de soutien et de moments vrais avant de pouvoir en offrir à vos enfants.

Refaire le plein de son cœur est quelque chose que beaucoup de parents négligent de faire sous prétexte de faire passer les besoins de leurs enfants avant les leurs. Les parents issus de la génération du « baby-boom », dans les années cinquante et soixante, sont particulièrement concernés par ce processus. Nous avons essayé de devenir des super-parents, d'offrir à nos enfants toutes les activités de loisir possible, tous les moyens de parfaire leur éducation et tous les biens matériels que nos parents n'avaient pas pu nous offrir. Il est vrai qu'il existe aussi, parmi ces parents, des parents négligents, se servant de la télévision comme d'une baby-sitter électronique, et ne remarquant même pas quand leurs propres enfants ont un grand besoin d'attention. Mais la majorité d'entre nous se sentent coupables dès que nous prenons du temps pour nous-mêmes, de peur qu'une fois adultes, nos enfants pointent sur nous un doigt accusateur en disant : « Tout est de ta faute. Si tu n'étais pas parti(e) en vacances à ce moment-là (si tu n'avais pas pris tes cours de gym, passé tous ces après-midis avec tes amis ou repris des études), ma vie ne serait pas aussi en désordre aujourd'hui ! »

Je connais une femme qui ne vit que pour ses enfants. Elle a abandonné tout ce qui l'intéressait, et même ses amis, pour ne pas priver ses deux filles d'une minute de son temps. Récemment, j'ai réussi à la convaincre de venir déjeuner avec moi, ce qui n'a pas été chose facile. Je l'ai prise chez elle au passage, en voiture, et j'ai assisté à la scène d'adieu avec ses filles ; c'était comme si elle partait pour un voyage de trois semaines au fin fond de l'Afrique. Elle avait préparé cinq listes pour la baby-sitter et avait répété au moins dix fois à ses enfants qu'elle n'allait pas s'absenter plus de deux heures, tout en s'excusant de les laisser pendant ces deux heures. Dès que nous sommes arrivées au restaurant, elle a téléphoné chez elle pour savoir comment allaient les enfants.

« Marlène », lui ai-je dit, « tu n'es partie que depuis vingt minutes, crois-tu vraiment que cet appel était nécessaire ? »

« Eh bien, elles n'ont pas l'habitude que je m'en aille », a-t-elle répondu en hochant la tête. « Elles sont agitées et inquiètes lorsque je ne suis pas dans les parages. »

« Mais ce ne sont plus des bébés », lui ai-je rappelé,

« elles ont respectivement cinq et sept ans. Comment pourront-elles apprendre à devenir indépendantes ? »

« J'exagère peut-être un peu, mais je ne veux pas qu'elles se sentent négligées comme je l'ai senti moi-même lorsque j'étais enfant. »

Ce n'était pas une conversation facile que j'avais là avec mon amie. Comment pouvais-je lui dire à quel point elle se négligeait elle-même ? Comment pouvais-je lui parler du sentiment d'insécurité que ses filles commençaient à avoir, car elles n'avaient pas encore appris à se séparer de leur mère, même un tout petit peu ?

●

« Rien n'a plus d'influence psychologique sur leur environnement, et surtout sur leurs enfants, que les parents ne sachant vivre leur propre vie. »

C.G. JUNG

Lorsque vous vous négligez vous-même pour le bien de vos fils et de vos filles, vous ne leur faites aucune faveur. Si vous ne vivez que pour, ou à travers, vos enfants, et négligez vos propres graines, tout ce que vous leur apprenez est la manière de se sacrifier soi-même pour le bonheur de quelqu'un d'autre. Une valeur qui ne fonctionne jamais au bout du compte. Peut-être, étant petits, aiment-ils être constamment pris dans les bras. Mais cela nuit au développement de leur imaginaire, et, lorsqu'ils grandissent, ils n'ont pas l'air heureux, emplis de rêves non assouvis. Et ils culpabiliseront que vous ayez donné tellement de votre temps pour arriver à cela.

Vous pouvez être sûr d'une chose, c'est que jamais vos enfants, une fois grands, ne vous diront : « Maman, papa, je vous suis très reconnaissant d'avoir totalement sacrifié votre propre bonheur, vos relations intimes et votre évolution personnelle en ne m'ayant jamais dit "non". Je suis heureux que vous vous soyez serré la ceinture pour que je puisse avoir tout ce que je voulais. Merci de ne pas avoir vécu pleinement votre vie. Je suivrai votre exemple et quand j'aurai des enfants, moi aussi je sacrifierai pour eux tous mes plaisirs et mes satisfactions personnelles. »

Les enfants apprennent en vous regardant vivre. Si vous prenez le temps de vivre des moments vrais pour vous-même, ils apprendront à faire pareil pour eux.

Si vous prenez le temps de nourrir votre propre cœur, vos enfants apprendront à nourrir le leur, et ils n'auront pas à subir de vacuité intellectuelle. Au lieu de sacrifier votre vie pour vos enfants, vivez-la pleinement de sorte qu'elle soit pour eux une émulation.

●

« Votre temps est le cadeau le plus précieux que vous puissiez faire à vos enfants. »

Louise HART

Qu'est-ce que les enfants attendent réellement de nous, les adultes, dans leur vie ?

— Ils veulent se sentir aimés et valorisés.

— Ils veulent sentir qu'ils occupent une place de prime importance dans notre vie.

— Ils veulent se sentir bien comme ils sont.

— Ils veulent sentir que nous sommes fiers d'eux, et n'aurions pas voulu qu'ils naissent dans une autre famille.

Chaque enfant a besoin de savoir que ses parents pensent ainsi à son égard pour qu'il puisse avoir ensuite une saine estime de lui-même et construire sa confiance en lui.

Partager un moment vrai avec votre enfant est la meilleure façon de lui montrer l'importance qu'il a pour vous et de lui faire comprendre, par l'expérience, ce qu'est le sentiment de l'amour.

C'est l'amour, et non pas les jouets, qui donne aux enfants la conscience de l'intérêt qu'ils représentent pour vous. Malheureusement, dans notre société actuelle, nous noyons nos enfants sous les biens matériels pour essayer de compenser le manque de vrais moments de connexion. Pour beaucoup de parents, il est plus facile d'acheter un nouveau jouet à leur enfant, cela prend moins de temps et les implique moins personnellement, que de vivre avec lui des moments vrais, sincères, de tendresse et d'amour.

Une des histoires les plus surprenantes qui me soient arrivées aux oreilles après le grand tremblement de terre de Los Angeles concerne justement cette confusion dans les valeurs. Le tremblement de terre s'est produit à 4 heures 31 un lundi matin. Quelques heures plus tard, un journaliste était en train de filmer des scènes de rue et les dégâts du séisme, lorsqu'il a aperçu, devant un immeuble, une longue file de gens faisant la queue. Il s'est dit que ces gens devaient attendre une aide d'urgence, des rations d'eau ou qu'ils cherchaient à acheter des lampes de poche, puisque dans presque toute la ville l'électricité était coupée. Mais ce n'était pas ça.

Juste après cette catastrophe majeure, pourquoi ces gens faisaient-ils donc la queue ? Pour savoir si le marchand de jouets du coin avait reçu sa commande de « J.I.Jo », le jouet incontournable du moment ! ! ! Ces parents avaient laissé chez eux leurs enfants terrorisés, à la garde d'un parent ou d'un voisin, dans un amas de débris de verre, pour attendre pendant trois heures l'ouverture du magasin et acheter à leurs enfants un de ces soldats en plastique…

Je suis sûre que ces parents avaient des intentions excellentes. Ils se disaient certainement : « Je suis sûr qu'un "J.I.Jo" va réconforter mon petit Jimmy. » Mais ce matin-là, les soldats en plastique n'étaient pas ce dont avaient besoin les enfants terrifiés de Los Angeles. Ils avaient besoin de savoir que si un tremblement de terre se reproduisait, ils seraient en sécurité. Ils avaient besoin de parler de leur peur. Ils avaient besoin d'être pris dans les bras. Ils avaient besoin d'amour.

Lorsqu'au lieu d'amour, vous offrez à vos enfants des choses matérielles, vous leur apprenez que ce sont les objets, et non pas l'amour, qui leur apporteront le bonheur.

Le fait que tant d'enfants aient des monceaux de jouets, mais ne vivent que très peu de vrais moments d'intimité avec leurs parents, est réellement dramatique. Nous n'associons généralement pas la notion d'intimité avec les enfants. Nous utilisons ce mot pour décrire l'expérience de proximité que nous avons avec la personne que nous aimons. Le mot « intimité » vient du latin « intimus » qui signifie « notre moi le plus profond ». Donc, en fait, l'intimité est l'expérience de connexion avec la partie la plus profonde d'un autre être. Vous faites l'expérience de l'intimité avec vos enfants lorsque vos âmes se touchent, et c'est le plus adorable des moments vrais.

Les enfants cherchent avidement à vivre ce genre de moments avec vous. Ils recherchent l'intimité. Ils veulent avoir votre temps et toute votre attention. Lorsque vous accordez toute votre attention à un enfant, il se sent important, il a l'impression que ce qu'il est et ce qu'il a à dire a de la valeur. Dix minutes pendant lesquelles vous offrez à un enfant votre attention totale et votre amour valent plus que dix heures pendant lesquelles vous le menez d'une attraction à une autre, mais sans réellement prêter attention à la personne qui niche au fond de lui.

Combien sommes-nous, aujourd'hui que nous sommes adultes, à aimer nos parents, bien sûr, mais à nous dire qu'ils ne nous connaissent pas réellement ? Combien sommes-nous à sentir qu'ils n'ont jamais pris le temps de comprendre la personne que nous sommes au fond de nous-mêmes, avec tous nos espoirs et nos craintes ? Combien sommes-nous à rechercher dans notre mémoire le souvenir de moments vrais, n'importe lesquels, où nous ayons senti une connexion vraie et un amour inconditionnel ? Combien sommes-nous à pleurer, encore aujourd'hui, du fait que nos parents ne savent pas qui nous sommes vraiment ?

Asseyez-vous près de votre enfant et regardez au plus profond de son cœur. Ecoutez attentivement les mots qu'il prononce. Découvrez l'esprit unique et beau qui réside au fond de lui. Il n'existe en ce monde personne qui soit pareil à lui.

Les enfants nous sont prêtés par Dieu. Prêtez
donc attention à celui qui vous a été envoyé
pour que vous en preniez soin.

L'amour coupable : le dilemme d'être un parent divorcé

Elever un enfant est toujours un enjeu pour ses parents, mais ça l'est encore plus pour ceux qui sont seuls ou divorcés. Ils éprouvent un terrible sentiment de culpabilité à cause de l'échec de leur relation et ils ont affreusement peur que cet échec risque de provoquer plus tard chez l'enfant des problèmes affectifs. Ils se mettent donc à pratiquer avec leur enfant ce que j'appelle « l'amour coupable », c'est-à-dire une attention constante, étouffante et altruiste qu'ils concentrent sur leur enfant. C'est comme s'ils se condamnaient eux-mêmes à une peine. « En divorçant, j'ai gâché la vie de mes enfants. Aussi, maintenant, n'ai-je plus droit au plaisir. Je ne verrai pas mes amis, je n'aurai aucune relation amoureuse, et ainsi commencerai-je à me racheter de mes péchés. » Ces parents n'arrivent pas à vivre des moments vrais pour eux-mêmes, ni à en vivre avec leurs enfants.

En tant que parent, si vous vous sentez un peu honteux lorsque vous faites quelque chose uniquement pour vous, ou pensez devoir vous justifier, c'est que vous êtes victime de « l'amour coupable ». Vous vous sentez presque en faute. Vous vous excusez constamment auprès de votre enfant pour des choses dont vous n'auriez nullement à vous excuser : « Maman doit aller chez le dentiste cet après-midi, mais je te promets que tout le reste de la semaine, nous serons tous les deux ensemble, à chaque seconde, d'accord ? » Le message que vous transmettez à votre enfant est que vous n'existez que dans le seul but d'être son esclave, et qu'à chaque besoin personnel que vous satisfaites, vous entravez les règles.

Un de mes amis est père divorcé. Il se refuse à toute nouvelle relation amoureuse de peur que « cela ne soit pas bon pour les enfants ». Quand les enfants viennent chez lui le week-end, il ne répond même plus au téléphone. « Je ne veux pas que mes enfants se sentent encore abandonnés par moi », explique-t-il. Avez-vous une idée de ce à quoi ressemblent ces enfants ? Ce sont des petits êtres imbus d'eux-mêmes, égoïstes, geignards, n'ayant aucune sensibilité pour les sensations de quiconque, hormis les leurs. Ils ont constamment besoin d'être distraits et d'avoir l'attention de leur entourage. Ils sont incapables de rester tranquilles entre eux, ne serait-ce que pendant cinq minutes. Et pourquoi ne seraient-ils pas comme ça ? C'est ce que leur a toujours appris leur père, inconsciemment, en étouffant ses propres besoins et ses désirs pour satisfaire les leurs.

Ici, en Amérique, notre fort taux de divorce a généré une nouvelle race de « papas Disneyland », des pères qui ont leurs enfants un week-end une fois ou deux par mois, comme mon ami. A la fin du week-end, ils reviennent chez leur mère les bras chargés de jouets et de cadeaux voulant dire implicitement : « Je t'offre tout cela pour que tu ne m'en veuilles pas de ne plus vivre avec toi. » Ces jours-là, ils passent tout à leurs enfants qui mangent ce qu'ils veulent et se gavent de sucreries, voient des films d'horreur et se couchent tard, ce que maman ne permet pas. Ils deviennent des papas gâteaux, laissant à la mère la tâche difficile de la discipline.

J'ai moi-même vécu cela étant enfant, et je peux vous dire une chose, c'est que nous détestons secrètement ces cadeaux de la culpabilité, ces week-ends fantastiques censés nous faire oublier que vous, nos pères, vous n'êtes pas là la nuit pour nous consoler lorsque nous avons un cauchemar, que vous avez fait pleurer nos mères et avez brisé à jamais l'union de la famille. Nous détcstons l'air de fierté que nous voyons dans vos yeux lorsque vous nous lancez ces jouets, ces poupées et ces robes, attendant de voir notre reconnaissance pour ces nouveaux présents, comme si vous pensiez que nous sommes trop petits pour savoir que vous voulez nous acheter. Et nous vous méprisons lorsqu'à la fin de la journée, vous soupirez d'aise après nous avoir nourris et distraits comme vos animaux familiers, satisfaits de vous dire que vous êtes de bons papas, et que tout va bien.

Et pendant que vous allez à votre voiture en disant « au revoir » de la main, nous avons envie de vous hurler de tout nos petits poumons : « NON, TOUT NE VA PAS BIEN ! ! ! CE SONT TOUS CES JOUETS STUPIDES ET TOUTES CES FAVEURS QUI FONT QUE ÇA NE VA PAS BIEN ! ! ! POURQUOI NE ME PARLES-TU PAS VRAIMENT ? POURQUOI NE VOIS-TU PAS COMME JE SUIS MALHEUREUX(SE) ? POURQUOI NE ME PRENDS-TU PAS DANS TES BRAS, TOUT SIMPLEMENT, POUR ME DIRE À QUEL POINT TU M'AIMES ? »

Voilà ce que vos enfants veulent que vous sachiez, que vous ayez divorcé ou pas : tout ce que nous avons toujours voulu et voulons encore aujourd'hui, c'est de passer des moments vrais avec vous, ces moments où vous nous voyez vraiment, nous acceptez et nous aimez. C'est tout.

●

Les enfants savent naturellement vivre des moments vrais. Ils vivent dans l'intemporalité du présent. Ils voient le monde de chaque jour plein de merveilles et de mystères, et de ce fait, ils revêtent de magie les choses les plus ordinaires. Les dessins abstraits qui ornent le papier peint deviennent des images fascinantes. Un vieux foulard se transforme en robe de bal. Le chien de la famille devient un lion féroce chargé de protéger le jeune prince. Chaque objet, chaque acte a une signification et une raison d'être.

Mes souvenirs d'enfance les plus chers, en matière de jeux, n'ont rien à voir avec les jouets que l'on achète dans les magasins, il s'agissait de moments magiques créés de toutes pièces par mon frère et moi. L'un de nos jeux favoris était de nous construire une cabane avec des grands cartons, d'accrocher devant l'entrée un grand foulard ayant appartenu à ma mère, et de rester tous les deux pendant des heures enfermés dans cette cabane. Nous imaginions être de riches nomades arabes, se reposant sous leur tente dans le désert, et la lumière du soleil filtrant à travers le foulard mauve et violet éclairait notre antre d'une douce lumière colorée. C'était notre lieu de prédilection pour échanger nos secrets, nos peurs, et faire mille suppositions sur notre vie à venir.

Tous les enfants ont la clé qui ouvre la porte
au monde du merveilleux.

Si vous avez besoin de vivre davantage de moments vrais dans votre vie, demandez à un enfant qu'il vous emmène faire un tour dans son monde magique. Suivez ses pas pendant quelques heures, ou toute une journée, et faites avec eux tout ce qu'ils font, jouez à tous leurs jeux, et vous réapprendrez à voir le monde avec des yeux d'enfant. Si vous y prêtez attention, vous remarquerez que les enfants nous invitent constamment dans leur monde magique, mais que nous déclinons leurs invitations. Ils nous offrent pourtant un cadeau précieux : l'opportunité de vivre des moments vrais.

La semaine dernière, alors que je faisais ma promenade du matin, j'ai croisé une de mes petites voisines, et amies, habitant en bas de la rue. Elle s'appelle Alex, et quand je me suis arrêtée pour lui dire « bonjour », elle m'a dit qu'elle était en train de cueillir des fleurs pour les faire sécher et en faire des tableaux. J'allais justement finir ma promenade pour vite me remettre à mon ordinateur, car j'en étais à un moment intense du livre. Puis je me suis souvenue du thème de ce livre, les moments vrais, et du fait que j'avais besoin d'en vivre davantage. J'ai donc demandé à Alex si je pouvais l'aider dans sa cueillette, et j'ai proposé que nous allions dans le grand jardin derrière chez moi pour trouver un plus grand choix de fleurs.

Finalement, nous avons passé plusieurs heures toutes les deux à chercher des fleurs dont la tige était cassée, des boutons sur le point de tomber et à ramasser les pétales de fleurs déjà éparpillés sur l'herbe. Elle m'a montré la façon dont elle allait associer les couleurs et disposer quelques feuilles pour faire encore plus joli. J'ai rapidement senti se dissiper les tensions qui sourdaient en moi et, tandis que je cueillais des fleurs à moitié mortes avec ma petite amie de 9 ans, je me suis sentie joyeuse et ressourcée. Nous avons passé une matinée délicieuse.

Je veille régulièrement à passer ainsi, de temps en temps, des moments vrais avec les enfants du voisinage. Bijou et moi nous nous asseyons dans l'herbe, sous un petit bouquet d'arbres un peu plus haut dans ma rue, et il y a toujours deux ou trois enfants qui viennent parler avec moi. Ils me parlent de l'école, de leurs amis, de ce qu'ils pensent et de ce qu'ils ressentent. Ils m'invitent à entrer dans leur monde et me rappellent comment donner un sens à chaque chose. Nous nous allongeons sur le dos et regardons la forme mouvante des nuages, et les personnages ou les choses qu'ils nous évoquent. Nous observons les jeux des chiens et des chats, et imaginons ce qu'ils se disent. Nous parlons de nos gourmandises et de nos films préférés. J'ai souvent le sentiment que ces moments vrais, passés dans la rue avec mes jeunes amis, sont probablement plus importants pour mon bien-être que tous les séminaires auxquels je participe, ou même tous les livres que j'écris.

Si vous avez des enfants, vous avez alors en permanence à la maison l'occasion de vivre des moments vrais. Et si, comme moi, vous n'avez pas d'enfants à vous, empruntez ceux des autres un moment et laissez-les vous guider sur le chemin qui va vous ramener à l'innocence et au merveilleux.

Vous avez autant à apprendre des enfants qu'à leur apprendre.

●

« Si vous êtes heureux, vous pouvez toujours apprendre à danser. »

Vieux dicton balinais

Imaginez que votre enfant soit en train de dessiner des figures abstraites sur une feuille de papier, et qu'ensuite il les découpe. Vous vous approchez de lui et lui demandez ce qu'il fait. Il vous lance un regard un peu agacé. Ce qu'il fait n'est-il pas évident ? Il fait des dessins, et après, il les découpe. Vous précisez alors le sens de votre question : pourquoi fait-il cela ? Quel est le but de cette activité ? Que veut-il réaliser à partir de ces découpages ? Par ces questions, vous imposez à l'enfant vos propres valeurs qui sont d'être orienté vers un but, l'extrayant ainsi du moment présent.

Nous posons toujours aux enfants de mauvaises questions :
« A quoi ça sert ? »
« Qu'est-ce que tu vas faire avec ça ? »
« Pourquoi fais-tu cela ? »

Si nous arrivions à nous souvenir vraiment de notre enfance, et si nous vivions plus de moments vrais, nous n'aurions pas à poser ce genre de questions car nous connaîtrions déjà la réponse : « Je fais ce que je fais. Je suis là où je suis. Peut-être dans un instant déciderai-je de faire quelque chose d'autre, mais là, tout de suite, je suis totalement heureux(se) de faire précisément ce que je fais. »

Il est bon d'enseigner aux enfants l'importance de se fixer des buts à soi-même. Mais tout en essayant de les aider à réussir, nous les privons souvent de leur savoir naturel et de leurs valeurs intuitives, et nous interférons dans les moments vrais qu'ils se créent spontanément pour eux-mêmes.

En interrogeant les enfants sur le but de tout ce qu'ils font, nous leur enseignons que leurs valeurs doivent s'orienter sur le « faire » et non sur l'« être ».

Un grand nombre de nos problèmes, à nous autres les adultes, vient de notre système de valeurs déformé, qui met l'accent sur ce que nous accomplissons plutôt que sur ce que nous sommes, et de ce que nous considérons nos actes pour mesurer notre valeur personnelle. Nous devons aider les enfants à interrompre ce cycle en leur rappelant que c'est ce qu'ils sont en tant que personne, et non ce qu'ils arrivent à faire, qui détermine leur particularité. Malheureusement, nous ne pouvons nous appuyer sur notre système d'éducation actuel pour apprendre cela à nos enfants, car tout y est orienté vers le but à atteindre. Il ne dépend donc que de nous de dire à nos fils et à nos filles, avec nos mots et par notre comportement, que nous les aimons et les admirons non pas à cause de ce qu'ils font, ou ne font pas, mais pour la vraie bonté que nous voyons briller dans leur cœur.

Arrêtez de vous inquiéter sur ce que vont devenir vos enfants. Cessez de vouloir faire quelque chose d'eux. Votre rôle est de les aider à être heureux, et comme le dit le dicton balinais, s'ils sont heureux, ils pourront toujours apprendre à danser, à devenir médecin ou artiste, ou tout ce qu'ils ont envie d'être, car ils auront alors compris quelle était leur tâche la plus importante dans la vie.

Créez des moments vrais avec et pour vos enfants

Voici quelques autres suggestions pour vivre davantage de moments vrais avec vos enfants :

- **Laissez-les ressentir totalement leurs émotions**

Les enfants savent intuitivement qu'une bonne façon de soulager une émotion inconfortable est, dans un premier temps, de s'y plonger totalement. Ils crient, ils pleurent, ils gémissent, et cinq minutes après, ils ont de nouveau le sourire. Ils piquent une colère noire, et une demi-heure après, ils ne savent même plus pourquoi ils étaient en colère. Et nous, les adultes, essayons de leur apprendre, à tort, de supprimer leurs émotions en leur disant : « Mais ne t'énerves pas comme ça », « Pas la peine de pleurer pour ça ! », « Qu'est-ce qui te fait tellement rire ? », ou « Tu n'as aucune raison d'être en colère ». En faisant cela, nous les extrayons du moment vrai de joie et de peine qu'ils sont en train de vivre.

Laissez vos enfants ressentir totalement leurs émotions.

Aidez-les à trouver les mots qui puissent les exprimer. Montrez-leur que vous comprenez ce qui leur arrive et proposez votre aide. La plupart du temps, vous n'y pouvez rien et il vous faut juste laisser les choses se passer. Vous réalisez alors que leur peine vous remue finalement plus qu'eux. L'idéal, naturellement, est aussi d'appliquer ce précepte dans votre vie personnelle !

• **Encouragez votre enfant à tenir un journal**
Lorsque nous écrivons noir sur blanc nos réflexions et nos émotions sur une journée ou un événement qui vient d'avoir lieu, cela nous oblige à reconstituer mentalement son déroulement, à en avoir une vision claire et à tirer les leçons de ce que nous voyons. Tenir un journal est une façon merveilleuse de se créer des moments vrais pour soi-même, en tant qu'adultes, et cela fonctionne également très bien avec les enfants. Le journal devient vite un ami intime et secret, un moyen d'exprimer leurs émotions, et l'occasion de mettre en pratique le fait d'être attentifs à ce qui se passe dans leur monde. Si vos enfants sont encore trop jeunes pour savoir écrire, vous pouvez leur proposer de vous dicter leurs réflexions et leurs émotions, et peut-être de faire ensuite un dessin qui illustre leurs propos. Et dès qu'ils seront plus grands, ils seront capables d'utiliser leur temps d'écriture comme une forme de méditation et d'exploration personnelle.

• **Créez des rituels familiaux pour vivre plus de moments vrais tous ensemble**
Les processus d'amour du genre de ceux que j'ai décrits à la fin du chapitre « Les moments vrais et l'amour » (page 218) sont merveilleux à mettre en pratique au sein d'une famille. J'ai appris à des milliers de parents les exercices d'Appréciation, de Gratitude et de Pardon, et j'ai eu

de très nombreux échos sur le sentiment d'épanouissement qu'ils ressentaient après les avoir mis en pratique avec leurs enfants. Certains aiment réserver un moment précis dans la semaine, par exemple le dimanche en fin de journée, pour que la famille se retrouve et s'assoie en cercle et que tous ensemble ils appliquent les processus de Gratitude et/ou d'Appréciation. Ils se tiennent la main et chacun leur tour, ils complètent les phrases : « Quelque chose dont je suis vraiment reconnaissant(e), c'est... », ou « Quelque chose que j'aime vraiment en toi, c'est... », etc. D'autres familles aiment inclure des versions plus courtes de ces exercices au moment de dîner, juste avant de commencer à manger, autour de la table, une fois ou deux par semaine. Et chaque fois qu'il y a eu un moment d'énervement ou de tension dans la famille, ils pratiquent l'exercice du Pardon. Les enfants doivent être associés à ces exercices, ne l'oubliez pas.

Dans la dernière partie de ce livre, je vais vous donner de nombreuses idées pour introduire davantage de moments vrais dans votre vie. Je vous recommande de le faire aussi avec vos enfants, et d'inclure beaucoup de rituels d'amour au sein de vos traditions familiales.

« Les enfants ont une âme de sage dans un corps minuscule. »

MAÎTRE ADALFO

Vos enfants ne sont pas que vos enfants. Ils sont vos enseignants, vos guides, ils vous remettent en question, vous donnent des leçons, vous mettent face à la réalité, vous guérissent le cœur, vous polissent l'esprit. Ils sont connectés à une source de sagesse et d'amour qui s'est progressivement tarie, chez la plupart d'entre nous, lorsque nous sommes passés à l'âge adulte. Ils sont en contact avec les anges, leur amour est inconditionnel, ils ont des connexions cosmiques.

Les enfants ont tous une part de mysticisme en eux-mêmes. Ils passent sans aucune difficulté du monde visible au monde invisible. Ils ne sont pas encore prisonniers des limites du temps et de l'espace. Ils savent voler dans les airs.

Jusqu'à ce que nous les inhibions avec nos idées sur ce qui est réel et sur ce qui ne l'est pas, tous les enfants possèdent une spiritualité naturelle. Ils se souviennent de choses que nous avons oubliées, et malheureusement, quand nous ne respectons ni ne leur reconnaissons ce savoir naturel, nous les obligeons, eux aussi, à oublier.

J'ai entendu récemment une belle histoire à propos d'une femme qui venait juste de mettre au monde son second enfant, un deuxième garçon. Une nuit, au moment d'entrer dans la chambre du bébé, elle a vu son premier fils, alors âgé de 3 ans, penché sur le berceau de son nouveau petit frère. Ne voulant pas interrompre ce moment, elle est restée tout doucement derrière la porte. Elle a alors vu son fils aîné se pencher à l'oreille du bébé et lui chuchoter sur le ton de la conspiration : « Hé, dis-donc Jérémy, écoute, c'est moi, ton frère Daniel. Dis-moi à quoi ressemble le Bon Dieu, je commence à oublier… »

En assistant à ce moment vrai, à ce moment sacré, les yeux de la maman se sont emplis de larmes. Elle a réalisé la chose suivante : Daniel savait que le petit Jérémy arrivait juste du monde des esprits, un monde dont il se souvenait vaguement mais avec lequel il perdait de plus en plus le contact en s'identifiant à son existence physique et à son rôle en tant qu'être humain de sexe masculin, appelé Daniel. Au cours de cette conversation secrète, il cherchait à entrer en contact avec Jérémy dans l'espoir de retrouver les vérités qu'il sentait lui échapper de plus en plus chaque jour.

J'adore cette histoire. Elle dit tout ce qu'il y a à dire sur ce que sont nos enfants réellement :

Accueillez-les, dans votre vie, comme une bénédiction, une source de savoir…

Laissez-leur vous montrer comment donner à chaque instant de la vie un sens profond et sacré…

Et si vous avez oublié vous aussi à quoi Dieu ressemble, demandez à un enfant de vous aider à vous le rappeler…

QUATRIÈME PARTIE

LE CHEMIN QUI MÈNE AUX MOMENTS VRAIS

Les moyens de donner plus de sens
à votre vie, et d'y introduire plus d'amour.

11

La spiritualité au quotidien : Les moments vrais avec vous-même

« La distinction entre l'humain et le spirituel est faite par les êtres humains eux-mêmes. Mais en fait, il n'y a aucune séparation. Ils sont imbriqués l'un dans l'autre. Si vous n'ouvrez pas votre cœur aux autres, il vous sera difficile de l'ouvrier à Dieu. Si vous n'aimez pas les autres, y compris vous-même, il vous sera difficile d'aimer Dieu. Votre chemin spirituel commence par votre humanité… »

Ron SCOLASTICO et les Guides

Il y a bien longtemps, les habitants de cette Terre connaissaient le secret de l'Unicité. Ils connaissaient le lien qui unit la matière et l'esprit, ils savaient que l'être humain est une manifestation divine, que la Terre, les animaux, le vent, le soleil et les étoiles sont tous des frères et sœurs partageant le même cœur qui bat à un rythme cosmique. Et leur conscience d'être unique dans toute cette organisation cosmique donnait un caractère sacré à leur vie car ils sacralisaient chacune des expériences de leur vie.

Mais au fil du temps, cette réalité a peu à peu été oubliée

et l'idée de distinction entre l'humain et le spirituel est née. Les Hommes en sont venus à croire que Dieu était différent et en dehors d'eux-mêmes, que la Nature était un mot pour désigner des choses inanimées telles que des montagnes, des rivières ou des arbres, au service de l'Humain. Ils ont décidé que certains individus, comme les prêtres ou les sages, et certains lieux, comme les églises ou les temples, étaient dotés d'une spiritualité plus forte que les autres, et qu'ils étaient donc mieux que les autres. Ils ont situé le Paradis dans le ciel et ils n'ont plus considéré la Terre comme un endroit sacré. Et c'est ainsi que leur vie de tous les jours est devenue ordinaire car ils ont perdu leur connexion au Divin.

●

Nous sommes les arrière-arrière-petits-enfants de ceux qui ont suivi la voie de cette séparation. Nous avons séparé le spirituel de notre vie quotidienne et nous sommes ainsi privés de la spiritualité au quotidien. Nous associons aujourd'hui la spiritualité à la messe du dimanche matin, à la synagogue, au yoga ou à la méditation, à un voyage en Inde ou à la visite des grandes cathédrales d'Europe. Nous pensons que prier est un acte plus spirituel que faire du vélo, que lire des paroles sacrées est un acte plus spirituel que faire l'amour. Nous vivons une vie sécularisée et nous demandons pourquoi cette vie est si souvent dépourvue de sens et d'objectifs.

Nous nous sommes même séparés de notre lieu d'existence, la Terre. Nous nous sommes déconnectés de ses rythmes. Nous essayons de les mater grâce à la technologie, comme si la planète elle-même était un animal sauvage que nous étions déterminés à dompter. Nous traitons la Terre d'une manière hostile. Si une montagne se trouve sur notre passage, nous la creusons ou la faisons sauter. Si un arbre nous bouche la vue, nous l'abattons. Nous empoisonnons les eaux et polluons les airs, et comme nous croyons bêtement que nous sommes des éléments séparés et distincts, nous ne voyons même pas qu'en faisant du mal à la Terre, c'est à nous-mêmes que nous faisons du mal.

Partir à la recherche des moments vrais et de la spiritualité au quotidien exige de commencer d'abord par retrouver ce sens de l'unicité appartenant à un tout.

> La spiritualité au quotidien n'est pas une
> fuite loin de votre vie habituelle, à la
> recherche d'expériences spéciales et
> exaltantes, mais une soumission totale à
> l'intensité de chaque expérience.

Ce n'est pas un chemin qui vous éloigne de l'humain pour vous mener au spirituel, de la Terre au Ciel, mais plutôt un chemin qui vous ramène au quotidien et à l'ordinaire, et vous invite à y trouver ce qu'ils ont de spirituel. Il commence et aboutit là où vous êtes déjà, ici même, et maintenant. Il n'y a rien d'autre à rechercher, rien d'autre à acquérir. Vous avez déjà tout ce dont vous avez besoin.

« Nous ne sommes pas des êtres humains ayant une expérience spirituelle. Nous sommes des êtres spirituels ayant une expérience humaine. »

Ram DASS

Lorsque j'ai commencé mes recherches, j'ai emprunté ce que j'appelle « un chemin spirituel ». Dans mon désir intense de rencontrer Dieu, je me suis détournée des choses bien réelles de cette Terre. J'ai pratiqué la méditation pendant des heures, parfois plusieurs jours d'affilée. J'ai passé des années entières dans la retraite et le silence, vivant au loin, sur une montagne, avec pour seuls contacts d'autres personnes également en méditation, comme moi. J'ai considéré mon corps comme un obstacle à l'illumination divine, mes désirs et besoins humains comme des barrières m'empêchant d'atteindre un état spirituel parfaitement pur. Et je considérais ma vie sur Terre comme une sorte de peine de prison que je devais purger et qui m'empêchait de rentrer « chez moi » et de retrouver mes origines divines.

J'ai eu beaucoup d'expériences très belles et exaltantes pendant toutes ces années, mais je n'étais heureuse que lors de mes « pratiques spirituelles ». Après des années et des années à la recherche de la réponse à mon dilemme, j'ai enfin compris cette chose capitale : la vie humaine, dans son ensemble, est une pratique spirituelle, et je devais commencer à pratiquer le fait d'être un humain ! Jusqu'alors, je n'avais pas été très forte en la matière. En fait, j'essayais d'éviter totalement le fait d'être un humain. On comprend pourquoi j'étais si malheureuse ! J'étais plongée dans l'eau en essayant de ne pas être mouillée !

A partir de ce moment-là, j'ai travaillé à prendre possession de mon état d'être humain, non de m'en échapper, et d'appliquer les mêmes pratiques de recherche spirituelle que j'utilisais autrefois, lorsque je cherchais ailleurs. Je sais maintenant que ma présence ici sur Terre n'est pas une sentence. C'est un cadeau. Je sais qu'être humain n'est pas une perte de l'esprit, mais l'occasion, pour l'esprit, de jouir de plaisirs sur le plan physique. Je suis ici parce que je suis aimée.

Pour pouvoir faire l'expérience de la spiritualité au quotidien, nous devons nous rappeler sans cesse que nous sommes des êtres spirituels passant quelque temps dans une enveloppe humaine. Nous ne sommes pas séparés de l'esprit. Ce serait impossible. Nous sommes un esprit qui a pris forme humaine. De cette façon, nous sommes en connexion avec la vie tout entière. Une fleur est l'esprit déguisé en fleur. Une tomate est l'esprit déguisé en tomate. Un rocher est l'esprit déguisé en rocher. Le livre que vous tenez entre les mains est l'esprit déguisé en livre. Nous partageons tous la même source de vie. Nous sommes tous faits des mêmes particules de matière invisibles. Nous sommes UN faisant partie du même TOUT.

En tant que parties de cette organisation tout entière appelée la vie, nous sommes étroitement dépendants, pour assurer notre survie, de toutes les créations physiques de l'univers. Votre corps ne s'arrête pas à la surface de votre peau, il se prolonge jusque dans l'air qui vous entoure et alimente vos poumons ; il s'étire dans l'espace jusqu'au soleil éclairant la terre qui vous nourrit ; il s'étend jusqu'à la Terre elle-même qui vous offre le bois, la pierre et la terre qui vous permettent de vous abriter. C'est ainsi que votre corps se déploie à jamais dans toutes les directions, et contient toutes choses.

Votre existence même est le produit de l'éternelle relation cosmique qui existe entre la Terre et le Ciel. Ne voyez-vous pas à quel point vous êtes aimé de votre Père, le Ciel, et de votre Mère, la Terre, qui s'allient à chaque instant pour vous donner la vie ? Voici un sujet de méditation que je propose à mes étudiants dans un de mes séminaires :

« La Terre est ma Mère,
le Ciel est mon Père.
Je suis né(e) de l'Amour Universel... »

La prochaine fois que vous vous sentirez déconnecté du reste du monde, ou que vous chercherez à vivre un moment vrai, allez dehors, asseyez-vous par terre et répétez cette phrase, mentalement ou à haute voix, les yeux ouverts ou fermés. Entre chaque répétition, respirez profondément et remplissez-vous du cadeau qui vous est offert : l'air. Très vite vous vous sentirez de nouveau en contact avec le Tout universel, et vous aurez un sentiment de paix.

•

« Les gens voient Dieu tous les jours, mais simplement, ils ne savent pas le reconnaître. »

Pearl BAILEY

En séparant le spirituel du quotidien, nous limitons les occasions de vivre des moments vrais. Nous nous privons des merveilles et des miracles ordinaires que nous offre le quotidien, car nous sommes à la recherche de quelque chose d'extraordinaire et de sacré. Nous sommes tellement distraits par notre recherche que nous ne percevons pas toutes les choses sacrées qui viennent à notre rencontre.

L'autre jour, un de mes amis proches et moi étions en train de discuter de nos évolutions respectives, et il m'a demandé si je croyais qu'il existait des gens réellement saints sur cette Terre. J'ai réfléchi une minute et lui ai fait part de ma conviction : chaque fois qu'une personne sort d'un lieu où règnent l'amour et la gentillesse, elle est comme sanctifiée car elle a été en contact avec l'intégrité intrinsèque de l'Univers.

J'ai appris qu'on n'avait pas à chercher bien loin pour vivre des moments vrais, ayant un caractère sacré. Ils existent partout. La seule chose à faire est d'y prêter attention…

Un soir, il y a quelques mois de cela, mon mari et moi sortions d'un restaurant lorsque nous avons entendu une voix en train de chanter. Puis nous avons vu un homme entre deux âges marcher lentement au bord du trottoir, fredonnant sa chanson pour lui-même, avec ses sacs plastique à la main. Comme il chantait un air mélancolique, je me suis dit qu'il devait être d'humeur un peu triste, mais lorsqu'il a été plus près de nous, j'ai remarqué que ses vêtements étaient élimés, qu'il semblait maigre et affamé et qu'il grelottait. « Il n'a probablement pas de domicile », me suis-je dit tristement. Quand il est passé près de nous, je me suis aperçu qu'il n'avait nullement l'intention de nous mendier un peu d'argent.

Quelque chose, dans la chanson de cet homme, m'a profondément émue. Et j'ai eu envie de lui parler.

« Vous avez une voix magnifique », lui ai-je dit. Il s'est alors arrêté et nous a souri.

« Merci beaucoup », a-t-il répondu. « Elle était plus belle autrefois, mais l'humidité de l'air ne lui convient pas trop. »

« Voudriez-vous chanter quelque chose pour nous ? » lui ai-je demandé. Il s'est alors accompli, d'une voix douce et timide au début, puis, oubliant où il était et qui il était, il s'est mis à chanter une prière sans retenue, de tout son cœur et de toute son âme. Alors, l'espace d'un instant, il n'a plus été ce clochard oublié de tous, cherchant un porche où s'allonger et dormir, mais un artiste devant son public, nous offrant son don naturel, la seule chose d'ailleurs qu'il avait à partager, même s'il avait perdu tout le reste. En s'élevant ainsi dans les airs, sa voix a donné à cette nuit un caractère sacré, car j'ai entendu les voix de chaque être humain s'adressant à Dieu en chantant pour exprimer son bonheur, ses incertitudes ou son désespoir.

Quand il s'est tu, nous avons tous les deux applaudi et l'avons félicité de son talent. André, car tel était son nom, s'est excusé de ne connaître que quelques strophes de la prière. « Je n'ai pas été très bien ces derniers temps », a-t-il expliqué. « J'ai eu pas mal de coups durs, j'ai perdu mon travail et mon appartement, mais j'essaye toujours de garder le moral. » En écoutant André parler des terribles difficultés de sa vie avec ce sourire chaleureux, j'ai compris qu'il avait réussi quelque chose que beaucoup de gens, y compris moi-même, ont beaucoup de mal à réussir. Malgré tout, il continuait à célébrer sa joie d'être vivant. Il traversait la vie en chantant. Il vivait des moments vrais.

Avant qu'André ne reparte, nous lui avons donné un peu d'argent et lui avons souhaité bonne chance. Je sais que nous resterons gravés dans son esprit, non pour les quelques dollars que nous lui avons glissé dans la main, mais parce que nous lui avons permis, l'espace d'un instant, d'être quelqu'un de spécial, gravant lui aussi son souvenir dans notre esprit. Ce soir-là, André a été notre guide, notre ange gardien, notre authentique saint homme. Son esprit inaltérable m'a remplie d'humilité, car malgré toutes les bénédictions dont ma vie était comblée, je ne marchais pas comme lui dans la rue en chantant.

●

Les moments vrais, ayant un caractère sacré, se produisent lorsque nous éprouvons le sentiment de faire partie d'un ensemble, avec nous-mêmes, notre environnement ou une autre personne. Tout au long de vos journées, repérez les moments sacrés et les miracles quotidiens : le gros câlin que vient vous faire votre enfant sans raison particulière ; une nuée d'oiseaux traversant un nuage dans le ciel ; tous les beaux fruits et légumes, produits par la terre, qui vous attendent à votre supermarché ; la chanson à la radio qui vous livre le message que vous aviez besoin d'entendre ; le jaune éclatant d'une fleur de pissenlit jaillie d'une fissure du trottoir.

Si vous prenez la peine de prêter attention aux moments sacrés et aux miracles quotidiens, vous commencerez à vivre dans le respect et l'émerveillement de ce qui vous entoure et vous aurez avec Dieu une histoire d'amour Divin.

Rendez hommage à chaque jour qui passe

Récemment, mon mari et moi avons passé quelques semaines à Bali, une petite île d'Indonésie. Les Balinais ont la réputation d'être le peuple le plus amical de toute la Terre, et après en avoir connu quelques-uns au cours de notre voyage, je peux dire maintenant qu'ils sont aussi les plus heureux. Cela ne vient pas de ce qu'ils possèdent, car ils ont en fait des revenus très modestes. Le revenu moyen par an et par habitant, à Bali, est d'environ 1 500 F. La plupart des Balinais vivent dans des maisons ouvertes, sans portes solides ni carreaux aux fenêtres ; la majorité d'entre eux se lavent et lavent leurs vêtements dans les rivières et les cours d'eau qui entourent les champs de riz, verts et luxuriants. Mais jamais je ne dirais que les Balinais sont des gens pauvres car ils ont cette faculté rare de savoir comment réellement jouir de chaque moment de la vie, et de leur trouver un sens sacré. C'est là le secret de leur bonheur. Ils ont le don de créer des moments vrais.

Chaque matin, Jeffrey et moi descendions dans la salle à manger de l'hôtel pour y prendre notre petit déjeuner, et une petite serveuse souriante, Putu, nous y accueillait. Putu est une des personnes les plus épanouies qu'il m'ait été donné de rencontrer. Ses yeux étincelaient de joie, et de ses attitudes émanaient la chaleur et la paix. Quand je l'ai vue pour la première fois, nous arrivions tout juste des Etats-Unis, et en sa présence, je me suis mieux rendu compte de l'état tendu et agité dans lequel j'étais. Je l'ai observée se déplacer avec grâce, j'ai écouté son rire lorsqu'elle m'a tendu un jus de fruit, et j'ai compris que Putu savait quelque chose que moi, je ne savais pas. Malgré toutes mes réussites et le confort luxueux dans lequel nous vivions quotidiennement aux Etats-Unis, je devais bien admettre que Putu était quelqu'un de beaucoup plus heureux que moi. Et elle le savait également. « Il est difficile pour nous de comprendre pourquoi tous ces gens qui viennent d'Amérique ont tant de choses, et ont pourtant l'air si malheureux », m'a-t-elle confié un jour.

Elle ne portait pas de jugement en me disant cela. Simplement, elle n'arrivait pas à comprendre ce que nous, les touristes, faisions de notre vie quotidienne qui nous ferme à ce point le cœur et l'esprit, en comparaison de ses amis et de sa famille qui vivaient simplement sur l'île. Après quelque temps passé à Bali, j'ai compris de quoi il s'agissait. J'ai compris en regardant un petit couple de vieillards, fanés, ridés, en train de travailler gaiement à leur petit lopin de terre, cultivant leur riz comme ils le faisaient depuis soixante ans, se relever de leur tâche à notre passage et nous saluer chaleureusement d'un signe de la main. J'ai compris aussi grâce à notre guide, Adi, qui m'a avoué se lever chaque matin tout excité à l'idée de découvrir les gens intéressants et les paysages magnifiques que Dieu mettrait sur son chemin au cours de nos excursions. J'ai compris également grâce à un sculpteur sur bois, dans un village minuscule, qui travaillait sur chacune de ses sculptures représentant Bouddha comme s'il s'agissait de Dieu lui-même, polissant son ventre rond avec amour.

Tous ces gens, que j'ai rencontrés là-bas, ont une chose en commun : ils vivent chaque journée de leur vie dans la joie et la reconnaissance. Lorsqu'ils récoltent leur riz, ils le remercient d'avoir poussé ; ils remercient le soleil de se lever chaque matin pour permettre de marcher sous la chaleur délicieuse de ses rayons ; ils prennent un grand plaisir à chaque nouvelle personne qu'ils rencontrent ; ils célèbrent l'arrivée de chaque nouvelle journée comme pour un sacrement. Ils maîtrisent à la perfection la spiritualité au quotidien. **La Terre entière est pour eux un lieu de culte, et le simple fait qu'ils existent suffit à leur procurer une joie profonde.**

Mon merveilleux voyage à Bali a été pour moi une expérience qui m'a énormément apporté sur le plan de l'humilité et de l'enrichissement personnel. Depuis mon retour, j'essaye de vivre en appréciant davantage tout ce qui m'entoure, et lorsque je le fais, je suis récompensée par un bien plus grand nombre de moments vrais.

•

« Un homme demande à son rabbin : “Toi qui es sage, dis-moi comment puis-je mieux servir Dieu ?” et il attend de lui une réponse inspirée et profonde. “Ce que tu fais à chaque instant est la meilleure façon de servir Dieu” répond le vieux rabbin après avoir réfléchi un moment. »

Ancien texte sacré hébraïque

Les moments vrais, avec vous-même, n'arrivent pas forcément lorsqu'il se passe quelque chose de spécial, ou qui sort de l'ordinaire, mais, comme le dit un grand sage yogi : « en faisant des petites choses simples d'une manière extraordinaire ». Ne faites pas plus que ce que vous faites déjà, mais prêtez attention à ce que vous faites :

C'est la pleine conscience des choses qui transforme les tâches ordinaires en expériences extraordinaires.

La méditation « Ici et maintenant »

Je vais vous faire part de ma technique préférée pour vivre en pleine conscience, mais auparavant, laissez-moi vous dire comment elle s'est imposée à moi. Un jour, il y a environ un an de cela, je suis sortie avec Bijou pour lui faire faire sa promenade de l'après-midi. Nous étions déjà arrivés au quatrième pâté de maison lorsque j'ai soudain pris conscience que je ne participais pas du tout à la balade. Je réfléchissais à un coup de téléphone que je venais juste d'avoir avec un producteur de la télévision ; j'étais inquiète à l'idée de ne pas respecter mes délais pour la remise de mon manuscrit ; je me demandais si je devais ou non engager un nouvel employé. J'étais partout, sauf dans la rue en train de marcher. « Le bonheur ne peut se trouver que dans l'instant présent », me suis-je rappelée, « mais comment me ramener à cet instant présent et y rester une fois que j'y serai ? »

Deux mots, soudain, m'ont sauté à l'esprit : « **ICI, MAINTENANT...** » J'ai alors décidé d'utiliser ces deux mots et de m'en imprégner quoi que je fasse dans l'instant présent. Voici ce que je me suis dit :

« Ici et maintenant, je gravis la colline avec Bijou... Ici et maintenant, je mets un pied devant l'autre sur le trottoir... Ici et maintenant, je regarde le joli petit corps de Bijou sautiller devant moi... Ici et maintenant, j'aspire une profonde bouffée d'air printanier... Ici et maintenant, je regarde le ciel bleu... Ici et maintenant, je suis ici, dans ce moment présent... »

Tout en pratiquant cette méditation « Ici et maintenant », j'ai senti peu à peu mon esprit se détendre et ma respiration s'approfondir. J'ai cessé de tirer sur la laisse de Bijou chaque fois qu'il s'arrêtait, flairant mille odeurs, et j'ai pris plaisir à m'arrêter moi aussi à chacune de ses haltes. J'ai commencé à me sentir totalement dans l'instant présent, et un profond sentiment de paix a pénétré tout mon être. A la fin de notre promenade, c'était comme si j'avais vécu un moment de vacances, et ce sentiment de satisfaction m'a fait monter le sourire aux lèvres.

Depuis ce jour, je pratique constamment la méditation « Ici et maintenant », en particulier lorsque je suis en quête de moments vrais.

Comment bien pratiquer cette méditation

— Essayez de le faire au moins une fois par jour.
— Vous pouvez appliquer cette technique aussi bien en conduisant qu'en faisant la cuisine, en mangeant, en regardant les gens, en fabriquant quelque chose, en faisant l'amour ou même en ne faisant rien du tout.
— Formulez mentalement vos séries d'« Ici et maintenant » au moins pendant cinq minutes pour en tirer le maximum de bénéfices.
— Terminez toujours par la phrase : « Ici et maintenant, je suis ici, dans ce moment présent... »
— Il est bon de respirer profondément entre chaque « Ici et maintenant », car la respiration vous permet de vous situer instantanément dans le moment présent.
— Je me suis rendu compte que la technique s'avérait plus efficace lorsqu'on formule intérieurement ses « Ici et maintenant », plutôt que de les formuler à haute voix. Mais peut-être voudrez-vous en faire l'expérience.

Utilisez aussi cette technique comme une méditation sur la respiration

Une des variantes de cette technique très épanouissante est de l'appliquer en étant confortablement assis, les yeux fermés, en contrôlant sa respiration. Choisissez un endroit confortable où vous ne serez pas dérangé. Fermez les yeux et prenez conscience de votre respiration, en inspirant et en expirant. Puis commencez en silence votre méditation de la manière suivante :

Au moment où vous inspirez, dites-vous : « Ici et maintenant, j'inspire, je fais rentrer l'air dans mes poumons. »

Au moment où vous expirez, dites-vous : « Ici et maintenant, j'expire, je vide l'air de mes poumons. »

Vous allez vite constater un ralentissement de votre respiration, voir qu'elle devient plus calme et ressentir entre chaque inspiration et chaque expiration une impression de paix intemporelle. Ne cherchez pas à vous concentrer en formulant vos « Ici et maintenant »... Ne pensez qu'à respirer calmement et à expirer.

Et si vous désirez ajouter une sensation supplémentaire à cette respiration consciente, vous pouvez dire :

Au moment où vous inspirez : « Ici et maintenant, j'inspire de l'amour. »

Au moment où vous expirez : « Ici et maintenant, j'expire ma peur. »

Répétez-le plusieurs fois.

J'ai souvent proposé cette technique lors de mes séminaires, et les résultats obtenus ont été merveilleux. J'ai vu apparaître sur des visages des émotions profondément enfouies depuis longtemps, et finalement se dissiper, j'ai vu couler des larmes qui n'avaient pas coulé depuis longtemps.

D'autres moyens de créer des moments vrais avec vous-même

• **Tenez un journal.** N'y écrivez pas les événements quotidiens mais plutôt vos impressions, vos sensations, vos sentiments, vos observations, vos moments vrais. Il n'est pas nécessaire d'écrire chaque jour, une fois ou deux par semaine sera déjà très bénéfique. Plus vous accorderez votre attention aux moments vrais dont vous venez de faire l'expérience, et plus vous en aurez à mentionner la fois suivante.

• **Soyez à l'écoute de votre guide intérieur.** Tout en écrivant votre journal, à un moment donné, laissez-vous guider par votre voix intérieure. Imaginez être connecté à une source puissante de sagesse et de vérité, que vous l'appeliez votre guide, votre maître ou simplement une énergie, et demandez-lui de vous envoyer les messages qu'il vous est nécessaire d'entendre pendant que vous êtes en train d'écrire. Soyez très attentif à tout ce qui vous monte à l'esprit, et notez par écrit ce que vous « entendez » dans votre tête, quoi que ce soit. Ne vous arrêtez pas d'écrire pour analyser et comprendre ce qui vous est venu à l'esprit. Lorsque vous aurez fini, vous pourrez vous attarder sur ce qui vous a été « envoyé ». Vous serez stupéfait de la sagesse que vous aura insufflée votre guide intérieur…

• **Faites une promenade en pleine conscience.** Même si vous n'avez pas de chien, il vous faut partir seul en promenade de temps en temps. Au lieu de choisir une destination précise, faites une promenade en pleine conscience, en vous laissant guider par la méditation « Ici et maintenant ». Vous allez ainsi remarquer certaines choses, à l'intérieur et à l'extérieur de vous-même, que vous n'aviez pas remarqué jusqu'alors.

« Le simple fait d'exister est une bénédiction, le simple fait de vivre est sacré. »

Abraham HESCHEL, rabbin

Hier, à travers le monde, environ 200 000 personnes ont trouvé la mort. Leur temps sur Terre s'est écoulé. Ils ne se sont pas réveillés ce matin. Ils n'ont pas senti les rayons du soleil sur leur visage ou senti la brise caresser leur peau. Ils n'ont pas entendu de rires, de chansons ou d'oiseaux s'interpellant les uns les autres. Ils n'ont pas pu croquer une pomme ou boire un verre d'eau. Personne ne les a tenus dans ses bras, ne les a embrassés ou leur a souri. Ils ne verront pas, cette nuit, les étoiles briller dans le ciel. Ils ne pourront pas admirer la lune. Ils ne pourront pas lire ces mots, refermer leur livre, éteindre la lumière et s'enrouler dans les couvertures pour rêver et se réveiller le lendemain matin.
Vous êtes vivant.
Vous êtes ici, maintenant.
Une nouvelle journée s'offre à vous.
C'est une bénédiction.
Jouissez de tous les miracles quotidiens dont est constituée votre vie… Ils seront vos moments vrais les plus sacrés.

12

Le silence et les lieux sacrés

« Il nous faut trouver Dieu, mais nous ne pouvons le trouver dans le bruit et l'agitation. Dieu est l'ami du silence. »

MÈRE THÉRÉSA

C'est le plus souvent dans le silence et la solitude que vous vivrez vos moments vrais les plus significatifs. Le silence nourrit l'âme et apaise le cœur. Il crée un espace isolé entre vous et le monde bruyant et prenant dans lequel vous vivez, un cocon de paix où vous pouvez constamment vous ressourcer et renaître. Le silence a son propre pouvoir régénérant. Il est toujours sacré. Il vous recentre toujours sur vous-même.

La solitude est nécessaire pour que le silence puisse pénétrer jusqu'au fond de vous. Vous devez vous réserver des moments de solitude. Mais s'isoler ne veut pas dire être solitaire. S'isoler, ce n'est pas seulement s'éloigner des autres pour un moment, c'est être **avec soi-même**. Vous êtes seul avec votre propre essence, vous formez un tout avec vous-même. Vous ne ressentez pas de manque par rapport aux autres dont vous vous êtes temporairement éloigné, vous ne ressentez que votre propre plénitude. Le fait de vous retrouver avec vous-même vous permet d'écouter vos voix intérieures, de suivre les indications que vous suggèrent vos propres guides et de reconsidérer vos rêves.

Les Anciens connaissaient les vertus des périples en solitaire, d'être de garde près d'un feu de fois, d'être à l'affût des visions. Mais nous vivons aujourd'hui dans un monde qui nous a volé le silence et la solitude. Il est de plus en plus difficile de trouver un endroit où réellement règne le silence. La tranquillité des montagnes ou du désert, elle-même, est régulièrement perturbée par le vrombissement d'un avion dans le ciel ou le passage d'une voiture avec l'autoradio à fond. Il est très difficile d'être complètement seul, vu que nous sommes cinq milliards à vivre sur la même planète.

La plupart d'entre nous n'avons que très peu de moments de silence au cours de notre vie. Essayez de vous rappeler votre dernière expérience en la matière, sans tenir compte de votre temps de sommeil, où vous avez pu jouir d'au moins une heure de silence. Vous allumez la radio en vous réveillant, vous regardez la télévision en prenant votre petit-déjeuner et en vous habillant, vous écoutez la radio dans la voiture en allant travailler, vous déjeunez dans un restaurant bruyant, et ainsi de suite toute la journée. Nous sommes tellement habitués au manque de silence qu'il crée en nous une sorte de malaise lorsque nous y sommes confrontés. Un de mes amis habite le centre de New York et il est souvent amené à voyager. Il ne part jamais sans ce qu'il appelle sa « machine à bruit », une cassette qui émet en sourdine l'enregistrement des bruits familiers de son environnement habituel. Quand il vient passer quelques jours à la maison (nous habitons les montagnes qui surplombent Los Angeles), il se plaint toujours du silence : « C'est trop calme ici, le silence me donne la chair de poule. » Alors il branche sa « machine », il écoute ses « bruits » et il s'endort sans aucune difficulté.

Cette sensation de « chair de poule » de mon ami vient du malaise qu'il ressent lorsque le silence le prive de toutes ses distractions, attire son attention sur lui-même et l'oblige à être réellement avec lui-même.

> Le silence et la solitude sont une confrontation avec nous-mêmes. Ils nous plongent instantanément dans la vérité, et c'est la raison pour laquelle ils sont tellement essentiel à la santé de notre esprit.

Le silence vous permet d'être attentif à tout, notamment aux pensées parasites qui vous traversent l'esprit. C'est comme être assis au bord d'une rivière et regarder des débris de toutes sortes être emportés par le courant. Quand vous décidez d'être seul et dans le silence pendant un moment, vous devenez le témoin de vos pensées, de vos réactions et de vos émotions, qui viennent interférer dans votre capacité à prendre des décisions claires, de découvrir la solution des problèmes ou de connaître vos vrais sentiments. Vous pouvez observer tous ces « débris » émotionnels, noter ce qui vous est inutile ou qui provoque en vous de la souffrance et du trouble, et décider, en toute conscience, de ce que vous voulez évacuer et de ce que vous voulez garder.

Imaginez que vous soyez en train d'accrocher des tableaux au mur de votre salon. Vous êtes tellement absorbé par votre tâche que vous ne prenez pas le temps de vous arrêter, de reculer pour juger de l'effet produit par l'ensemble, et vous continuez à planter des clous dans le mur. S'accorder des moments de silence, c'est prendre du recul pour voir si les tableaux de votre vie sont harmonieusement accrochés. Le silence vous aide à voir clairement les choses. Vous pouvez voir immédiatement ce qui manque d'équilibre dans votre vie.

Entrer en soi permet d'en sortir
d'une manière bien plus forte.

Lorsque vous consacrez du temps à l'apparente inertie du silence et de la solitude, ce que vous ferez ensuite sera beaucoup plus efficace et significatif. Les grands sages, les shamans, les saints et les guerriers le savent depuis toujours. Ils se retirent quelque temps dans le silence avant d'entreprendre un voyage, une bataille, une cérémonie, une quête. Ils trouvent leur solitude au sommet des collines, au clair de lune, dans des clairières cachées au fond des forêts, dans des cabines de sauna, dans des chapelles. Là, ils peuvent se décharger de leurs limites et de leurs fardeaux et s'ouvrir au mystère sacré du vide. Ils se laissent emporter au-delà des contraintes du temps et de l'espace. Ils sont pris à bras le corps par le pouvoir de la vie, source de toute création. Puis ils émergent pour assumer leurs responsabilités terrestres, imprégnés du pouvoir et des visions qui ne peuvent être acquises que par le contact avec l'Illimité.

Dans ma propre vie, ce sont les silences qui ont été à l'origine des créations et des contributions dont je suis le plus fière. Quand j'avais une vingtaine d'années, j'ai passé des mois d'affilée en Europe, pour participer à des sessions de méditation avec d'autres professeurs de méditation. Pendant des jours entiers et même des semaines, nous introduisions de longues phases de silence au cours de nos séances de méditation. Il m'est arrivé, pendant des semaines d'affilée, de ne pas prononcer un son ni d'en entendre un. Pas de conversations, aucunes salutations, pas de plaisanteries… seulement le silence. Plus je m'enfonçais dans le silence, et plus mon expérience spirituelle devenait profonde.

Quand je me penche sur mon passé, je sais que ces moments ont été, dans ma vie, parmi les plus forts et les plus efficaces en ce qui concerne ma transformation personnelle. Ils m'ont préparée au travail que j'allais accomplir les années suivantes. Mon mari me taquine souvent en me disant : « Par contre, une fois que tu es sortie de ton silence, tu t'es mise à parler et tu ne t'es plus arrêtée depuis ! » D'une certaine manière, il a raison. J'ai réussi à pénétrer si profondément en moi-même que j'ai souvent l'impression de flotter dans les airs, dans la direction opposée. Je sais avec certitude que sans ces opportunités de voyages tout au fond de moi-même, je n'aurais jamais été capable d'appréhender le monde avec la détermination et la concentration que j'ai eues, et je n'aurais pas su écouter les forces qui m'ont guidée.

●

> « Plus vous en parlez,
> Plus vous y pensez,
> Et plus vous vous en éloignerez.
> Arrêtez de parler, arrêtez de penser,
> Et il n'y a rien que vous ne comprendrez pas... »
>
> SENGSTAN

Le pouvoir du silence réside en sa vacuité. Le silence est un espace réceptif. Il crée un vide sacré, une ouverture par laquelle vous êtes apte à recevoir : la vérité, les perspectives, la force, la guérison, la révélation. Par le silence, vous transcendez les mots et entrez en contact avec un monde où les mots sont inutiles. Vous transcendez la forme et entrez en contact avec ce qui est sans forme. Vous vous emplissez d'un savoir apaisant.

Le silence n'est pas la même chose que la prière. La prière est une manière de diriger vos émotions, vos sensations et vos pensées, de vous concentrer sur elles et de les projeter vers une source. Le silence, c'est écouter, recevoir, être. Par la prière, on cherche à atteindre la source et à entrer en communication avec elle. Le silence vous permet d'entendre la source à l'intérieur de vous-même, de ne faire qu'un avec elle. La prière est orientée vers l'extérieur, tandis que le silence est dirigé vers l'intérieur. Par la prière, vous êtes « l'envoyeur » tandis que par le silence, vous êtes le « receveur ».

Je crois que Dieu, les Déesses, l'Intelligence Cosmique, l'Energie Suprême, la Puissance Supérieure ou toute force supérieure à laquelle vous croyez existe pour être priée, appelée, remerciée et appréciée. Mais je crois aussi que la communication avec l'Esprit fonctionne comme un poste de radio émetteur : vous pouvez aussi bien recevoir des messages qu'en envoyer vous-même. Si vous ne vous sentez pas en contact aussi étroit que vous le voudriez avec l'Esprit, et que pourtant vous avez prié aussi fort que vous l'avez pu, peut-être alors devez-vous prier un peu moins et écouter un peu plus. Peut-être que Dieu a essayé d'entrer en contact avec vous, mais que l'assiduité de vos prières l'en a empêché !

Apprenez à écouter le silence

Naviguer à travers le silence est tout comme naviguer sur l'océan : c'est une capacité. Cela demande de la pratique, et plus vous vous entraînez, plus vous augmentez vos capacités. La première étape est d'arriver à faire le silence dans votre esprit, d'interrompre le processus habituel de vos pensées. C'est comme monter sur un bateau qui vous emmène au large, loin des côtes. De même qu'il existe de nombreuses sortes de bateaux, il existe de nombreuses méthodes pour arriver à faire taire votre esprit. Vous pouvez utiliser n'importe laquelle des techniques de méditation et exercices de respiration. Prenez le temps de trouver celle qui fonctionne le mieux sur vous. En effet, si vous n'aimez pas votre bateau, vous aurez moins souvent envie d'aller naviguer.

Une fois que vous aurez trouvé l'embarcation qui vous convient le mieux, il va vous falloir apprendre à contrer les courants et affronter les vagues. Il existe en effet différentes « vagues » ou degrés de silence :

… Il y a le silence de surface, un calme tranquille, doux, qui vous berce et vous apaise.

… Puis il y a le silence profond, un roulis agité de vagues d'amour et de connaissance qui fait tanguer votre esprit et l'entraîne dans des degrés de conscience encore inconnus.

… Et puis il y a les vagues de silence fortes comme les grandes marées, les puissantes lames de fond qui vous submergent complètement, avalant votre ego et votre identité, vous plongeant dans une masse déferlante de lumière et de joie, jusqu'à ce que vous ne fassiez plus qu'un avec elle.

Partez de là où vous êtes, et laissez le silence lui-même

vous servir de guide. Il vous emmènera où vous avez besoin d'aller.

●

Si vous n'êtes pas habitué à aller en vous-même, il vous faudra de la patience pour apprendre à naviguer dans ces zones intérieures. Il vous faudra du temps pour vous acclimater à leurs rythmes et à leurs mélodies.

Imaginez que vous soyez en train de vous promener dans les bois en compagnie d'un ami qui est venu avec son lecteur de cassette et le fait marcher à tue-tête. Vous ne pourrez rien entendre d'autre que la musique. Si votre ami éteint son appareil, au début, vous n'entendrez pas grand-chose, le temps que vos oreilles s'habituent au silence. Mais très vite, vous arriverez à capter les sons qui ont toujours été là : le bruissement des feuilles au gré de la brise, les animaux minuscules fuyant sous vos pas, le craquement de grosses branches d'arbres. Plus longtemps vous écouterez, et plus de choses vous entendrez.

Il en va de même pour les voyages à l'intérieur de vous-même. Au début, il peut vous sembler que rien ne se passe, comme si vous étiez là simplement à respirer et à méditer. Mais très vite, vous allez capter des sensations très douces qui ont toujours été là mais étaient étouffées par le vacarme quotidien de votre esprit.

Quand le silence et vous devenez amis, il vous parle d'une manière aussi forte que quiconque dans votre monde extérieur. Très vite, vous ne pourrez plus ignorer sa voix qui, après tout, n'est la voix que de votre propre esprit faisant appel à vous.

Voici quelques autres moyens simples d'introduire plus de silence dans votre vie :

— N'allumez pas l'autoradio lorsque vous êtes au volant. La voiture est un centre de méditation très puissant. Vous ne pouvez pas être dérangé et vous pouvez difficilement vous lever pour partir. C'est en conduisant ma voiture que j'ai eu certaines de mes plus grandes révélations. Pendant douze ans, je suis allée une fois par moi à Los Angeles pour mener des séminaires sur un week-end. Tous les vendredis soirs, pendant le trajet pour me rendre là-bas, je conduisais en silence, laissant mon esprit se vider et se brancher sur ma fréquence intérieure. J'ai aussi fait de longs parcours merveilleux en voiture. Et en arrivant à destination, j'avais la réponse aux questions que je me posais et je savais quel chemin j'allais emprunter.

Faites de votre voiture un espace sacré. Quand vous êtes seul, essayez de conduire dans le silence ou avec simplement une petite musique de fond très douce, sans paroles. Ne quittez pas la route des yeux, mais écoutez les messages de votre voix intérieure.

— Asseyez-vous en silence auprès d'un feu ou la lumière de la bougie. Faites un feu dans la cheminée, ou simplement allumez quelques bougies, placez-les sur une table à vos côtés de façon à bien les voir, et éteignez les lumières. Veillez à éteindre aussi la radio ou la télévision, et à ne pas être dérangé. Restez assis en regardant les flammes. Ecoutez le craquement des bûches, ou regardez la cire couler le long des bougies. Imaginez que ces lumières illuminent toutes les zones d'ombre qui résident à l'intérieur de vous-même. Faites attention à ce que vous voyez. Et si vous ne voyez rien, contentez-vous d'apprécier la simplicité du moment.

— Faites une promenade silencieuse avec une personne que vous aimez. C'est une manière de partager votre silence.

Trouvez un lieu de promenade agréable, le plus calme possible. Tenez-vous par la main. Ressentez le rythme de vos pas respectifs, la chaleur de sa peau au contact de la vôtre. Faites attention à tout ce que vous voyez et à tout ce que vous ressentez. Vous remarquerez alors peut-être que vos deux cœurs se parlent dans le langage du silence.

●

« Votre lieu sacré est celui où vous pouvez toujours vous retrouver, encore et encore. »

Joseph CAMPBELL

Je suis intimement persuadée que chacun d'entre nous a besoin d'un lieu sacré, un environnement symbolique qui mette notre conscience en éveil et la concentre sur notre vrai parcours. Si vous avez un lieu sacré à vous, vous vivrez davantage de moments vrais dans votre vie. Cela vous aide à vous remémorer des moments vrais que vous avez déjà vécus, ce qui facilite votre parcours présent.

Un lieu sacré peut aussi bien être un gros coussin, dans un coin de votre chambre, où vous vous asseyez pour prier ou méditer, qu'une étagère où vous avez placé des objets qui ont un sens particulier pour vous, ou qu'un pan de mur où vous accrochez des symboles de votre évolution personnelle. Cela n'a pas besoin d'être bien grand, l'espace de votre table de nuit peut suffire.

Un lieu est sacralisé par votre intention de le rendre sacré. C'est tout. N'y mettez pas de choses inutiles. Tout ce dont vous avez besoin, c'est d'objets symboliques qui ont une importance pour vous et vous attisent l'esprit. Voici le genre de choses dont peut être constitué votre lieu sacré :
— Des photos de ceux que vous aimez : votre conjoint, vos enfants, vos amis, votre famille, votre animal familier.

— Des photos de personnes chères, disparues.
— Des symboles religieux ou spirituels qui ont une signification pour vous.
— Des photos ou images de vos guides et de vos maîtres.
— Votre livre d'inspiration favori, votre Bible, votre livre de prière, etc.
— Des objets naturels qui vous rappellent votre connexion à la Terre : cailloux, cristaux, fleurs, coquillages, etc.
— Des bougies.

Mon lieu sacré à moi se trouve dans mon bureau, là où j'écris. Je le regarde en ce moment même. Il est sur une petite commode basse, située contre la fenêtre. Il contient à peu près tous les éléments que je viens de citer, et certains qui me sont très précieux. C'est devant ce petit « autel » que je prie, que je me recentre, que je demande de l'aide pour mieux voir mon chemin, que j'exprime ma reconnaissance pour toutes mes bénédictions. J'ai mes propres rituels, des rituels qui m'aident à plonger en moi-même, à voir qui je suis réellement et les raisons profondes de ma présence en ce monde. Chaque fois que je me sens perdue ou que j'ai peur, chaque fois que je perds le fil de mon parcours, je monte à mon bureau et m'installe un moment devant mon lieu sacré. Il me guide et m'aide à me retrouver en moi-même.

Même lorsque je suis en voyage, je reconstitue toujours un petit lieu sacré, où que je me trouve. La première chose que je fais en arrivant dans une chambre d'hôtel est de placer sur la table de nuit tous les objets que j'ai pris avec moi. Alors, c'est bien ma chambre, et je m'y sens en paix.

Certains aiment aussi avoir un lieu sacré à l'extérieur de chez eux. Si vous avez la chance de vivre dans un environnement qui le permette, ce lieu peut être un arbre derrière la maison, un point précis au bord d'un lac ou d'un étang, un rocher qui surplombe la mer. Vous pouvez emporter quelques objets symboliques à chacune de vos visites ou y aller comme cela, sans rien, seul avec vous-même, laissant à la Nature le soin de vous recentrer sur vous-même.

Si vous n'avez pas encore de lieu sacré là où vous vivez, ne vous précipitez pas pour en créer un. Gardez à l'esprit votre intention de le faire, et attendez quelque temps. Laissez votre lieu sacré vous dire lui-même où il veut être. Peu à peu, il se manifestera de lui-même à mesure que vos objets trouveront leur place. Vous en possédez certains depuis longtemps, d'autres sont des cadeaux récents. A terme, vous aurez aussi vos propres rituels et moments vrais face à votre lieu sacré.

Plus vous vous retrouvez devant votre lieu sacré physique, plus vous prenez l'habitude d'entrer en connexion avec votre lieu sacré intérieur, jusqu'à ce que bientôt vous portiez en vous-même votre lieu sacré, où que vous alliez.

•

« Sortez du cercle du temps et entrez dans le cercle de l'amour. »

Jalaludin RUMI

Le meilleur moyen de transformer tout lieu en un sanctuaire propice aux moments vrais est d'y apporter de l'amour. L'amour a le pouvoir de sacraliser chaque lieu et de rendre chaque moment significatif. Quand votre partenaire et vous êtes serrés l'un contre l'autre dans votre lit, vous êtes dans un lieu sacré. Quand vous brossez tendrement les cheveux de votre petite fille, vous créez un lieu sacré. Quand vous serrez dans vos bras un ami qui est dans la tristesse, vous êtes dans un lieu sacré. L'amour nous propulse dans une situation d'extase en dehors du temps. Quand nous baignons dans l'amour, rien d'autre n'existe au monde que l'amour.

Après avoir lu cela, fermez les yeux.

Respirez profondément et calmement jusqu'à ce que votre conscience ne soit plus tournée vers l'extérieur mais vers l'intérieur de vous-même.

Naviguez à travers vos souvenirs, vos pensées et vos sentiments.

Continuez jusqu'à ce que le silence se fasse en vous.

Plongez en vous-même de plus en plus profondément.

Maintenant, flottez dans le Silence.

Laissez-le s'infiltrer dans chaque cellule de votre être.

Reconnaissez-le comme étant la Paix.

Reconnaissez-le comme étant l'Amour.

Devenez vous-même le Silence…

13

Les rituels liés aux moments vrais

« Quand les êtres humains participent à une cérémonie, ils entrent dans un lieu sacré. Tout ce qui se trouve en dehors de cet espace perd de son importance. Le Temps prend une nouvelle dimension. Les émotions flottent plus librement. Le corps des participants s'emplit de l'énergie de la vie, et cette énergie atteint et bénit tout ce qui les entoure. Tout devient nouveau ; tout devient sacré. »

Sun BEAR

Les rituels constituent pour vous d'excellentes occasions de vivre des moments vrais. Ils vous transportent du monde quotidien habituel au monde du sacré, et vous aident à vous reconnecter avec la vie dans sa globalité. En pratiquant vos propres rituels ou cérémonies, vous devenez instantanément attentif et pleinement conscient. Vous initiez un lieu et un temps sacrés, et chacun de vos actes est significatif. Vous êtes ici, maintenant, vous visualisez bien vos buts, vous alimentez votre cœur et renouvelez votre esprit.

Depuis qu'il existe des êtres humains sur la Terre, les rituels ont toujours fait partie intégrante de notre vie. Nos lointains ancêtres, qui vivaient en harmonie avec la Terre, connaissaient l'importance de la cérémonie sacrée comme moyen d'entrer en connexion et de donner une signification à leur existence parfois pénible et difficile. Il y avait des rituels au moment des semailles et des rituels au moment des moissons. Des rituels saluaient les changements de saison, des rituels honoraient les modifications de notre corps. La danse, les chants, les chœurs, la fête, la purification et la prière, n'étaient pas pratiqués au hasard. Ils avaient lieu à des moments bien déterminés et dans un but précis.

Peu à peu, au fil des siècles, nous nous sommes déconnectés de la Terre et nous avons laissé de côté notre existence spirituelle pour nous consacrer davantage à notre existence matérielle. Nous étions trop occupés à réussir de plus en plus de choses pour prendre le temps de nous arrêter et de célébrer des cérémonies qui ne produisaient pas les résultats immédiats auxquels nous étions alors habitués et qui seuls nous importaient.

Il existe encore quelques rituels, mais, surtout ici en Amérique, ils se parent de nos valeurs matérialistes. Les anniversaires, Noël ou les anniversaires de mariage ne sont plus aujourd'hui que des prétextes pour donner et recevoir des cadeaux, pour manger et boire en excès, mais il n'est plus question d'y célébrer l'amour et le renouveau. Les mariages sont prétextes à des réceptions dispendieuses, mais y consacre-t-on vraiment l'union de deux cœurs ? Même la mort n'échappe pas à notre société de consommation. Nous dépensons des fortunes en cercueils et en pierres tombales, mais nous ne prenons pas le temps d'honorer et de bénir l'esprit de la personne disparue.

Quand une vie est dépourvue de rituels, on la traverse trop vite. Nous ne prenons pas le temps de nous arrêter et de réfléchir au sens profond des événements qui surviennent. Nous avons du mal à voir clairement notre but dans le tourbillon des choses. Nous oublions qui nous sommes. Nous perdons notre chemin.

> Quand nos rituels s'éloignent du spirituel et de l'émotionnel pour ne se consacrer qu'au matériel, notre esprit perd le chemin intérieur qu'il suivait.

•

Il m'a fallu parcourir des milliers de kilomètres à travers le monde pour enfin assister au pouvoir extraordinaire du rituel sur la vie. C'était lors de notre récent voyage à Bali. Pour les Balinais, tout est prétexte à des rituels et à des cérémonies. Il y a des rituels juste avant de commencer sa journée de travail, des rituels pour bénir un nouveau pont afin que les voitures puissent y circuler en toute sécurité, des rituels aux premiers pas de ses enfants. Tout en nous faisant traverser les champs de riz luxuriants et les collines de l'île, notre adorable guide, Adi, nous expliquait d'un ton très respectueux toutes leurs prières et leurs cérémonies spéciales. « Les rituels nous donnent l'opportunité de nous recentrer sur ce qui est important », a-t-il dit humblement.

Le sentiment de paix spirituelle que l'on ressent à Bali vient de la signification profonde que les Balinais accordent à tout ce qu'ils font dans leur vie. Contrairement à la plupart d'entre nous dans les contrées occidentales, ils n'attendent pas deux ou trois jours bien définis dans l'année pour célébrer leurs enfants ou la nourriture que leur procure la terre, ou encore l'amour de leur famille. Ils rendent grâce quotidiennement pour toutes les bénédictions qu'ils reçoivent au cours de leur vie simple et harmonieuse. Chacune de leurs journées est constituée d'une succession de moments vrais et pleins de sens.

A quoi servent les rituels ?

• **Les rituels donnent du rythme à la vie.** Ils sont les battements de tambour qui vous permettent de garder la cadence le long de votre chemin. Ils assurent la continuité. Ils offrent des intermèdes prévisibles dans ce monde imprévisible. Le fait de les accomplir vous donne un fil conducteur qui se tisse à travers vos jours et vos nuits, vous maintenant en contact avec ce qui est familier. Les prières que vous prononcez chaque matin pour saluer l'aube, la cérémonie d'engagement mutuel que votre partenaire et vous célébrez à chacun de vos anniversaires de mariage ou de rencontre, la promenade en solitaire que vous vous accordez chaque dimanche sont autant de bornes qui vous permettent de mesurer votre voyage. Elles vous font marquer un arrêt et vous demandent d'être attentif au lieu dans lequel vous êtes, aux émotions que vous ressentez et au moment que vous vivez.

A chaque dernier jour de l'année, Jeffrey et moi célébrons un rituel spécial. Nous passons plusieurs heures, assis côte à côte dans un endroit tranquille, et nous exprimons notre gratitude pour tout ce qui nous est arrivé au cours des douze derniers mois. Nous reconnaissons l'amour qui nous a été offert à chacun, aussi bien au sein même de notre couple que par des personnes extérieures. Nous partageons notre appréciation des événements qui ont eu lieu, des leçons que nous avons apprises, des défis auxquels nous avons été confrontés et de la nouvelle sagesse qui en a découlé. Mois après mois, nous passons en revue toute notre année, nous rappelant les moments forts, significatifs, les souvenirs adorables et les bénédictions merveilleuses qui nous ont été offerts. Et quand arrive le réveillon du Jour de l'An, nous nous sentons heureux et pleins de grâces.

Malheureusement, un trop grand nombre de gens traversent les moments significatifs de la vie sans pratiquement s'en apercevoir, tellement ils sont préoccupés à l'avance des difficultés à affronter le lendemain. Cette attitude, elle aussi, fonctionne comme un rituel, mais un rituel qui endort notre conscience au lieu de l'éveiller davantage. La petite cérémonie à laquelle nous nous livrons chaque 31 décembre, Jeffrey et moi, nous donne un sentiment de plénitude par rapport à l'année qui vient de s'écouler, et d'excitation par rapport à celle qui arrive. Nous finissons l'année par un moment vrai très fort et très épanouissant pour chacun d'entre nous.

• Les rituels servent à célébrer toute renaissance, à marquer le passage entre un stade de la vie à un autre. Ils honorent le franchissement des seuils symboliques. Nous y avons recours pour célébrer les événements évidents tels qu'une naissance, un mariage ou un enterrement. Mais pensez au nombre d'événements importants qui sont passés sous silence, et ne sont donc pas sanctifiés : un changement de carrière, la formation d'une belle-famille, un déménagement, la victoire sur une manie nocive pour la santé, la guérison après une maladie grave ou un accident, l'apparition des premières règles chez une jeune fille, et plus tard, la ménopause, un divorce, ou l'interruption d'une relation, le dernier enfant quittant le domicile familial, l'atteinte d'un but poursuivi de longue date, etc. En marquant d'un rituel ces différentes expériences, elles deviennent des moments vrais très significatifs et d'une grande intensité.

Il y a quelques années, lorsque Jeffrey et moi avons commencé à parler mariage, j'ai été saisie d'un sentiment de peur et d'anxiété. J'en connaissais la raison. Je ressentais toujours en moi une profonde tristesse à cause de mes précédents échecs amoureux et je me sentais comme « périmée ». J'aurais voulu ne jamais m'être mariée auparavant et m'offrir à lui comme s'il s'agissait de la première fois. Faire machine arrière était impossible, aussi ai-je décidé de m'offrir un rituel de passage à moi-même pour célébrer la fin du cycle de la tristesse dans lequel j'étais depuis tant d'années, et marquer officiellement l'arrivée d'un nouveau cycle, celui de l'épanouissement.

Je suis donc allée en haut de la colline m'asseoir seule dans un coin magnifique dominant l'océan. Seule avec moi-même, j'ai mentalement passé en revue chacun des hommes que j'ai aimés et fait le point de la relation que j'avais eue avec eux. Puis j'ai ramené chez moi un élément symbolique de ce lieu sacré, face à la mer, pour rester en connexion avec la vérité. Au cours de ce rituel, j'ai remercié chacun de ces hommes pour les leçons qu'ils m'ont apprises et l'amour qu'ils m'ont donné, j'ai repris à chacun les différentes parcelles de moi-même que je leur avais offertes et j'ai dit adieu au passé. J'ai déchiré leurs photos et leurs lettres, et je les ai brûlées dans une coupe et réduites en cendres. Alors, j'ai pris ces cendres dans les mains et les ai jetées dans le vent, les rendant à la terre, demandant en échange que mon cœur soit guéri de toute peur de l'engagement et qu'il retrouve sa plénitude pour que je puisse l'offrir en entier à Jeffrey.

Ce rituel a marqué le passage entre la femme que j'étais et celle que je suis devenue. Il m'a donné l'occasion de reconnaître totalement ma transformation et de mettre un trait sur mon passé. Après cela, j'ai ressenti l'énorme poids de peur que je portais en moi. Naturellement, j'ai continué ensuite à construire ma confiance en moi-même et à renforcer notre relation, mais cette cérémonie a été le point de départ de mon processus de guérison.

Peut-être avez-vous traversé de nombreux stades de votre existence sans prendre le temps d'honorer votre voyage, ou peut-être traversez-vous actuellement un stade important. Prenez le temps de créer des rituels significatifs pour vous-même et de célébrer votre renaissance.

• **Les rituels servent à marquer la guérison et le renouveau.** Ils peuvent servir à purifier et à renforcer votre connexion avec Dieu, votre partenaire, votre travail ou vous-même. Vous pouvez créer un rituel de renouveau lorsque vous avez besoin d'une plus grande clarté et de plus de forces, lorsque vous avez besoin d'être guidé, de mieux voir la direction à prendre ou lorsque vous et quelqu'un que vous aimez voulez atteindre ensemble un degré d'intimité plus profond, mais sentez que quelque chose vous bloque le passage.

Je pratique des rituels de renouveau lorsque je me lance dans l'écriture d'un nouveau livre, lorsque je me sens déconnectée, sur le plan spirituel, et trop prise par mon travail, lorsque je me trouve confrontée à une souffrance émotionnelle que je n'arrive pas à évacuer assez vite. Je les crée parfois dans mon lieu sacré, à la maison, parfois dans mon bain, quand je veux me sentir vraiment « nettoyée », parfois dans la Nature, au sommet d'une montagne ou d'une colline, ou, chaque fois que je le peux, dans mon coin favori à Sedona, en Arizona. J'émerge toujours de mes rituels de renouveau en me sentant recentrée sur moi-même et protégée.

●

« Je ne m'enflamme que dans le feu qui brûle.
Mon cœur est un foyer.
Mon cœur est un autel. »

Poème d'un moine bouddhiste

Le point de départ et le point d'arrivée de tout rituel se situent dans le cœur. Les rituels ne concernent ni les lieux, ni les objets. Ils concernent l'amour, le respect et le souvenir.

Toute chose effectuée en pleine conscience et avec l'intention de le faire est une forme de rituel. En créant vos propres rituels, ne tombez pas dans les pièges matériels car vous oublieriez peu à peu votre but initial : créer un moment de connexion spirituelle et de pleine conscience. Inutile de vous entourer de bougies et d'encens, ou d'être dans un lieu bien précis, ou encore d'avoir recours à des formules spéciales, si vous décidez que cela n'est pas nécessaire pour vous. Tout ce dont vous avez besoin, c'est de rendre significatifs le lieu et le moment présents, et sacrée l'expérience que vous êtes en train de vivre.

Qu'est-ce qui transforme un simple moment en rituel ? C'est votre intention de ritualiser ce moment et de lui donner un but. C'est votre décision de donner un sens profond à ce que vous êtes en train de faire.

Nous avons tous besoin de redécouvrir et de redéfinir nos propres rituels. Vous en accomplirez certains quotidiennement et d'autres en des occasions spéciales. Voici quelques idées pour donner un sens plus profond à certaines de nos célébrations traditionnelles. Le type de rituels que vous pratiquez et la manière dont vous les structurez ne dépend que de vous.

— **Les anniversaires.** Célébrer la naissance de la personne que vous êtes devenue dans l'année qui vient de s'écouler. Montrez votre gratitude pour cette nouvelle année de vie et toutes les bénédictions que vous avez reçues. Débarrassez-vous de tous les fardeaux que vous ne voulez plus porter dans la nouvelle année qui se présente à vous. Honorez vos parents de s'être accouplés pour vous offrir un passage sur cette Terre.

— **Les anniversaires de mariage ou de connaissance.**

Célébrez la façon dont vous avez fait évoluer votre couple au cours de l'année qui vient de s'écouler. Honorez-vous mutuellement pour l'amour et la dévotion que vous avez chacun donnés. Mentionnez les changements que vous avez constatés chez votre partenaire. Reformulez vos engagements envers votre relation à tous deux, prononcez de nouveau vos anciens vœux et formulez-en de nouveaux pour l'année à venir.

— **La naissance prochaine d'un enfant.** Chacun peut formuler ses souhaits et offrir sa sagesse aussi bien à la mère qu'à l'enfant qui va naître, offrant le cadeau de son savoir plutôt qu'un cadeau acheté chez le marchand. Dites au bébé, encore dans le ventre de sa mère, à quel point déjà il est aimé et comme sa naissance est attendue avec impatience.

— **Noël et le Jour de l'An.** Célébrez les bénédictions que vous avez reçues au cours de l'année, l'amour que vous avez reçu et la lumière qui a guidé votre vie. Partagez votre gratitude et votre amour avec les personnes qui vous sont chères. Remerciez la Terre de vous fournir un abri pour vous loger et de la nourriture pour vous nourrir. Donnez. Entrez dans le nouveau cycle de la joie.

— **Pâques.** Débarrassez-vous de tout ce qui vous empêche d'être vous-même, de ce dont vous n'avez plus besoin ou ce qui ne sert plus le meilleur de vous-même. Dites adieu à ces anciennes parties de vous-même et rendez grâce à la personne que vous êtes devenue, entamant son voyage vers une plus grande liberté.

— **Les vacances.** Fixez-vous des buts pour un renouveau personnel et spirituel. Prenez la ferme décision de ne pas revenir de vacances avec certains des fardeaux, tensions ou blocages émotionnels que vous aviez en partant. Mettez à profit ce temps passé en dehors de chez vous pour vous guérir et vous reconnecter avec vous-même et ceux que vous aimez.

•

Notre planète, l'endroit où nous vivons, connaît le secret du rituel et de la célébration. Chaque matin, le soleil se lève, tout auréolé de rouge et d'orange, pour venir embrasser la Terre de sa lumière et de sa chaleur. Les oiseaux chantent leur premier hymne de joie pour saluer l'arrivée du jour et les jardins se parent de mille couleurs. Chaque soir, le soleil se couche, flambant de tous ses feux pour imprimer le ciel avant de laisser la place à l'obscurité de la nuit. Grillons et criquets se mettent à grésiller en rythme pour permettre à la Terre de s'endormir au son de cette berceuse. Chaque hiver, la terre se régénère pour préparer sa renaissance. Et chaque printemps, effectivement, elle célèbre son renouveau par un foisonnement de vie.

La Terre célèbre tous ses changements en les honorant de rituels magnifiques. Nous devons prendre modèle sur elle et honorer aussi nos propres cycles par des célébrations sacrées. **Elle nous indique la marche à suivre.**

Si vous vivez votre vie de manière sacrée
et attentive, chaque instant peut être une
cérémonie en l'honneur de votre connexion
avec le Créateur et avec toute chose
dotée de vie…

14

La gratitude et les actes de gentillesse

« Nous ne pouvons pas faire de grandes choses, mais nous pouvons mettre beaucoup d'amour dans les petites choses que nous faisons. »

MÈRE THÉRÉSA

Il y a plusieurs années de cela, une femme nommée Anna Herbert, en Californie, a soudain pris conscience d'une phrase qui lui est montée à l'esprit :

« Multiplie au hasard les actes de gentillesse
et les actes de beauté gratuits. »

Elle s'est alors mise à parler autour d'elle de cette réflexion, l'appelant « une forme d'anarchie positive », et a décidé de la mettre en pratique en multipliant les actes de bonté. Elle a mis des fleurs dans un affreux terrain en friche qui déparait le quartier. Quand elle arrivait à un péage, elle payait pour les trois ou quatre voitures qui la suivaient. Sa générosité gratuite a rapidement fait le tour des habitants du coin, et de plus loin, et c'est ainsi qu'est né le mouvement appelé « la guérilla de la gentillesse ».

Les actes de gentillesse créent instantanément des moments vrais. Ils sont les rituels vivants de la spiritualité au quotidien. Ils vous font entrer en contact, par le cœur, avec une autre personne, et ils ouvrent un chemin sur lequel votre amour peut aller librement.

Ce qu'il y a de merveilleux avec cette idée d'actes de gentillesse pratiqués au hasard, c'est que chaque jour, des milliers d'opportunités s'offrent à vous pour le faire. Un automobiliste qui tombe en panne pas loin de chez vous ; une personne qui court pour attraper l'ascenseur dans lequel vous êtes déjà ; quelqu'un qui laisse échapper ses affaires par terre et qui a besoin d'aide pour les ramasser. Vous avez des enfants qui ont besoin de s'entendre dire qu'ils sont uniques, un ou une partenaire qui a besoin de s'entendre dire qu'il ou elle est aimé(e), des amis qui vous passent un petit coup de fil en simple témoignage de leur affection, et pour que vous leur exprimiez la vôtre, des chiens et des chats qui n'attendent qu'une caresse, des chatouilles ou un baiser, et des milliers d'étrangers pour qui un sourire signifie qu'ils ne sont pas invisibles.

•

Il y a deux ans, Jeffrey et moi avons loué une petite maison sur une île pour nos traditionnelles vacances de fin d'année. le lendemain de notre arrivée, j'étais assise dans le jardin en train de lire lorsque j'ai entendu le miaulement pitoyable d'un chat, empreint de tristesse. J'ai tourné la tête en direction du miaulement, et j'ai vu sortir du fourré un minuscule chat noir et blanc, n'ayant que la peau sur les os. Il me regardait comme s'il n'avait pas mangé depuis des semaines, et il tremblait de peur et de faim. Je savais que si je lui donnais à manger, il ne nous lâcherait plus tout le temps de notre séjour, mais mon cœur ne pouvait supporter de voir cette petite chose morte de faim. J'ai pris une boîte de thon dans la cuisine et l'ai placée non loin de lui.

Pendant vingt minutes, il a pleuré et gémi mais ne s'est pas approché de la nourriture. J'ai compris qu'il était terrorisé, habitué à être chassé par tous les touristes du coin. Il ne savait pas si je n'allais pas lui faire du mal, moi aussi. Je me suis assise par terre et lui ai parlé d'une voix douce, lui promettant de m'occuper de lui s'il me donnait une chance.

Enfin, mon ami le petit chat s'est prudemment approché de la boîte de thon, il l'a renversée, a saisi le poisson entre ses dents et s'est enfui vers le fourré. Mais je savais qu'il reviendrait, et il est revenu... le soir même, à l'heure du dîner. J'étais prête. J'étais allée acheter de la nourriture pour chats, et il n'a pas fallu plus de cinq minutes pour qu'il se sente suffisamment en confiance pour venir manger.

Comme promis, pendant les dix jours qu'a duré notre location, je me suis occupée de mon petit ami noir et blanc. Il passait toutes ses journées allongé au soleil près de nous. Chaque matin, j'avais hâte de voir son petit museau émerger de derrière un buisson. Jeffrey ne cessait de me rappeler que lorsque nous partirions, les prochains locataires le chasseraient sûrement, mais je ne voulais pas y penser.

Et puis, le jour fatal du départ est arrivé. Le chat nous a regardé faire nos bagages et ranger la maison. Il était constamment dans mes jambes comme s'il voulait me dire « Ne pars pas... » J'ai écrit un petit mot adressé aux locataires suivants, les priant instamment de nourrir le chat, et j'ai mis en évidence plusieurs boîtes de nourriture pour lui. Au moment du départ, le chat s'est assis devant moi et a planté ses yeux verts dans les miens. J'ai fondu en larmes. « Je l'abandonne », me suis-je dit amèrement. « Je sais que je ne peux pas le ramener aux Etats-Unis, mais maintenant que je lui ai donné de l'amour, je suis cruelle de le lui reprendre. Peut-être aurait-il été mieux, pour lui, que je ne lui donne pas le goût de la gentillesse. »

Soudain, une voix, à l'intérieur de moi, a chuchoté dans ma tête : « Tu lui as montré ce qu'était la gentillesse pour la première fois de sa vie. Il la portera toujours en lui. Toujours il saura qu'il aura été aimé. L'amour n'est jamais donné en vain. »

Je ne saurai jamais ce qu'il est advenu de mon petit ami noir et blanc. J'espère que quelqu'un s'est occupé de lui ensuite. Mais en tout cas, ce que je sais, c'est que grâce à lui, j'ai vécu beaucoup de moments vrais pendant ces vacances. Mon amour et ma gentillesse, même prodigués sur un très court laps de temps, l'auront marqué à vie. Tout comme son amour m'aura, moi aussi, marquée à vie.

L'amour et la gentillesse ne sont jamais donnés en vain. Ils marquent toujours leur empreinte. Ils marquent celui qui les reçoit, et ils vous marquent vous, celui qui les prodigue.

Les occasions de créer des moments vrais en partageant votre gentillesse sont innombrables. Vous pouvez préparer des sandwichs et les porter à des malheureux sans abris. Vous pouvez glisser une marguerite sous l'essuie-glace d'une voiture anonyme. Vous pouvez féliciter la serveuse du restaurant où vous déjeunez pour la qualité de son travail. Vous pouvez même simplement envoyer par la pensée votre affection et votre amour à ceux que vous aimez. Quand vous voyez quelqu'un qui a l'air seul et malheureux, drapez-le, mentalement, d'un halo de lumière et d'amour. Quand vous pensez à quelqu'un qui souffre ou qui est perdu, envoyez-lui des ondes d'amour et d'énergie.

Ne sous-estimez jamais le pouvoir salvateur de la gentillesse prodiguée au quotidien. Un mot affectueux peut sortir quelqu'un des profondeurs du désespoir et lui permettre d'espérer de nouveau. Un sourire peut aider quelqu'un à sentir qu'il existe. Un acte chaleureux peut même sauver la vie de quelqu'un. J'ai moi-même rencontré des dizaines de personnes m'ayant confié qu'un jour, alors qu'elles étaient au bord du suicide, un étranger les avait gentiment saluées dans un ascenseur, ou qu'un ami leur avait téléphoné pour leur dire « Je pensais à toi », et que cela leur avait redonné espoir. Un moment vrai d'amour a toujours un grand pouvoir.

Si chacun d'entre vous, qui lisez ces lignes, décide de prodiguer au moins un acte de gentillesse par jour, à compter d'aujourd'hui, notre monde va en être transformé.

« Nous sommes tous connectés les uns aux autres et à toutes choses dans l'univers. Par conséquent, tout ce que nous faisons, en tant qu'individu, touche l'ensemble du monde. Toutes les pensées, tous les mots, les images, les prières, les vœux et les dons atteignent tout ce qui existe. »

Serge KAHILI KING

Hier, je suis allée grimper en montagne. Lorsque je suis arrivée au sommet, je me suis assise entre deux pierres et j'ai contemplé l'horizon. Il faisait clair et ma vue portait sur des kilomètres. Je voyais au loin des canyons et des escarpements, témoins des modifications de la croûte terrestre au fil des millénaires. Je voyais des collines desséchées, hérissées de cactus. Autour de moi, des fleurs sauvages. Et ce ciel bleu turquoise qui semblait s'étirer jusqu'à l'infini. De fortes bouffées de vent chaud embrassaient les montagnes et m'enveloppaient de douceur. Deux faucons planaient dans les airs au-dessus de ma tête, presque immobiles, leurs ailes largement déployées pour capter la brise, comme s'ils étaient, eux aussi, saisis par la magie de ce lieu et cet après-midi parfait.

J'étais venue en montagne pour vivre un moment vrai, et mon vœu s'était exaucé. Plus rien n'existait d'autre, à ce moment, que ma présence en ce lieu et ce que j'étais en train de vivre. Je sentais en moi un sentiment de gratitude puissant m'envahir tout en contemplant l'œuvre merveilleuse du Créateur. J'étais reconnaissante du fait qu'un tel panorama existe. J'étais reconnaissante du fait que mes jambes soient assez fortes pour me mener en haut de cette montagne. J'étais reconnaissante du fait que mes yeux y voient assez pour me permettre d'assister à un tel déploiement de beauté, orchestré par une main divine. J'étais reconnaissante d'avoir dans ma vie un mari et un compagnon de route spirituel aussi merveilleux que Jeffrey, dont je sentais d'ailleurs la présence à mes côtés. J'étais reconnaissante d'avoir été guidée et protégée dans ma vie, pour avoir la chance d'arriver à un moment tel que celui-ci.

J'avais le cœur gonflé d'une joie paisible. Mon esprit s'est vidé et s'est ouvert à la paix. Il n'y avait qu'un seul mot en moi : « MERCI »...

A terme, les moments vrais sont toujours des moments de gratitude

Vous ne pouvez réellement vivre de moments vrais sans éprouver un profond sentiment de gratitude. Le simple fait que vous soyez là et que vous puissiez vivre ce moment vrai, quoi que vous soyez en train de faire, vous emplit de gratitude. **Votre existence même est un miracle, tout comme le monde dans lequel vous vivez.** Mais vous n'avez pas besoin de vous trouver au sommet d'une montagne pour vous sentir reconnaissant. Chaque fois que vous marquez un arrêt et prêtez totalement attention à votre présence ici, sur cette Terre, votre esprit vous souffle le mot « **MERCI** ».

●

Si vous voulez vivre un moment vrai et que rien d'autre, de ce livre, ne vous vient à l'esprit pour l'instant, commencez par vous concentrer simplement sur votre gratitude. Pensez à quelque chose dont vous vous sentiez vraiment reconnaissant et imprégnez-vous de ce sentiment de gratitude. Peut-être vous sentez-vous reconnaissant que vos enfants aillent bien et soient en bonne santé. Peut-être vous sentez-vous reconnaissant de l'amour que vous témoigne régulièrement un de vos amis. Peut-être vous sentez-vous reconnaissant de vous réveiller chaque matin dans un lit confortable et d'avoir quelque chose à manger. Peut-être vous sentez-vous reconnaissant d'avoir tenu jusque-là, malgré votre obstination à vous détruire vous-même. Laissez-vous complètement porter par ce sentiment de gratitude, et vous vivrez un moment vrai.

Si vous vivez constamment avec cette idée
de gratitude en tête, votre vie deviendra
comme une prière vivante.

Nous considérons souvent la prière comme une demande, adressée à une puissance supérieure, de faveur spéciale ou de bénédiction. Et il y a des moments où nous avons besoin particulièrement de force ou d'indications sur le chemin à suivre. Mais la prière est aussi (et surtout) un chant de louanges. Depuis la nuit des temps, les hommes et les femmes connaissent le pouvoir de la prière comme moyen d'exprimer leur reconnaissance pour les merveilles de la Création, d'honorer le cadeau de la vie. Cette sorte de prière devient alors un véhicule par lequel notre gratitude peut jaillir de nous-mêmes. Elle nous met en contact direct avec notre amour de la vie et nous rappelle l'abondance de moments vrais dont nous sommes continuellement gratifiés.

Sun Bear, un célèbre Indien d'Amérique inspiré, guide spirituel et auteur de livres, dit de la prière que « c'est un moyen qu'ont les humains de rendre à la Création une partie de l'énergie qu'ils reçoivent constamment ». La Terre nous offre un lieu où poser les pieds ; l'air nous permet de respirer ; l'eau nous abreuve ; le soleil nous réchauffe et illumine notre chemin de sa lumière. La gratitude nous permet de partager ce que l'on reçoit.

Comment nos prières et nos louanges peuvent-elles influer sur l'Univers ? Elles sont une énergie, une vibration d'amour, et toute vibration influe sur tout ce qui vit dans la Création. Lorsque votre cœur éprouve de la gratitude, vous aimez la Création tout entière d'une manière très concrète.

La Terre est un organisme qui vit et qui respire. Comme vous et comme tout ce qui est vivant, la Terre a besoin d'être traitée avec amour et gentillesse. Nous oublions facilement que nous sommes des invités sur cette planète et que la Terre nous donne généreusement d'elle-même pour notre confort et notre plaisir. Si un ami vous invitait gentiment chez lui, mettriez-vous vos cendres de cigarette sur sa moquette ? Mettriez-vous du poison dans sa réserve d'eau potable ? Décrocheriez-vous tout ce qu'il y a au mur pour mettre vos tableaux à la place ? Tueriez-vous ses animaux familiers pour avoir plus de place pour vous, ou simplement pour vous amuser ?

Et c'est pourtant ainsi que nous traitons notre planète.

Nous agissons comme des invités grossiers et insensibles qui pensent, à tort, pouvoir partir ailleurs quand ils le veulent. Mais cette Terre est notre foyer. Nous n'avons aucun autre endroit où aller.

Nous devons arrêter de considérer l'amour de notre Mère Nature comme de l'acquis. Nous devons nous comporter comme des invités décents. Nous devons respecter l'espace qui nous a été donné. Nous ne devons laisser aucune trace désagréable de notre passage. Nous devons offrir notre aide là où elle est nécessaire. Et par dessus tout, nous devons apprendre à dire « MERCI ».

●

Commencez par dire « Merci » à la Création chaque fois que vous le pouvez. Vous pouvez commencer tout de suite…

… Si vous êtes près d'une fenêtre, regardez dehors, contemplez les arbres, ou vos congénères qui vous tiennent compagnie sur cette Terre, ou encore la lumière du jour qui vous permet de voir tant de beauté, et dites « Merci ». Dites-le à voix haute. Cela va vous faire du bien. Cela va vous faire sourire.

… Si vous êtes chez vous et que votre réfrigérateur est plein de nourriture généreusement offerte par notre Terre, ouvrez-en la porte et contemplez cette profusion de choses délicieuses, puis dites « Merci ».

… Allez dans la chambre de vos enfants. Regardez-les dormir. Ils sont issus de votre propre corps, sous la houlette de l'intelligence divine. Embrassez leur front, remontez leurs couvertures et dites « Merci ».

… Respirez profondément. Eprouvez la sensation de l'air qui gonfle vos poumons et insuffle la vie à votre corps. Expirez et laissez échapper de vous tout ce dont vous n'avez pas besoin. Respirez de nouveau. L'atmosphère contient autant d'air que vous en avez besoin et sa formule est en adéquation parfaite avec la vie. Expirez, et dites « Merci ».

Merci à vous d'avoir lu ce que j'ai écrit et d'avoir reçu l'amour que contiennent mes mots. Merci à vous d'avoir fait ce parcours avec moi et d'en être arrivé là. Nous sommes presque arrivés à la maison…

15

Trouvez le chemin qui vous ramènera chez vous

« J'ai cherché Dieu, et finalement, je n'ai rien trouvé d'autre que moi-même.
Je me suis cherché, et je n'ai rien trouvé hormis Dieu. »

Dicton soufiste

Quelle est la vraie destination de votre voyage ? C'est nulle part ailleurs qu'ici même, à aucun autre moment que maintenant. Ce n'est qu'en ce moment précis que vous pouvez vous trouver vous-même. Ce n'est qu'en ce moment précis que vous pouvez trouver Dieu. C'est parce qu'il n'existe rien d'autre que le moment présent, puis le moment présent suivant, et encore le suivant.

J'ai passé toute ma vie à apprendre comment revenir à cet instant présent, à ce moment que je vis tout de suite. Peu à peu, lentement, une part de plus en plus grande de moi-même revient ici même, à mesure que je récupère les différentes parties de mon esprit qui m'ont échappé au fil du temps. Une par une, elles reviennent de leur périple en quête de ce qu'elles supposaient pouvoir me rendre heureuse, pour découvrir finalement que le bonheur ne s'acquiert pas, mais ne peut que s'apprendre.

En cherchant le bonheur, je le perds. Mais si
j'arrête de le chercher, et me soumets
entièrement à ce que je suis en train de vivre,
je le trouve...

C'est ainsi que nous oublions qui nous sommes, puis nous nous en souvenons, puis l'oublions de nouveau, encore et encore. C'est à cela que ressemble notre voyage. Il ne s'agit pas d'une ligne droite qui part d'ici et nous mène là-bas, mais d'un cercle qui part d'ici et nous ramène ici. Et chaque fois, l'oubli devient moins douloureux et le souvenir plus facile.

Quelqu'un m'a un jour expliqué que notre évolution spirituelle ressemblait à l'envol d'un aigle vers le ciel. Il ne s'envole pas tout droit. Il forme des cercles qui lui font prendre de l'altitude. Il survole toujours le même territoire, mais le voit depuis un point de plus en plus haut. C'est aussi de cette façon que nous trouvons le chemin qui nous ramène chez nous. Nous nous élevons doucement vers un sentiment de plénitude et de liberté, par rapport à ce que nous sommes réellement, pour finalement ne faire qu'un avec la Vérité.

Dans le Talmud, il est écrit que « Sous chaque brin d'herbe est dissimulé un petit ange qui lui souffle "pousse, pousse..." » Vous aussi êtes guidé et protégé tout au long du chemin qui vous ramène à vous, chez vous. Des guides vous apparaissent quand vous en avez besoin, et quand vous êtes prêt à les entendre. Vous l'avez sûrement déjà constaté. Parfois, vous les repérez, mais pas toujours. N'oubliez pas que ces guides peuvent se présenter à vous sous de multiples formes, et que les meilleurs ne sont pas toujours ceux auxquels vous vous attendez.

La tâche de ces guides n'est pas de vous emmener n'importe où, mais de vous aider à mieux voir où vous êtes en ce moment. Sachez que mieux vous vous fondez dans l'instant présent, plus vite vous pourrez faire l'expérience de tout l'amour et de toute la paix qui vous attendent ici même.

« Qu'arriverait-il si vous viviez chaque jour de votre vie, chaque respiration, comme une œuvre d'art en cours de réalisation ? Imaginez-vous être une œuvre d'art inachevée, une pièce maîtresse qui prend forme à chaque seconde de chaque jour, à chaque fois que vous respirez ? »

Thomas CRUM

C'est le soir, le crépuscule. Je suis dans mon jardin, à l'arrière de la maison, d'où je peux contempler un léger brouillard porté par les vagues, pénétrant la vallée qui se glisse entre les collines situées devant moi. Le ciel est violet, encore enflammé par les derniers rayons du couchant. Il n'y a pas d'autres sons que le chant rythmé des oiseaux. A part cela, c'est le calme absolu.

J'ai mon chien sur les genoux et je m'émerveille devant la façon exquise dont la Nature nous souhaite une bonne nuit. Voici à quoi je pense : « Il en sera toujours ainsi, même lorsque je ne serai plus ici pour y assister. La même brume apparaîtra à la surface de l'eau, au crépuscule, après les chaudes journées d'été, et emplira l'air de sa moiteur. Le même océan s'étirera jusqu'à l'horizon. Les mêmes arbres offriront leur ombre à la pelouse. La même lune apparaîtra derrière les nuages de brume, revêtant la vallée de ses reflets d'argent. Tout cela restera ici quand moi je serai partie. »

Pendant quelques minutes, je me sens envahie par l'éternité de la nature. Je me sens toute petite, effrayée et désemparée par ma propre insignifiance. Qu'est-ce qui peut vraiment avoir un sens dans ma vie ? Que puis-je faire ou accomplir qui la rende vraiment significative ?

Mon chien change alors de position sur mes genoux pour avoir une meilleure vue d'ensemble. Soudain me revient à l'esprit que ce que je suis censée faire, c'est précisément ce que je fais en ce moment :

Arrêter de me projeter, m'asseoir confortablement et admirer le spectacle glorieux que m'offre la Création…

Reconnaître le privilège et la bénédiction d'être en vie…

Etre pleinement attentive et présente, ici et maintenant…

Aimer… Exprimer ma reconnaissance…

Célébrer la vie, moment après moment…

Je fais partie intégrante du rituel sacré qui a lieu en ce moment…

Je fais partie intégrante de ce qui le rend beau…

Je souhaite que votre vie soit riche
de moments vrais, et que vous cheminiez
dans la paix…

Table des matières

PREMIÈRE PARTIE

À LA RECHERCHE DES MOMENTS VRAIS

1. Votre quête du bonheur 13
2. La crise spirituelle en Amérique 45
3. Ne pas reconnaître les moments vrais 79

DEUXIÈME PARTIE

VIVRE LES MOMENTS VRAIS

4. Donnez naissance à votre « moi » profond 119
5. Les moments vrais et le travail 153
6. Les moments vrais dans les périodes difficiles .. 181

TROISIÈME PARTIE

LES MOMENTS VRAIS ET LES RELATIONS AVEC LES AUTRES

7. Les moments vrais et l'amour 197
8. Les femmes et les moments vrais 227
9. Les hommes et les moments vrais 255
10. Les moments vrais et la famille 273

QUATRIÈME PARTIE

LE CHEMIN QUI MÈNE AUX MOMENTS VRAIS

Les moyens de donner plus de sens à votre vie, et d'y introduire plus d'amour

11. La spiritualité au quotidien : les moments vrais avec vous-même 295
12. Le silence et les lieux sacrés 311
13. Les rituels liés aux moments vrais 325
14. La gratitude et les actes de gentillesse 335
15. Trouvez le chemin qui vous ramènera chez vous 345

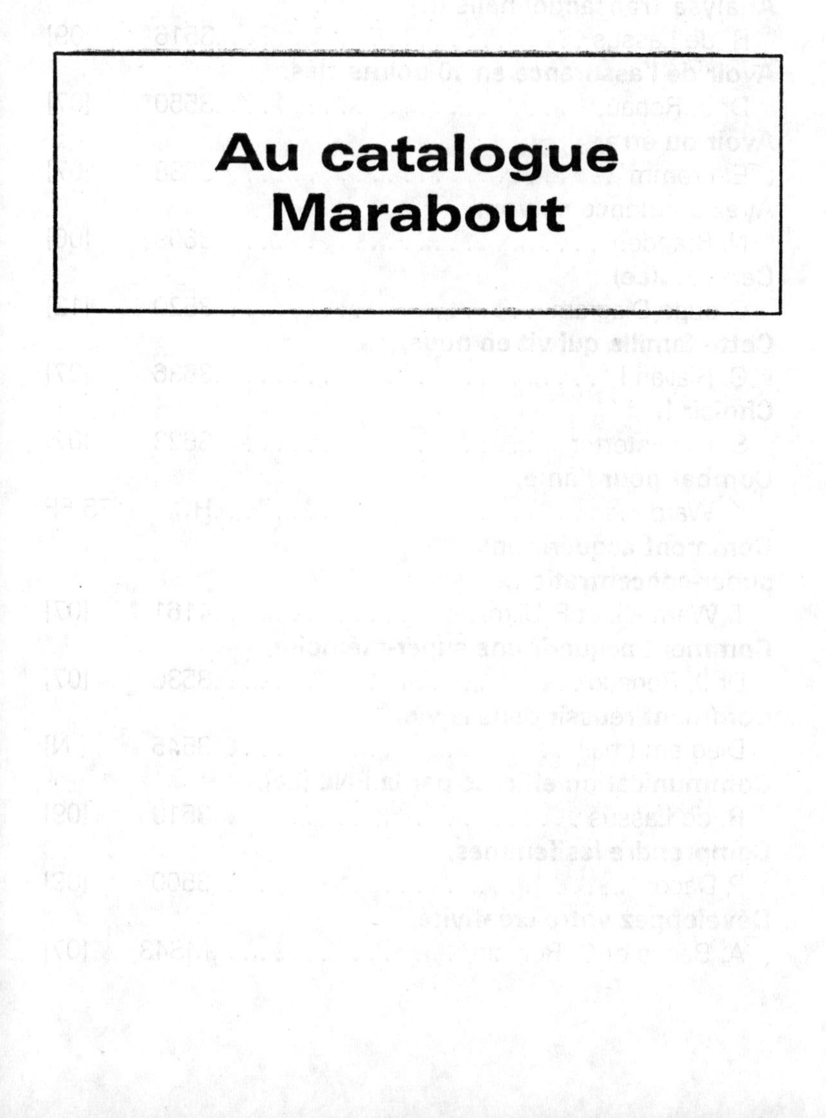

Au catalogue Marabout

Psychologie

ABC de l'analyse transactionnelle (L'),
R. de Lassus ....3561 [06]
A la découverte de soi,
R. de Lassus ....3614 [09]
Amour c'est quoi (L'),
R. de Lassus ....3627 [07]
Analyse Transactionnelle (L'),
R. de Lassus ....3516 [09]
Avoir de l'assurance en 10 points clés,
Dr J. Renaud ....3550 [07]
Avoir ou être,
E. Fromm ....3638 [07]
Ayez confiance en vous,
N. Branden ....3609 [06]
Cerveau (Le),
Groupe Diagram ....3520 [12]
Cette famille qui vit en nous,
C. Rialland ....3636 [07]
Choisir !,
S. Helmstetter ....3623 [07]
Combat pour l'âme,
K. Ward ....HC 75 FF
Comment acquérir une super-concentration,
T. Werneck et F. Ullmann ....4161 [07]
Comment acquérir une super-mémoire,
Dr J. Renaud ....3536 [07]
Comment réussir dans la vie,
Diagram (mai) ....3545 [N]
Communication efficace par la PNL (La),
R. de Lassus ....3510 [09]
Comprendre les femmes,
P. Daco ....3500 [09]
Développez votre créativité,
A. Bacus et C. Romain ....MS43 [07]

Développez votre intelligence,
G. Azzopardi ....3513 [09]
Dictionnaire des rêves,
L. Uyttenhove ....3542 [06]
10 piliers de la caractérologie (Les),
J.-P. Juès ....3619 [07]
Du côté de la vie,
J. Canfield et M.V. Hansen ....HC 75 FF
Efficace et épanoui par la PNL,
R. de Lassus (juin) ....3563 [N]
Femmes efficaces,
L. Adams ....3557 [07]
Femmes qu'ils aiment, les femmes qu'ils quittent (Les),
Dr C. Cowan et Dr M. Kinder ....3515 [07]
Force de l'esprit (La),
Groupe Diagram ....3602 [12]
Gestalt, l'art du contact (La),
S. Ginger ....3554 [09]
Grand guide du timide (Le),
J.-F. Picardat ....3547 [09]
Interprétation des rêves (L'),
P. Daco ....3501 [07]
Interpréter les gestes, les mimiques, les attitudes,
A. Pease ....3555 [07]
Je vis ma vie comme je vis mon corps,
J. Bury ....3611 [07]
Jouez à fond vos points forts,
D. Clifton et P. Nelson ....3616 [07]
J'y tiens, je l'obtiens,
K. Anderson ....3615 [09]
Langage des gestes (Le),
N. Pacout ....4124 [07]
Maîtrisez vos émotions,
A. Ellis et Dr A. Lance ....3632 [09]
Mensa, le livre des tests,
A. Bacus ....3506 [07]
Mesurez votre Q.I.,
G. Azzopardi ....3527 [06]

Méthode Coué (La),
E. Coué ....3514 [07]
Moments vrais (Les),
B. de Angelis (juin) ....HC [N]
Oser être gagnant,
R. de Lassus ....3620 [07]
Oser être soi-même,
R. de Lassus ....3603 [07]
Partez gagnant,
T. Hopkins ....3604 [07]
Penser positif,
V. Peiffer ....3630 [07]
Pièges de la perfection (Les),
S.J. Hendlin ....3628 [09]
Plus jamais le trac,
G. Garibal (juin) ....3553 [N]
Pouvoir de l'amour (Le),
Dr G. Jampolsky ....3625 [07]
Prodigieuses victoires de la psychologie (Les),
P. Daco ....3504 [09]
Psy de poche (Le),
S. Mc Mahon ....3551 [07]
Psychanalyse (La),
C. Azouri ....3522 [07]
Psychologie et liberté intérieure,
P. Daco ....3503 [09]
Puissance de la pensée positive (La),
N.V. Peale ....3607 [07]
Qui êtes-vous ?,
Groupe Diagram ....MS5 [12]
15 tests pour connaître les autres,
M. et F. Gauquelin ....GM15 [06]
Résoudre les conflits par l'approche paradoxale,
J.P.Juès ....3558 [06]
Rester maître de soi,
Dr J. Renaud ....3635 [07]
Réussissez les tests d'intelligence,
G. Azzopardi ....3512 [07]

Se connaître par la morpho-psychologie,
B. Guthmann ....HC 69 FF
Secrets de votre écriture (Les),
M.-A. Boone et F. Kestemont ....4150 [07]
Se guérir par la visualisation,
P. Fanning ....3610 [09]
Solitude,
A. Storr ....3613 [09]
Techniques modernes de développement personnel (Les),
J.-P. Juès ....3540 [09]
Thérapie cognitive (La),
Ph. Brinster ....3549 [07]
Tester et enrichir sa mémoire,
M. Dansel ....3518 [09]
Tests d'intelligence (Les),
J.-E. Klausnitzer ....3529 [07]
Tests de logique (Les),
J.-E. Klausnitzer ....3530 [07]
Tests psychologiques (Les),
P. Caprili ....3533 [06]
Tests sans stress,
A. Bacus ....3524 [07]
Training autogène (Le),
C. Brand-Hetzel ....3511 [07]
Training cerveau,
Dr J. Renaud ....4149 [09]
Transformez votre vie,
L. Hay ....3633 [07]
Triomphes de la psychanalyse (Les),
P. Daco ....3505 [09]
Triple Moi (Le),
G. Jaoui ....3637 [07]
Une super-mémoire en 10 points clés,
Dr J. Renaud ....3541 [07]
25 mots clés de la psychologie et de la psychanalyse,
P. Marson ....3519 [09]

Voies étonnantes de la nouvelle psychologie (Les),
P. Daco ....3502 [09]
Vos rêves sont des messages,
N. Julien ....3622 [07]
Votre corps vous parle, écoutez-le,
H. Tietze ....3617 [07]
Vous n'aimez pas ce que vous vivez ? Alors, changez-le !,
E. Guilane ....3626 [09]

Santé - Forme - Sexualité

Cellulite (La),
M. Bontemps .3000 20 FF

Colonne a bon dos (La) : la méthode Mézières,
Dr G. Pacaud et J. Fromond .2753 [07]

Comment bien faire l'amour ensemble,
A. Penney .2739 [06]

Comment faire l'amour à un homme,
A. Penney .2737 [06]

Comment faire l'amour à une femme,
M. Morgenstern .2738 [06]

Comment maigrir en faisant l'amour,
R. Smith et Wolinski .HC 75 FF

Découvrez les bienfaits de la nutrithérapie,
Dr R. Moatti .2726 [09]

203 façons de rendre fou un homme au lit,
J. Saint-Ange (juin) .2771 [N]

Devenez l'artisan de votre santé,
A. Jouy .2735 [07]

Dictionnaire familial d'homéopathie,
Dr E. A. Maury .2703 [07]

Femme sensuelle (La),
J. .2733 [06]

Guide anti-stress,
Dr J. Renaud .4121 [07]

Guide complet et illustré de tous les exercices physiques,
Diagram .2751 [07]

Guide de la future maman,
Dr A.P. Wattel (mai) .2769 [N]

Guide pratique et illustré de la nuit de noces,
R. Smith et Wolinski .HC [N]

Guide-santé du voyageur,
Dr G. Pacaud et A. Gaillard ....2750 [12]
Gym au quotidien (La),
D. Laty ....4119 [07]
Hanches et fesses parfaites en 10 minutes par jour,
L. Raisin (mai) ....2768 [N]
Homéopathie et les oligo-éléments pour les enfants (L'),
Dr G. Pacaud ....2728 [07]
Homme sensuel (L'),
M. ....2732 [06]
Kama Soutra (Le) ....2722 [06]
Hot fidélité,
Dr P. Love et J. Robinson ....HC 69 FF
Lifting au naturel (Le),
J. Corvo ....2731 [06]
Livre de bord de la femme (Le),
M.-C. Delahaye ....2721 [09]
Livre de bord de la future maman (Le),
M.-C. Delahaye ....2717 [09]
Livre de bord de la future maman,
Ed. Cartonnée,
M.-C. Delahaye ....HC 140 FF
Maigrir avec les hautes calories,
M. Leconte ....2700 [06]
Mal de dos (Le),
M. Bontemps ....3005 20 FF
Manuel de détoxication,
C. Vasey ....2725 [07]
Manuel du yoga Kundalini,
S. Singh ....2748 [09]
Méthode Alexander (La),
R. Brennan ....2755 [07]
Mincir sans fatigue,
M. Bontemps ....3002 20 FF
Mincir vite,
M. Bontemps ....3001 20 FF

N'ayez plus mal au dos,
D. Moriau ....2758 [07]
Non à la douleur,
Dr D. Valade ....2761 [07]
Premiers secours : mode d'emploi,
Dr P. Cassan et S. Gerin [juin] ....2765 [N]
Prozac, questions-réponses,
Dr R. Fieve ....2752 [07]
Questions de futures mamans ,
S. Gerin ....2760 [07]
Remodelez votre corps,
L. Raisin ....2730 [07]
Remodelez votre corps au masculin,
L. Raisin ....2756 [07]
Rester jeune en restant souple,
F. Cottarel ....2764 [06]
Révolution homéopathique (La),
Dr G. Pacaud ....HC 69 FF
Rhumatismes (Les),
M. Bontemps ....3004 20 FF
Scarsdale, régime médical infaillible,
Dr H. Tarnower et S.S. Baker ....2706 [06]
Self-lifting,
C. Volaire (juin) ....2770 [N]
Se soigner seul par l'homéopathie,
Dr G. Pacaud ....2727 [09]
Soignez votre enfant par l'homéopathie,
Dr R. Bourgarit ....2716 [06]
Soignez-vous par le vin,
Dr E.A. Maury ....2702 [07]
Toxic-bouffe,
L. Nugon-Baudon ....2757 [09]
Un ventre plat en 10 minutes par jour,
L. Raisin ....2767 [05]
Une santé de fer,
A. Valmont ....2749 [06]
Vaincre par la sophrologie,
R. Abrezol ....2754 [07]
Ventre plat (Le),
M. Bontemps 3003 20

Sciences parallèles

ABC de la numérologie,
J.-D. Fermier ....2317 [07]
ABC des tarots,
C. H. Silvestre ....2315 [06]
Astrologie facile (L'),
D. de Caumon Paoli ....2314 [04]
Auto-hypnose (L'),
M. Curcio ....2306 [07]
Cartomancie (GM de la),
F. Maisonblanche ....2313 [07]
Cartomancie : tirer et interpréter les cartes,
G. Sciuto (juin) ....2323 [N]
Connaissez-vous par votre signe astral,
J. de Gravelaine ....2301 [07]
Découvrez votre avenir par les cartes et l'astrologie,
A. Von Pronay ....2321 [07]
Dictionnaire des mythes (Le),
N. Julien ....2303 [12]
Dictionnaire des symboles (Le),
N. Julien ....2304 [12]
Duos des étoiles,
D. Colin et S. Favier (mai) ....2322 [N]
Etre franc-maçon aujourd'hui,
G. Garibal ....2311 [07]
Franc-maçonnerie - Initiation (La),
N. Pacout ....2308 [07]
Grand Horoscope Marabout 1996,
N. Julien ....HC 85 FF
Livre des anges (Le),
S. Burnham ....2319 [09]
Planètes qui vous gouvernent (Ces),
N. Julien ....2310 [07]

Vos étoiles jusqu'en l'an 2001,
E. Tessier . . . . .2318 [09]
Votre avenir par les runes,
L. Decker . . . . .2320 [09]
Votre avenir par les tarots,
G. Sciuto . . . . .2302 [06]
Vous êtes médium,
M. Aurive . . . . .2305 [07]

IMPRIMÉ EN FRANCE PAR BRODARD ET TAUPIN
1158P-5 - Usine de La Flèche (Sarthe), le 31-05-1996

pour le compte des
Nouvelles Éditions Marabout
D.L. juin 1996/0099/166
ISBN : 2-501-02326-9

IMPRIMÉ EN FRANCE PAR BRODARD ET TAUPIN
[illegible] La Flèche (Sarthe) le [illegible]

pour le compte de
Nouvelles Éditions Marabout
D.L. [illegible]
ISBN 2-501-02326-9